VOLUMES DISPONIBLES DANS LA COLLECTION RESSOURCES

MES SOUVENIRS
1830 – 1848 – 1870

La Collection

ressources

est publiée sous la direction
d'un comité comprenant Messieurs :

Guillaume de BERTIER DE SAUVIGNY
François BOURRICAUD
Ephraïm HARPAZ
Roger PIERROT
Pierre REBOUL
Paul VERNIERE

Toute information sur nos éditions vous sera donnée
sur simple demande faite à

SLATKINE FRANCE – B.P. 12 – 01170 GEX (Ain)

ISBN 2 - 05 - 000103 - 7

Charles BESLAY

MES SOUVENIRS

1830 – 1848 – 1870

Présentation de G. DE BERTIER DE SAUVIGNY

ressources

PARIS - GENÈVE

Réimpression de l'édition de Paris, 1874

PRESENTATION

"J'ai appartenu dès ma première jeunesse à la cause de la liberté. C'est par le goût de la liberté, c'est par l'observation et l'étude attentive de la situation faite aux travailleurs que je suis bien vite arrivé à comprendre la nécessité de la forme républicaine. C'est enfin l'idée de la République, acceptée comme la meilleure forme de gouvernement qui m'a conduit à reconnaître la nécessité de grandes réformes sociales."

En ces termes est résumé un itinéraire assez insolite, en regard de celui de tant de révolutionnaires fougueux d'avant 1830, qui devaient terminer leurs carrières dans les fauteuils capitonnés des sénatoreries, des conseils d'administration, des académies. Voici, au contraire, un de ces "bourgeois conquérants", moteurs de la première révolution industrielle du XIXe siècle : négociant, ingénieur, industriel, et qui a terminé sa vie comme membre de la Première Internationale socialiste et du conseil de la Commune de Paris.

Né à Dinan (Côtes-du-Nord), le 1er juillet 1795, Charles-Victor Beslay est le fils d'un des notables négociants de la ville. Ce père a embrassé la cause de la Révolution, mais sans participer à ses excès. Il a été procureur-syndic du district de Dinan, puis, en 1801, membre du corps législatif : il a siégé, jusqu'en 1838, dans toutes les assemblées parlementaires, où il s'est distingué non par des discours, mais par son travail consciencieux dans les commissions de finances. Et aussi par son ombrageuse indépendance : à toutes les tentatives de le gagner par l'attrait de quelque place, il répondit toujours qu'il se considérait comme envoyé par ses concitoyens pour contrôler les actes du gouvernement et non pour lui donner son concours. Le fils avait hérité de cette intégrité et de cette indépendance. Mais avant de les porter dans la vie politique, il a goûté aux joies de l'homme en prise directe sur la vie économique. "Le commerce, écrit-il, attire par des séductions puissantes, et quand une fois il a récompensé vos calculs par un gain rémunérateur, il finit par vous enchaîner par des liens invisibles." Lorsqu'il a atteint l'âge de vint-cinq ans, son père lui a cédé sa maison de négoce et de banque, une des plus importantes de la région. Non content de la faire prospérer, le jeune Beslay s'est lancé dans une vaste entreprise de travaux publics, celle de l'achèvement du canal de Nantes à Brest. La façon dont il a su traiter avec les notables du Morbihan, et surtout le courage et la présence d'esprit dont il a fait preuve pour éteindre une grave sédition parmi les ouvriers, lui ont gagné la considération des électeurs; le 5 juillet 1831, il a été élu député de l'arrondissement de Pontivy, et conseiller général. Battu de justesse aux élections de 1837, il s'est tourné vers l'industrie en créant à Paris, dans le quartier de Popincourt, une fabrique de chaudières pour locomotives; il devait y employer près de deux cents ouvriers.

Lors de la révolution de 1848, le gouvernement provisoire l'a nommé commissaire de la République pour le département du Morbihan, ce qui lui a valu d'en être élu député à l'Assemblée Constituante. Là, il a constamment voté avec l'extrême-gauche et il a même été le seul député à refuser la dévolution du pouvoir exécutif au général Cavaignac, pour la raison "que les militaires ne sont jamais pour la liberté." C'est alors aussi qu'il a fait la connaissance de Proudhon pour lequel il s'est pris d'une vive amitié et qui devait le conduire au socialisme; c'est ainsi qu'en 1866, il a été parmi les premiers membres de la section française de l'Internationale ouvrière.

Dans la guerre de 1870, il a fait preuve d'un ardent patriotisme, servant, malgré son grand âge, dans la garde nationale. Il a sévèrement jugé l'attitude défaitiste de Trochu et s'est prononcé pour la guerre à outrance. Il a soutenu le putsch blanquiste manqué du 31 octobre 1870 contre le gouvernement de la Défense nationale. Le 26 mars 1871, il a été élu — pratiquement malgré lui — député du VIe arrondissement au Conseil général de la Commune de Paris et c'est lui qui, en qualité de doyen d'âge, en ouvre la session. Il est désigné comme délégué à la Banque de France; grâce à l'ascendant de son caractère, il réussit à défendre les réserves de la Banque contre l'avidité des éléments radicaux des troupes communardes. Si bien qu'après la prise de Paris, le sous-gouverneur de la Banque s'arrangera pour lui permettre de passer en Suisse. Du reste, lorsque son cas sera examiné par un conseil de guerre, l'affaire se terminera sur un non-lieu. Cependant, Beslay a choisi de terminer sa vie en Suisse, où il avait des intérêts depuis que, vingt ans plus tôt, il avait participé à la création du réseau ferroviaire de la Confédération. Il mourra à Neuchâtel, le 30 mars 1878.

Si Beslay a écrit ces *Souvenirs*, ça a été principalement pour se défendre contre les imputations dirigées contre lui, de droite et de gauche, au sujet de son rôle dans la Commune. C'est donc sur ces événements de 1870-1871 que son témoignage est le plus détaillé et le plus précieux. Mais, heureusement, l'auteur a aussi voulu rappeler les principaux épisodes de sa longue vie. Ainsi y lira-t-on les souvenirs d'un étudiant libéral sous la Restauration, d'un jeune entrepreneur actif et innovateur, d'un député de l'opposition de gauche sous la Monarchie de Juillet, d'un politique très actif dans les premiers temps de la Deuxième République, d'un témoin direct des journées insurrectionnelles de juin 1848. On y voit, saisi sur le vif, bon nombre de personnalités importantes de l'époque : Louis-Philippe, Cavaignac, Morny, Trochu, Jules Simon, Carnot, Thiers. . . Ses convictions socialistes, fortement exprimées, ne sont pas pour autant révolutionnaires : "Le capital et le travail, dit-il, sont les deux bras du corps social." Cet agnostique anticlérical fait preuve d'une austérité presque janséniste et d'un admirable dévouement à ses semblables. Il n'a qu'un léger défaut : c'est de ne laisser à personne le soin de claironner ses mérites. Un peu pharisaïque, notre homme, mais avec une naïveté désarmante.

Ces intéressants *Souvenirs* ont le double avantage de couvrir une large tranche chronologique de notre histoire du XIXe siècle et d'éviter dans leur présentation tout verbiage superflu, toute recherche de style. Le témoignage de Charles Beslay, dans son dépouillement, qui en souligne la crédibilité, apparaît comme l'un des plus suggestifs de sa génération.

G. de Bertier de Sauvigny

A MES LECTEURS

~~~~~~~~~

Avant tout, la vérité!

Un livre de *Souvenirs!* .... Pourrait-on s'en étonner?
Non, sans doute, car tous mes amis savent que je puis et
que je dois en avoir, et beaucoup et de toutes sortes, et sur
les hommes et les choses de mon temps! Si donc il y a lieu
de s'étonner, c'est de me voir leur donner une publicité si
tardive.

En effet, j'ai traversé depuis soixante ans les affaires, le
monde politique, les événements et les révolutions de mon
temps, sans jamais songer à publier le récit de ma conduite
et de mes actes. Depuis le jour où j'étais élu député en 1830,
jusqu'au jour où j'ai prononcé, comme doyen d'âge, le discours d'inauguration de la Commune de Paris en 1871, j'ai
toujours pris une part petite ou grande à tous les grands
actes de notre histoire. Mais en restant en toute circonstance
fermement à mon poste, je me regardais comme un simple
soldat dans la grande armée de la démocratie, et je ne croyais
pas que le devoir me commanderait un jour de sortir des
rangs et d'élever la voix pour donner, devant l'histoire, mon
témoignage à la justice et à la vérité.

Ce jour est pourtant venu, et je me vois forcé de publier

mes *Souvenirs* pour deux raisons graves : uné raison d'intérêt privé, une raison d'intérêt général.

Un mot sur l'intérêt privé.

Depuis la chute de la Commune, j'ai vu s'accumuler contre moi les plus odieuses attaques, les insinuations les plus perfides, les accusations les plus infamantes.

Mes vieux amis du parti libéral et du parti républicain — ce sont les plus indulgents — s'imaginent qu'ils m'ont traité avec bienveillance, quand ils insinuent, d'un air de pitié, que *j'ai eu le tort de prendre parti pour les fous.*

Les conservateurs, qui n'ont jamais rien su conserver que par la force des baïonnettes et qui s'évanouissent dès que le péril approche, les conservateurs m'ont enrégimenté dans la légion des ennemis de l'ordre, de la famille et de la propriété.

Les journalistes de la réaction, qui se promenaient tranquillement sous les ombrages de Versailles, pendant que je faisais mon devoir à Paris, n'ont pas craint d'affirmer que je ne suis allé à la Banque, comme délégué de la Commune, *que par intérêt, et que j'en suis sorti devant plus à la Banque que la Banque ne me doit.*

Les ennemis du prolétariat, qui ne connaissent que la politique de la Saint-Barthélemy, me rangent, moi qui ne demande que des réformes et la conciliation des intérêts opposés, parmi les anarchistes qui ne rêvent que bouleversements sociaux.

Ce n'est pas tout. Des proscrits eux-mêmes et des membres de la Commune s'attaquent à mon passé politique et aux actes de ma délégation à la Banque de France. C'est me placer entre deux feux ; mais on me permettra sans doute de riposter. Mon passé? ce livre va le raconter tout entier. — Les actes de ma délégation? Je prouverai que je n'ai fait qu'exécuter les ordres de la Commune elle-même. — La Banque de France? Je suis de ceux qui soutiennent qu'il faut la laisser debout ; mais je suis aussi de ceux qui sont prêts à prouver qu'on peut mieux faire qu'elle et qui demandent à le démontrer par des actes.

Devant tant d'accusations implacables, j'ai senti s'élever du fond de ma conscience indignée un cri de protestation incessante que je n'ai pu retenir plus longtemps.

Baisser la tête sous ces iniques réquisitoires, c'eût été donner gain de cause au mensonge ; c'eût été accepter aussi, pour ma carrière et pour ma mémoire, une honte que je repousse comme absolument imméritée.

Cette honte n'atteindra que mes accusateurs. La vérité doit à son tour prendre la parole, et je n'écris que pour la montrer dans tout son jour. Ceux qui liront ces *Souvenirs* verront que je suis d'une famille où l'on ne transige avec aucune des obligations de la vie. Tous les cœurs bien placés comprendront que l'image de ceux qui me sont chers vienne, dans cette situation douloureuse, se présenter d'elle-même à ma pensée. L'homme n'est qu'un anneau dans la chaîne des traditions de sa famille ; il doit se montrer digne de ceux qui l'ont précédé, et c'est en gardant précieusement au fond de lui-même cette pensée vivifiante, que le citoyen arrive à doubler sa force pour les combats de la vie publique.

Eh bien ! je le déclare ici hautement, de ces devoirs de famille et de ces devoirs de citoyen, ma conscience me rend ce témoignage que je n'en ai déserté aucun. Dans la mêlée des événements de mon siècle, je me suis souvent trouvé dans les positions les plus critiques, les plus difficiles, les plus périlleuses, sans que j'aie songé une seule fois à me départir de cette règle : *Fais ce que dois, advienne que pourra !*

Au camp de Glomel en Bretagne, après la révolution de 1830, je me suis trouvé seul au milieu d'une révolte de soldats condamnés, et, à force de sang-froid et d'énergie, je suis parvenu à les faire rentrer dans le devoir.

Pendant les journées de juin 1848, j'ai présidé, comme commissaire du gouvernement, à la défense de la mairie du 8ᵉ arrondissement, place des Vosges, dans le quartier de la Bastille, et mes lecteurs verront combien de fois j'ai là risqué ma vie pour essayer de mettre fin à cette lutte fratricide.

Le 2 décembre 1851, j'ai fait le possible et l'impossible pour donner à la résistance de Paris l'ensemble et l'impulsion qui lui manquaient, et mon domicile a été l'un des rendez-vous des membres importants du parti républicain, pour organiser la lutte armée.

En 1870, à la nouvelle de nos premiers revers, je m'engageai, à soixante-seize ans, à Saint-Brieuc, dans le 26ᵉ de ligne qui était à Metz, pour montrer par mon exemple qu'à l'heure du péril le dévouement à la patrie est le premier devoir.

En 1871, nommé par la Commune délégué à la Banque de France, je reste, malgré d'horribles souffrances, à mon poste, et je fais respecter par la force armée de Paris le mandat qui m'avait été confié par la Commune elle-même.

Ces faits ne suffisent-ils pas pour me faire connaître? Ils montrent que dans toutes les circonstances de ma vie je n'ai jamais obéi qu'à ma conscience, que je n'ai jamais poursuivi que l'accomplissement de mon devoir. Pourquoi ne le dirais-je pas? J'ai fait souvent, pour le triomphe de mes idées, plus que ne me le permettait le soin de mes propres intérêts. Dans ces conditions, j'attends, tranquille et impassible, l'acte d'accusation qui fera de moi un coupable.

Passons aux questions d'intérêt général. Depuis un siècle, on peut dire que la France est dans un perpétuel enfantement. La Révolution française a été saluée dans le monde entier comme le gage de l'émancipation de tous les peuples. Mais, chose étrange! c'est la France elle-même qui semble trop souvent, hélas! renier son œuvre glorieuse et vouloir revenir au passé, en ressuscitant des principes et des gouvernements que sa révolution condamne. C'est ainsi que nous avons vu reparaître, sous quatre ou cinq formes différentes, l'absolutisme des rois et des empereurs, que la révolution croyait avoir frappé à mort.

Or, j'ai assisté, je puis le dire, à ce chassé-croisé de tous nos gouvernements, depuis l'absolutisme du premier empire jusqu'à l'absolutisme parlementaire de l'assemblée de Versailles.

J'ai vu de près les grandeurs et les petitesses de celui que nous avons appelé le grand homme, et qui, après avoir fait trembler l'Europe, a laissé la France en proie à l'invasion et à la merci des gouvernements européens.

J'ai vu, sur les débris de cet empire, se former, sous la protection des armées étrangères, les deux Restaurations, avec l'accompagnement des haines et des vengeances qui les inspiraient; nos glorieux soldats traités comme des brigands, le maréchal Brune assassiné, la Congrégation triomphante, la Chambre introuvable, les Trestaillons, les Verdets, et toutes les abominations de la terreur blanche.

J'ai vu se dresser contre cette résurrection de l'ancien régime la révolution victorieuse qui revenait pour reprendre son œuvre inachevée, mais que la bourgeoisie arrêtait encore dans sa marche, pour badigeonner à la hâte un trône qui ne reposait sur rien.

J'ai vu la révolution de 1848 balayer triomphalement tous ces replâtrages d'un passé impossible, et, à l'heure où la République pouvait devenir le gouvernement régulier de la France, le coup d'état du 2 décembre jouer avec les destinées de la France, comme un larron avec la bourse des passants.

J'ai assisté, comme témoin et comme acteur, à toutes les péripéties de la longue crise qui s'accomplit sous nos yeux : les folies d'une guerre sans préparatifs, sans plan de campagne, sans chefs et sans commandement; l'héroïsme impuissant d'un siége aussi mal conduit que la guerre; l'antagonisme plus ardent que jamais de la bourgeoisie et du prolétariat, et la guerre civile venant, pour mettre le comble à tous nos maux, tourner son poignard dans chacune de nos plaies encore toutes vives.

J'ai assisté enfin, comme témoin et comme acteur aussi, au terrible drame de la Commune, et je dirai tout ce que j'ai vu, tout ce que j'ai su, tout ce que j'ai connu sur Paris et sur Versailles, car il est temps de remettre chaque chose à sa place et de faire peser sur chacun la responsabilité de ses actes. La défense d'un parti n'a jamais été ma devise. Défendre un parti, c'est perpétuer l'antagonisme des éléments qui composent la société. Il faut être juste pour tous, et, suivant le mot que je mets à la tête de ma préface, dire : « Avant tout, la vérité! » Il arrive trop souvent de montrer la paille dans l'œil d'autrui, quand on porte une poutre dans le sien. Si le massacre des ôtages et les incendies sont

des actes criminels, quel nom donnerons-nous aux fusillades en masse qui se sont continuées pendant trois jours à
Paris, après l'occupation de la capitale, quand l'armée était
victorieuse dans tous les quartiers? L'histoire ne peut avoir
deux poids et deux mesures. On aura beau dire et beau faire. L'histoire et la vérité
seront plus fortes que les haines et les vengeances. Rien ne
prévaut contre le droit de l'humanité. Voilà plus de deux
ans que Versailles jette ses malédictions à Paris. N'est-il pas
temps qu'une voix de Paris renvoie à son tour à Versailles
ce mot d'un ancien : Frappe, mais écoute!

D'autres écriront l'histoire de nos temps bouleversés, je
n'ai pas de prétentions si élevées. Mais les faits que je vais
raconter, les attestations que je donnerai, les lumières que
je pourrai répandre sur bien des points encore obscurs de
nos débats et de nos problèmes contemporains, contribue-
ront, je l'espère, à dissiper bien des nuages et à redresser bien
des erreurs.

J'ai appartenu dès ma première jeunesse à la cause de la
liberté. C'est par le goût de la liberté, c'est par l'observation et l'étude attentive de la situation faite aux travailleurs
que je suis bien vite arrivé à comprendre la nécessité de la
forme républicaine; c'est enfin l'idée de la République, acceptée comme la meilleure forme de gouvernement, qui
m'a conduit à reconnaître la nécessité de grandes réformes
sociales.

Je raconterai tour à tour ces trois phases de ma vie que
je puis en quelque sorte résumer en trois dates et en trois
mots :

1830. — Liberté.
1848. — République.
1870. — Socialisme.

Socialisme! Voilà le grand épouvantail du jour, voilà le
bouc émissaire des conservateurs endurcis de notre temps.
Il ne faut pas s'en étonner. Le monde est ainsi fait. Toutes
les grandes transformations sociales ont fait peur avant de
se faire accepter. Le mot république a fait autrefois trembler les bonnes gens, ce qui n'empêche pas la République
d'être considérée par tous les esprits sincères comme la seule
espérance de la régénération de la France et de l'Europe.
Le mot socialisme fait peur de nos jours et les hommes
politiques s'en détournent de parti pris. C'est ainsi que nous
avons entendu Gambetta déclarer dans son discours du Havre que pour lui il n'y avait pas de questions sociales.
Bien mieux. M. Tolain lui-même, porté par l'*Internationale* à l'assemblée de Versailles, n'a-t-il pas recommandé
à l'une des dernières élections faites à Marseille, de se rattacher à la politique de Gambetta et de ne plus s'occuper
de questions sociales, de peur d'effrayer le pays. Vous l'entendez. Les plus intrépides, les plus convaincus, *ont peur
d'effrayer le pays*. Croit-on vraiment avoir échappé au danger et avoir vaincu tout obstacle, quand on a, comme l'au-
truche, fermé les yeux à la lumière et replié sa tête sous
son aile? Ce n'est pas ainsi qu'agissait Proudhon en 1848.
Sous l'avalanche des persécutions qui suivirent les journées de juin, il déployait plus fièrement que jamais la bannière du prolétariat et il maintenait à l'ordre du jour de la
politique les questions sociales.
Eh quoi! Dirons-nous à nos endormeurs : pas de questions
sociales! Comment donc appeler les questions qui divisent
si profondément la blouse et le paletot? Comment appeler
ces différences si tranchées dans les avantages de la société,
que les travailleurs et les capitalistes paraissent appartenir
à deux mondes à part?

Est-ce qu'il n'y a pas dans le code des articles dont le but spécial est de consacrer et maintenir la suprématie du capital et la dépendance du travail?

Est-ce qu'au point de vue de l'instruction et du crédit, le travailleur peut se dire l'égal du capitaliste? Est-ce que l'accès à la propriété est aussi facile au peuple qu'à la bourgeoisie?

Ce sont bien là des questions sociales, tout aussi caractérisées que celles qui ont provoqué le grand mouvement révolutionnaire du siècle dernier ; et pour les résoudre, il faut que la bourgeoisie fasse pour le peuple ce qu'elle a fait pour elle-même.

Qu'a fait la bourgeoisie, sinon de se servir de la révolution? Tant que ces révolutions lui ont été profitables, elle s'en est glorifiée ; mais dès que la révolution veut poursuivre son cours pour émanciper les travailleurs, elle s'indigne et proteste. N'est-ce pas montrer qu'elle a, comme l'aristocratie, son égoïsme irrémédiable? Il n'y a pourtant que deux moyens d'accomplir l'inflexible loi du progrès : les réformes ou les révolutions. Que la bourgeoisie prenne hardiment l'initiative des réformes, et elle doublera sans naufrage le cap des tempêtes qu'elle voit toujours à l'horizon. Mais si elle persiste à comprendre la conservation de ses intérêts à la façon des bornes, la révolution se dressera contre elle, comme elle s'est dressée contre la monarchie et la féodalité. A nous de lui montrer le chemin ; à elle de voir si elle veut, oui ou non, le suivre!

Pour moi, en prenant en main la cause du prolétariat, je demeure profondément convaincu que je travaille à l'apaisement de nos dissensions, à l'effacement de nos divisions, à la fusion si désirable et si désirée du capital et du travail, par conséquent à l'affermissement de la véritable conservation sociale. Le lecteur ne partagera-t-il pas mes convictions en voyant que je n'ai jamais cherché, exposé et défendu que le bien, le juste et le vrai? Après avoir demandé des réformes pour soi, il faut être assez équitable pour en faire jouir ceux qui nous ont aidés à les conquérir.

Le monde marche, et rien ne prévaudra contre l'idée de justice. Il en sera du socialisme comme de tous les grands mouvements qui ont remué le monde. Il s'étend aujourd'hui sur toute l'Europe. Pour le faire pénétrer dans nos institutions, il faut trois choses :

Ecarter à tout jamais toute idée de restauration monarchique, car la monarchie est l'incarnation du privilége, qui est lui-même l'ennemi irréconciliable du travail;

Balancer d'abord et détruire ensuite, par l'instruction, l'autorité des prêtres et des jésuites, qui sont les jacobins de la réaction;

Dépouiller l'esprit des conservateurs du préjugé qui leur fait voir dans le travailleur un ennemi, tandis que le capital et le travail ne sont que les deux bras du corps social.

Le monde ne goûtera entièrement le repos que le jour où tous les membres de toute société auront également place au banquet social. C'est à cette œuvre de légitimes revendications que je travaille; c'est à ce but que nous devons marcher sans hésitation et sans secousse, par des réformes capables d'éviter les révolutions. C'est l'idéal placé devant la politique de notre temps. Aveugle qui ne le voit pas!

A LA BRETAGNE

~~~~~~~

C'est à la Bretagne, la terre de la loyauté et du droit, que je dois l'honneur d'avoir participé à la vie politique de mon pays ; c'est à elle que je veux rendre compte de la conduite que j'ai tenue à travers toutes les révolutions qui ont déchiré la France.

Le livre que je publie s'adresse donc à mon pays natal. A toutes les périodes de ma vie, le souvenir de la Bretagne se lie intimement aux miens. Comme citoyen, c'est au milieu de ses populations loyales que j'ai commencé ma longue et laborieuse carrière ; comme électeur, c'est chez elle, en luttant contre l'influence de la noblesse et du clergé, que j'ai appris les devoirs de la vie politique ; comme conseiller général, ce sont ses intérêts que j'ai défendus dans le conseil général du Morbihan ; comme député et comme représentant en 1848, c'est elle qui m'a élu sous Louis-Philippe et sous la République, pour soutenir la cause impérissable de la liberté.

Ce sont là, entre la Bretagne et moi, des traits d'union que rien ne brisera. Je suis heureux et fier d'avoir pu mériter les sympathies de cette grande et généreuse province.

Ces sympathies et ces suffrages, je ne les ai obtenus qu'en montrant au grand jour l'indépendance de mon caractère et de mes opinions.

J'appartiens au pays qui nous montre encore debout les deux puissances les plus hostiles à mes convictions démocratiques : la noblesse et le clergé.

Qui dit noblesse, dit privilége, et moi qui n'ai jamais eu qu'un culte, celui de l'égalité, j'ai toujours combattu l'influence d'une classe qui, en dépit de la nuit du 4 août, n'a jamais accepté le niveau des institutions démocratiques.

Qui dit clergé, dit haine de la Révolution, qui nous a faits ce que nous sommes ; et moi, je suis resté l'ennemi déclaré de tous ceux qui la combattent, parce que je la regarde comme le gage de l'émancipation humaine, en France, en Europe, et dans le monde entier.

Oui, les châtelains de notre vieille Bretagne, je leur ai tenu tête ouvertement, disant toujours tout haut ce que tant d'autres disaient tout bas. Mon livre montrera par des faits avec quelle franchise, avec quelle ardeur nous nous combattions, et avec quelle mutuelle estime nous restions séparés.

Oui, les cléricaux et les prêtres, je leur ai résisté, sans crainte et sans ménagement, et cela au milieu de la Bretagne catholique, en heurtant les croyances les plus enracinées, en attristant parfois les personnes qui me sont le plus chères.

Que de fois j'ai entendu dire autour de moi : — Comment! vous, Beslay, vous attaquez l'Eglise, la religion, les prêtres ! — J'ai toujours répondu : j'attaque l'institution qui s'est faite la complice de toutes les oppressions et de toutes les tyrannies. Je n'attaque pas l'Evangile, j'en suis plus près, en voulant faire pénétrer l'égalité dans toutes nos institutions, que ceux qui prétendent le pratiquer en éternisant toutes les servitudes.

La Bretagne est encore couverte de châteaux et d'églises,

mais comment ne pas voir que cette double domination s'en
va. Il suffit de parcourir la Bretagne pour observer entre
les campagnes et les villes une ligne de démarcation radicale. Les villes sont complétement acquises aux idées nouvelles, et le jour où l'instruction aura passé sur les campagnes, le vieux prestige de l'aristocratie et de l'Eglise n'y
sera plus qu'un vain mot.

La vieille Armorique est d'ailleurs l'ennemie née des
pouvoirs violents; il n'est pas un pays où la haine de l'oppression soit plus vigoureusement sentie. Cette passion de
l'indépendance, portée à son comble par la Révolution, fait
de la Bretagne pour l'avenir un des points d'appui les plus
solides pour la démocratie.

La Bretagne marche résolûment dans cette voie de l'é-
mancipation universelle, et c'est pour travailler à cette œuvre de liberté qu'elle m'a confié, pendant vingt années, le
soin de la représenter dans les assemblées publiques.

Ce mandat, je l'ai rempli en conscience, non pas avec
l'étroitesse de vues qui ne s'attache qu'aux intérêts particuliers d'un parti, mais avec la résolution fermement arrêtée
de poursuivre la réalisation de tous les grands principes
proclamés par la Révolution française.

En 1830, sous le gouvernement de Juillet, j'ai défendu
avec l'opposition la liberté contre les empiétements du pouvoir, de manière à maintenir le gouvernement du pays par
le pays, contre le gouvernement personnel de la royauté
nouvelle.

En 1848, avec la République, que j'ai défendue jusqu'à la
dernière minute, j'ai prêté mon concours dévoué pour arriver à ce grand résultat de voir les deux éléments de la
société française, la bourgeoisie et le peuple, le capital et

le travail, s'unir fraternellement pour faire de la France
une démocratie invincible. Oui, la bourgeoisie, qui s'appelle
le parti conservateur, pouvait fermer l'ère des révolutions,
sauver la République et la consolider par des institutions
vivantes. Il eût suffi pour cela de tendre franchement la
main au grand parti qui représente le travail et le salaire.
Mais pour le malheur du pays, l'aristocratie du capital a
montré la même immobilité, la même inintelligence, le
même égoïsme que l'aristocratie du bon vieux temps, et la
bourgeoisie et le peuple ont continué l'histoire des frères
ennemis. Les journées de Juin ont creusé entre eux un
abîme où nous avons vu tomber les espérances de la République. La bourgeoisie, dans son misérable orgueil, a préféré courir une fois de plus les grandes aventures de l'absolutisme. Elle s'est jetée à plat ventre devant le coup
d'Etat, sous le talon du dernier Bonaparte. Elle peut voir
aujourd'hui ce que lui coûte de ruines, de sang, d'argent
et de larmes, sa dernière folie, et elle peut se demander si
elle n'aurait pas mieux fait de s'unir au peuple pour maintenir la République et de poursuivre par de larges réformes l'œuvre de la Révolution jusqu'à son couronnement!
Pour moi, dans ce conflit formidable, je n'ai jamais, dans
tous les actes de ma vie publique, cherché que le juste et
le vrai. Nommé par la bourgeoisie pour soutenir la cause
libérale, je n'ai jamais vu dans les conquêtes de la Révolution, un patrimoine dont on pouvait faire un privilége pour
celui-ci, au détriment de celui-là. Dans la famille républicaine, il n'y a point d'Esaü. La Révolution n'aurait aucun
sens, si elle n'avait pour but d'étendre à tous les bienfaits
qui jusqu'à présent ont été le partage exclusif de la bourgeoisie. Au nom de la justice, j'ai toujours soutenu que

le monde du travail avait les mêmes droits que le monde
du capital. Le droit de réunion, le droit de suffrage politique, à l'instruction, au crédit, à l'association, au capital, à l'accès à la propriété; les bienfaits sociaux doivent,
comme l'air et la lumière, devenir accessibles à tous, et
quand j'ai vu le parti conservateur refuser aux travailleurs une partie de ces avantages, je n'ai pas hésité à me
ranger du côté du travail contre le capital : j'ai laissé les
forts et les puissants pour me tourner du côté des faibles et
des opprimés.

Sur ce point, ma foi ne changera jamais : Je suis et je
mourrai socialiste; je n'abandonnerai jamais la place que
j'ai prise dans les rangs de ceux que la bourgeoisie capitaliste a essayé de flétrir du nom de *vile multitude.*

La démocratie le sait, et les ouvriers de Paris n'ont jamais hésité à m'accorder leur confiance. C'est ainsi que le
jour où la Commune a jailli de Paris comme d'un volcan,
le scrutin populaire m'a envoyé à l'assemblée de l'Hôtel-
de-Ville.

J'y suis allé, et comme doyen d'âge de la Commune, j'ai
dit ce que je pensais d'elle et des devoirs qu'elle avait à
remplir : L'autonomie complète du pays, je l'ai comprise
dans cette simple formule :

A la Commune, ce qui est local ;

Au Département, ce qui est régional ;

A l'Etat, ce qui est national.

Quant à la politique, je la résumais en deux mots : *Paix
et Travail.*

Tel était, tel est encore mon programme, et je crois que
si la Commune fût restée dans les limites ainsi fixées,
l'exemple de Paris eût été partout suivi par les départe-

ments, et la France serait parvenue sans secousses violentes à réaliser la première condition de toute démocratie,
c'est-à-dire l'administration du pays par le pays.

Le but une fois exposé, mon âge me faisait un devoir
d'en laisser à de plus jeunes que moi la réalisation, et dès
le premier jour, je donnai ma démission que je renouvelai
deux fois ensuite à l'occasion de mesures que je désapprouvais absolument.

Cette démission, deux fois donnée et deux fois reprise,
m'a fait partout adresser la même question. Pourquoi donc
retourniez-vous à l'Hôtel-de-Ville, puisque vous aviez donné
votre démission? Ma réponse est bien simple : Désapprouvant quelques actes de la Commune, j'y suis pourtant resté,
parce que dans le chaos dans lequel la France s'effondrait,
le pays était pour moi comme un incendie immense où
chacun peut trouver un poste à prendre, un service à rendre, un devoir à remplir.

C'est ainsi que, malgré ma répulsion pour l'Empire, je
n'ai point craint, à la première nouvelle de nos revers, de
m'engager le 13 août 1870 comme simple soldat dans le
26ᵉ régiment de ligne, pour aller à Metz résister à l'é-
tranger.

C'est ainsi que, désapprouvant tous les actes du Gouvernement du 4 septembre, je n'ai pas hésité à lui proposer de
me charger de missions périlleuses relatives à la défense du
pays.

Je suis donc resté à la Commune, parce que dans la position où se trouvait le pays, j'ai songé à la Banque de
France, qui m'apparaissait, pour les affaires, pour le travail, pour la vie de chaque jour, comme notre dernière
ressource. Il fallait qu'à tout prix la Banque restât debout !

J'ai donc accepté la délégation de la Banque que la Commune m'avait offerte à l'unanimité, et là, comme le soldat chargé d'une consigne rigoureuse, j'ai rempli depuis le premier jour jusqu'au dernier le mandat que mes collègues m'avaient confié.

Je sais que des énergumènes me reprochent d'avoir sauvé de la ruine la Banque, qui n'est pour eux que le temple du privilége capitaliste ; je réponds que pour moi cette ruine eût été un acte de vandalisme qui eût mis la France au ban des nations ; car non-seulement dans ce cataclysme se fussent effondrés la fortune et le crédit de la France, mais tous les pays eussent souffert de l'anéantissement de ce foyer du crédit universel.

La démocratie peut laisser aux capitalistes le privilége de leur Banque. Son œuvre est d'en fonder une, à des conditions nouvelles, pour rendre le crédit accessible aux travailleurs. *Consolider la Révolution par le Crédit*, fut le dernier rêve de Proudhon ; c'est aussi le mien.

Maintenant, m'attaque qui voudra ; ma conscience me dit avec une sérénité inaltérable, que j'ai bien fait, et que dans cette crise terrible mon concours n'a pas été sans utilité pour la France entière. Je le répète avec conviction : j'ai bien fait, et je ne crois pas avoir démérité de cette fière devise de la Bretagne, qui préférait la mort à la honte : *Potius mori quam fœdari!*

Aujourd'hui proscrit, parce qu'avec un gouvernement qui porte cependant ce beau titre : *République française*, il n'y a plus en France de sécurité pour tout homme qui, de près ou de loin, a pu toucher aux événements de la Commune, je reprends sans colère le cours de mes études et de mes travaux. Je n'éprouve qu'un seul regret, celui de voir qu'après tant de bouleversements et tant de sang répandu, la situation reste absolument la même.

Et, en effet, la victoire fratricide du gouvernement de Versailles n'a pas changé d'un *iota* la position de la bourgeoisie et du prolétariat. Qu'a fait M. Thiers? Qu'a fait l'Assemblée, que fera Mac-Mahon, pour donner satisfaction aux revendications les plus légitimes? Rien! Rien! Rien! Après la défaite de la Commune, comme après les journées de Juin, l'antagonisme entre les deux camps reste le même, et la situation de la France et de l'Europe ne nous montre que la menace et la guerre. D'un côté les *gouvernements*, de l'autre l'*Internationale*.

En présence de ces deux armées toujours prêtes à se combattre, je reste, comme par le passé, dans les rangs des travailleurs, pour chercher la solution de tous les grands problèmes posés entre le capital et le travail, non par la guerre civile, mais par la conciliation des intérêts opposés. Est-ce un leurre, une chimère? Non, mille fois non! et je le prouve par un dernier souvenir de ma chère Bretagne. Le fait que je vais rappeler ici montrera combien il serait facile, avec un peu de bon vouloir, d'amener une entente entre le capital et le travail.

En 1849, au Conseil général du Morbihan, j'ai présenté le projet d'un nouveau contrat de fermage, que j'ai appelé *droit du travail*, fondé sur le partage entre le propriétaire et le fermier de la plus-value donnée à la ferme pendant la durée du bail. La proposition fut prise en considération, comme juste et avantageuse pour les intérêts en présence : pour le fermier dont elle stimule et récompense les efforts, pour le propriétaire dont elle accroît le revenu, pour le pays qui voit disparaître la routine et se développer la production.

Voilà pourtant du pur et du vrai socialisme, s'appliquant à la famille la plus nombreuse des travailleurs, celle des campagnes. Tous les problèmes du socialisme, je le prouverai, peuvent de la même manière trouver une solution juste, acceptable et pratique. Il suffit de vouloir. A l'œuvre donc et remplaçons les révolutions par des réformes !

Rappelons-nous et méditons cette parole d'un philosophe, homme d'Etat et homme de bien : *Que de grandes choses on ferait, si l'on ne commençait pas par les déclarer impossibles !*

Et maintenant, au moment d'entrer dans le récit de ma vie, il me vient un scrupule, dont je fais part en toute sincérité au lecteur.

J'ai pris à certains événements une part si directe et si personnelle, qu'il me sera difficile de raconter mes *Souvenirs* sans avoir souvent recours au *je* et au *moi*, qui impressionnent désagréablement. Le *moi*, dit Pascal, est *haïssable*.

Mais comment échapper à cette exigence rigoureuse d'un livre qui ne contient que mes mémoires? Le lecteur comprendra qu'obligé de me mettre ainsi en avant, je n'obéis pas à une pensée de gloriole, de vanité, d'ambition.

La gloriole? Ce livre est le premier que je publie et je ne le fais que pour servir la cause de la vérité.

La vanité? J'ai connu particulièrement le personnel de quatre ou cinq gouvernements, et pas un homme de tous ces ministères ne pourrait me reprocher une démarche ayant pour but de mettre ma personne en évidence.

L'ambition? Ma vie tout entière proteste contre un pareil

reproche, et ce n'est pas à mon âge — je suis dans ma soixante-dix neuvième année! — qu'on se laisse aller à de telles visées.

En tout et pour tout, je ne me suis occupé des affaires de mon pays que pour lui être utile, et s'il m'arrive souvent, dans les pages de ce livre, de mettre en parallèle les capitalistes et les travailleurs, le lecteur verra que je n'ai jamais eu la pensée de les exciter l'un contre l'autre. L'idée qui me domine est une idée de concorde et de pacification, et le livre de *réformes sociales* que je prépare pour hâter, je l'espère, la réconciliation des deux grandes classes qui composent la société de notre temps, sera l'exposé de cette idée.

C'est sous l'impression de cette pensée que j'ai vécu, c'est aussi sous cette impression que je publie ces *Souvenirs*, et s'il m'est permis d'exprimer l'idée qui a été comme la règle de toute ma vie, je dis avec Bernardin de Saint-Pierre : « Partout où il y a des hommes, je suis avec mes frères. »

MA FAMILLE

Ma famille. — Mon père fait ses études à Rennes. — Popularité du
parlement de Rennes et patriotisme de la Bretagne. — Convocation des Etats-Généraux. — La fédération. — Mon père nommé
secrétaire de la fédération à Pontivy. — Sa nomination comme
procureur-syndic. — Sa nomination comme député. — Comme
il accomplit son mandat. — Jugement porté sur lui par Benjamin
Constant et le général Foy et Mlle Delphine Gay.

En remontant aux premières années de ma vie, j'éprouve
une joie que je ne puis dissimuler.

Je suis heureux et fier de pouvoir rendre un public hommage à la mémoire de mon vénéré père. A travers les tour-
mentes de notre histoire, bien des hommes politiques ont
sans doute fait plus de bruit et conquis plus de renommée
que lui ; mais l'esquisse rapide que je vais tracer de sa carrière prouvera qu'il est impossible de montrer un patriotisme plus éclairé, des principes plus arrêtés, un dévouement plus sincère pour le bien public, et un désintéressement
plus complet.

Je suis de la Bretagne ; ma famille est l'une des plus anciennes de la ville de Dinan, dans le département des Côtes-
du-Nord ; mon père, né à Dinan en 1768, faisait son droit à
Rennes en 1788, à l'époque où la France entière était prise

d'une fièvre de réformes et de revendications de toutes sortes. L'ardeur des esprits était vive et générale ; mais les dispositions qui animaient mon père s'accentuaient encore des sentiments dont il avait pu s'inspirer dans sa famille, et du mécontentement profond qui se manifestait dans toute la Bretagne.

Mon grand-père était notaire et jouissait dans son pays d'une considération justement méritée par la rigoureuse observation des règles de son ministère. Le notariat possédait, au siècle dernier, un lustre qu'il n'a plus aujourd'hui. Il était en quelque sorte considéré comme la représentation vivante du droit de propriété, et cela est si vrai, que plus tard, quand on créa la Banque de France, en l'an VIII de la République, on regarda comme une obligation à cette époque de faire entrer un notaire dans le conseil général de la Société. Depuis, les actionnaires ont cessé de nommer des notaires[1].

[1] Jusqu'à présent la Banque a été dirigée par un *gouverneur* nommé par le gouvernement. Jamais on n'a tenu compte du droit des actionnaires pour cette nomination. Il serait temps de rentrer dans le droit et de faire cesser un état de choses aussi contraire à l'état normal actuel de la Société qu'aux droits des actionnaires, représentés non par leurs mandataires véritables, mais par des hommes politiques qui ont toujours, avec nos mœurs actuelles, intérêt à flatter le pouvoir qui les a nommés au grand dommage de ceux dont ils administrent la fortune.

Le gouvernement est représenté suffisamment dans l'administration de la Banque par trois receveurs généraux ; le nombre des actionnaires appelés à concourir aux élections devrait être au moins triplé, et le gouvernement obligé de choisir le gouverneur sur une liste de cinq membres indiqués par la Chambre de commerce de Paris, nommé à l'élection ; car l'intérêt du pays, qui donne confiance à la Banque, n'a aucun de ses représentants dans les conseils.

Mon père avait été élevé au milieu de ces témoignages de l'estime publique, et il avait pu remarquer que cette confiance de la population, mon grand-père l'obtenait avec une indépendance complète et sans jamais se faire le complaisant des priviléges qui dominaient alors.

C'est donc avec une entière liberté d'esprit que mon père vint à Rennes apprendre le droit, auprès de ce vieux parlement de Bretagne qui était alors l'honneur de la France parlementaire.

On sait comment était née cette popularité qui mettait le parlement de Rennes au premier rang de l'opinion. La Bretagne était encore toute frémissante des maux que lui avait fait souffrir la longue et dure administration du duc d'Aiguillon et des luttes qu'elle avait soutenues pour y mettre un terme. Le conflit retentissant qui avait si longtemps mis aux prises le duc gouverneur et M. de la Chalatais, procureur général au parlement de Bretagne, avait produit dans toute la France et surtout parmi les populations bretonnes une impression qui était encore toute vive à l'arrivée de mon père à Rennes ; et si j'invoque ce souvenir, c'est qu'il explique l'effervescence avec laquelle les principes de la Révolution furent acclamés dans toute la Bretagne.

Dès que la nouvelle de la convocation des Etats-Généraux fut reçue en Bretagne, ce fut partout un mouvement extraordinaire de comités, de fédérations, qui se réunirent en vue de défendre les droits du pays si universellement réclamés.

Mon père épousa, avec le feu de la jeunesse, avec l'ardeur de convictions inébranlables, la cause populaire, et à partir de ce jour il la servit avec une fidélité scrupuleuse; son enthousiasme et son zèle le firent bientôt remarquer, et à vingt-un ans il était élu colonel commandant de la garde nationale de l'arrondissement de Dinan. A chaque démonstration, il était à la tête du mouvement, et quand la fédéraration bretonne se réunit à Pontivy, il fut élu secrétaire de l'association. Le président était le général Moreau, alors dévoué corps et âme à la Révolution; mais le futur vainqueur de Hohenlinden devait trahir plus tard le pays qui se levait tout entier pour proclamer l'indépendance et la souveraineté des peuples.

Cette fédération a exercé, comme on le sait, une réelle influence sur le cours des événements de la Révolution, et Bailly, président de l'Assemblée constituante, n'a fait que lui rendre justice en disant: « Une association plus sérieuse » se forma entre les députés de la Bretagne; elle fut connue » à Versailles sous le nom de comité breton. Elle a été l'ori- » gine et la source des Jacobins. Tous ceux qui n'en étaient » pas alors la désapprouvèrent. Les Bretons étaient d'excel- » lents patriotes, mais ardents, excessifs. Je ne doute pas » que ce ne soit là que le désir de la liberté a enfanté *les pre-* » *miers projets de république.* »

La République vint, et mon père fut nommé procureur syndic près l'administration du district de Dinan. C'est à cette époque qu'il épousa une créole de Saint-Domingue. Ses fonctions administratives lui attirèrent les sympathies générales de la population: j'ai pu voir plus tard, par les lettres qui lui étaient adressées, que l'accomplissement de son devoir dans ce poste difficile n'avait laissé que les meilleurs souvenirs.

L'arrondissement de Dinan lui en donna d'ailleurs une preuve éclatante, en le nommant en 1801 membre du Corps législatif; mon père recevait ce jour-là le mandat qui a commandé toute sa carrière politique. Il a été représentant de son pays jusqu'en 1838, époque où il donna sa démission pour raison de santé. J'eus le malheur de le perdre l'année suivante.

Le maintien de cette confiance pendant trente-huit années ne prouve-t-il pas que mon père sut, par son patriotisme persévérant, la mériter sous tous les régimes?

Pendant les cent jours, il fut élu représentant par quatre arrondissements des Côtes-du-Nord. Plus tard, il fut nommé simultanément dans les départements des Côtes-du-Nord et de l'Ille-et-Vilaine. J'ajoute ici que ce ne fut jamais en se montrant courtisan d'aucun pouvoir. Si j'avais à formuler le principe qui a été le guide de la carrière législative de mon père, je dirais que, sans tenir compte des gouvernements qui se sont succédé, il n'a jamais eu pour objectif que l'intérêt public.

Quelques souvenirs pour le prouver.

Sous l'Empire, quand il fut question de la Légion-d'honneur, mon père, qui était profondément pénétré du sentiment de l'égalité, s'éleva contre cette création, qu'il regardait comme une distinction propre à restaurer les priviléges abolis par la Révolution.

Cette franchise d'appréciation n'empêcha pas l'empereur de faire proposer plus tard à mon père l'importante préfecture d'Anvers; le ministre de l'intérieur, sur les ordres de Napoléon, lui écrivit : « L'empereur me charge de vous dire » que vous êtes fait pour être présenté dans le meilleur » monde. » — Mon père répondit par un refus formel, puisque, mandataire de ses concitoyens, il se considérait comme envoyé pour contrôler les actes du gouvernement, et non pour lui donner son concours. C'est en vertu de cette même règle de conduite qu'il refusa de se charger, sans adjudication, du grand travail des canaux de toute la Bretagne. Sous la Restauration, mêmes avances et mêmes refus. Les hommes qui, suivant l'expression consacrée, nous apportèrent un gouvernement dans les fourgons de l'étranger, proposèrent à mon père des lettres de noblesse. C'est ainsi qu'on a jusqu'à présent gouverné : faveur en haut, servilité en bas ; mais l'offre, comme on le voit, s'adressait mal, et mon père répondit qu'il ne voulait rien ajouter à son nom de famille.

Surveiller et contrôler le pouvoir, tel était son mandat et le seul devoir qu'il tenait à remplir, et comme dans ce premier effondrement de la France, après le premier Bonaparte, les questions d'affaire, de crédit, de finances, étaient les premières à l'ordre du jour, c'est de ce côté que mon père, travailleur infatigable, tourna son activité et son talent.

Il faisait toujours partie des commissions de budget, et M. le duc de Richelieu l'ayant un jour rencontré chez le ministre des finances, lui dit à propos d'un de ses rapports :
« Je vous ai lu, Monsieur, et je vous adresse mes félicita-
» tions; vos rapports sont simples et clairs comme une fac-
« ture de commerce. »

Je ne fais que rendre hommage à la vérité, en disant que sous la Restauration, mon père fut une des lumières de la chambre des députés, au point de vue des questions d'affaire, les plus négligées malheureusement chez nous, et les plus dignes de fixer l'attention des hommes politiques. Benjamin Constant ne manquait jamais de le consulter sur ce point, et l'illustre général Foy disait dans sa correspondance avec mon père, « qu'il le regardait comme son étoile polaire en fait de finances. »

Mon père faisait, en effet, partie de cette pléïade d'hommes éminents qui mirent tout en œuvre pour maintenir la Restauration dans la voie libérale qu'elle avait un instant fait semblant de suivre. J'étais à même à cette époque de comprendre la politique qu'il conseillait, et je sais quelle était, d'un côté, la modération de son langage, et, de l'autre, l'inflexibilité de son esprit. Sa tenacité, au point de vue des principes, était telle que, devant l'obstination du pouvoir, il n'hésita pas à manifester son opposition par un acte caractéristique. Dès que mon père vit arriver le ministère de provocation dirigé par Polignac, il revint en Bretagne pour organiser, par une vaste association, le refus ;de l'impôt ; c'était une déclaration de guerre, qui fut imitée dans toutes les provinces.

La révolution de juillet 1830 fit justice une fois de plus de la réaction monarchique, et mon père vit alors arriver au gouvernement tous ses amis ; il pouvait comme eux monter au pouvoir, et les propositions se multiplièrent : on lui offrit le ministère du commerce, le ministère des finances, et plus tard, je crois, la pairie. Or, plus les offres étaient brillantes, plus la résistance de mon père était opiniâtre, et il avait coutume de répondre : « L'ancienneté de » mon mandat m'a fait doyen de la chambre des députés, » quel plus beau titre pourrait honorer ma vie ? » Mes lecteurs n'apprécieront peut-être pas comme moi ce désintéressement de mon père ; mais je l'estime, pour mon compte, comme une vertu civique égale aux qualités les plus éminentes, et c'est à mon sens celle qui manque le plus en France.

Cette rectitude de jugement et de conduite dit assez quelle pouvait être son attitude sous le gouvernement de Juillet. Tant que la politique du roi-citoyen se trouva fidèle à son origine révolutionnaire, mon père vota pour tous les actes qui consacraient ces principes; mais dès que la volonté du roi nous ramena aux pratiques du gouvernement personnel, mon père rentra dans les rangs de l'opposition, et il s'y tint jusqu'à la fin de sa carrière politique. A sa dernière élection, il l'emporta à Saint-Malo sur M. Gréterin, le directeur général des douanes, que le gouvernement recommandait comme son candidat; car dès alors nous avions des candidatures officielles.

Mon père mourut le 13 octobre 1839, à l'âge de 71 ans, après avoir tenu dignement jusqu'à la fin de sa carrière le mandat que ses concitoyens lui avaient continué pendant près de quarante ans.

Dans une biographie des députés attribuée à Mlle Delphine Gay, il est dit : « Il s'est levé, lui dix-huitième, pour le » rappel des bannis, dans la fameuse séance du 25 juin » 1819; en 1820, il a voté contre les lois d'exception. Il vient » de présenter sur le budget un travail relatif aux subsis» tances, où le premier il a mis la France à portée de juger » l'administration ministérielle sur ces détails positifs et » importants[1]. » Et tous les hommes pratiques qui ont écrit

---

[1] C'est à propos de ce rapport que Benjamin Constant écrivait à mon père : « Votre rapport est l'un des meilleurs, des plus lumineux, des plus admirables rapports qui aient été présentés à la Chambre. »

sur la Restauration ont rendu justice à ses connaissances en législation et en finances, à son aptitude pour le travail, à son dévouement pour le pays, à l'intégrité de sa vie; cette intégrité se révèle en effet tout entière par ce grand acte de toute sa carrière, que je suis heureux d'avoir mis en pleine lumière. Il traversa le monde politique sans avoir jamais fait de son mandat le marchepied de son ambition : N'est-ce pas le devoir essentiel de l'homme public? — Comme citoyen, comme représentant de son pays, mon père, toujours fidèle à la cause nationale, n'a jamais compris autrement les obligations de sa carrière : c'est là un noble exemple qu'il a montré à son pays ; c'est l'exemple qu'il m'a donné à moi-même ; et en consacrant aujourd'hui les principaux actes de sa vie, je puis dire que je ne me suis appliqué, comme lui, dans toute ma carrière, qu'à cette seule et unique préoccupation, le bien public.

MON PREMIER SÉJOUR A PARIS

Mes premières études à Dinan et à Paris. — Mon entrée au lycée
Napoléon. — Ce qui m'y arrive. — Turbulence des étudiants à
cette époque. — Tumulte à l'Odéon. — L'opposition au premier
empire. — Un couplet frondeur. — La conspiration Mallet. —
Mon retour à Dinan.

Après avoir fait mes premières études à Dinan, en 1810,
mon père me conduisit à Paris, pour les continuer. J'étais
placé au quartier latin, chez un sous-bibliothécaire de la
bibliothèque impériale, qui devait me donner des répétitions
et me surveiller. J'allais, comme externe, au lycée Napoléon. J'y avais pour condisciples Odilon Barrot, dans une
classe au-dessus de la mienne, et, dans ma classe, Salvandy,
qui était l'un des meilleurs élèves, mais que l'on appelait
alors Salvandy *Salaud,* à cause de sa mise négligée et toujours en désordre. Il lui fallut accomplir une véritable mé-
tamorphose pour devenir plus tard le ministre le plus élé-
gant de Louis-Philippe ; il était aussi appelé *tapin,* parce
qu'il était chargé de battre le tambour aux divers exercices :
les lycées étaient alors tenus militairement. C'était en plein,
pour la France, le régime du sabre.

Ne faisant partie ni du lycée, ni d'aucune pension, j'arrivai en classe sans être connu d'aucun élève. Dans les

classes, les élèves étaient assis sur des gradins. Je me trouvai placé au troisième ou quatrième banc; derrière moi se
tenait le fils d'un des grands dignitaires de l'empire, le duc
de Bellune, qui s'amusa pendant toute la classe à me tirer
les oreilles, à me jeter des crachats avec sa plume, à me
faire avec de l'encre des croix dans le dos; tout cela sur
une redingote gris-blanc, comme on en portait beaucoup
alors; c'était intolérable. Je me plaignis au professeur, qui
m'invita à me tenir tranquille, en me disant que cela ne le
regardait pas. Il s'apercevait bien que j'étais principalement
tourmenté par Bellune, contre lequel il n'aurait pas voulu
sévir. La classe achevée, tous les élèves, dans la cour, se
mirent à me railler, en se montrant les croix que j'avais sur
le dos. N'en pouvant plus, je me regimbai sous l'affront, et
je m'en pris à un élève, que je culbutai d'un coup de tête.
Aussitôt, volte-face dans l'entourage, et voilà les rieurs qui
se mettent de mon côté.

Je rentrai chez moi tout attristé, et au lieu de faire les
devoirs que l'on m'avait donnés, je pensais à ma chère Bretagne, que je regrettais encore davantage, après les mésa-
ventures de ma première classe. En revenant à deux heures,
je me trouvai soumis aux mêmes tracasseries que le matin.
Je me plaignis de nouveau au professeur, qui me fit la
même réponse. Exaspéré, je pris mon parti, je me décidai
à me faire moi-même justice, en pleine classe; j'avertis tout
d'abord les élèves qui étaient derrière moi; peine inutile,
les vexations continuent. Irrité, je me lève, et me tournant
vers mes persécuteurs, livres, papier, encrier, pupitre, je
leur jette tout à la tête, en criant cette imprécation bretonne : Foi de Dieu, malédiction!

Au milieu du tumulte causé par ce combat singulier, qui

est en même temps un singulier combat, je vois se tourner
vers moi l'un de mes camarades; c'est Ducouédic, le fils ou
le neveu du fameux Ducouédic, commandant de la frégate
la Surveillante; en entendant mon exclamation, il me dit :
« Est-ce que tu es Breton? » A ma réponse affirmative, il
me fit place près de lui, et après explication, tout s'apaise
et la classe est reprise. A partir de ce moment, il ne me fut
plus rien dit; au contraire, cet acte d'énergie me valut l'approbation générale, et je gagnai d'un seul coup la sympathie de tous mes condisciples.

A cette époque, tous les Bretons qui étaient à Paris se
soutenaient courageusement entre eux; je vais le prouver
par un trait caractéristique : Vers 1812, le chevalier de Piis,
vaudevilliste et employé supérieur de la police, voulut faire
représenter une pièce à l'Odéon. On commençait déjà à s'insurger contre tout ce qui appartenait à la police. J'assistai
avec divers camarades plus âgés que moi au spectacle, avec
l'intention de siffler, ce qui eut lieu avec un grand entrain.
Ce furent les Bretons qui commencèrent. On se battit contre
les agents de la police, on démolit les banquettes de l'or-
chestre et des galeries; le parterre se tenait alors debout.
Nous nous donnâmes rendez-vous pour la représentation
du lendemain, si elle avait lieu; c'était un jour de sortie des
élèves de l'école polytechnique; l'un de mes compatriotes,
Ribault, de Jugon (Côtes-du-Nord), un des bons élèves de
l'école, fut remarqué par sa tenacité dans la résistance et
par l'espèce de commandement qu'il avait sur les Bretons,
qui s'obstinaient presque seuls à continuer de siffler. Ce
jour-là, pour avoir raison des tapageurs, on avait amené

sur la place de l'Odéon deux pièces de canon. Ribault fut
renvoyé de l'école et enrôlé comme simple soldat dans un
régiment de ligne.

———————

Ces protestations étaient comme les fissures qui faisaient
passer les sourdes résistances de l'opinion au despotisme
impérial, et, comme on le voit, les Bretons se faisaient
remarquer à la tête des mécontents : qu'on aille au fond de
toutes les crises de notre histoire, et l'on verra que la Bretagne a toujours combattu pour les revendications de la
liberté. A l'heure même où nous écrivons ces lignes, la jeunesse des écoles de Rennes vient de relever hardiment le
gant que les congréganistes de Paris ont jeté à la démocratie, en s'élevant contre l'instruction obligatoire et laïque.
L'esprit breton hait l'hypocrisie et l'oppression.

L'omnipotence de l'empire arrivait au résultat inévitable
de tout gouvernement absolu, le soulèvement du sentiment
public contre les abus du pouvoir. On colportait clandesti-
nement des traits satyriques, des anecdotes, des chansons,
des mots sanglants contre Napoléon.

Aujourd'hui, après soixante ans, je me rappelle encore
le premier couplet d'une chanson qui courut le jour où
fut publié le 29e bulletin de la grande armée. Ce bulletin
annonçait la retraite de Russie : voici comment on traduisit
en chanson ce bulletin néfaste :

> Il était un petit homme,
> Qui s'appelait le grand
> En partant ;
> Ah ! vous allez voir comme
> Il revint à Paris
> Tout petit.
> Etc., etc., etc.

L'édifice impérial commençait à chanceler sur ses bases.
La conspiration Mallet vint montrer que ce régime ne tenait
en réalité qu'à un homme. Le 23 octobre 1812, jour de l'é-
vacuation de Moscou, Paris se réveille au milieu d'une
agitation inaccoutumée : c'était le général Mallet, républicain énergique, qui essayait d'escamoter l'empire en un
tour de main.

J'étais encore à Paris. En allant du quartier latin à la
Bibliothèque impériale, je vis que les postes avaient été
doublés à la Préfecture de police ; arrivé au Palais royal,
j'appris que les conspirateurs étaient arrêtés, et que le conseil de guerre était déjà réuni pour les juger. Et, en effet,
ils furent jugés le jour même et exécutés le lendemain. Le
coup n'en eut pas moins un grand retentissement ; c'était
un avertissement à la France.

Le duc de Rovigo (Savary), qui était chargé de la police,
avait été arrêté par les conspirateurs et mis en prison ; les
Parisiens, qui rient de tout, prêtaient à la duchesse de Rovigo ce propos piquant : « Mon ami, *ça varie* (Savary). »

Quoique très-jeune encore, je me préoccupais déjà des
mouvements de l'opinion ; je voyais souvent chez mon père
ses collègues, membres comme lui de l'opposition au corps
législatif, et leurs entretiens, en me montrant les excès d'en
haut et les mécontentements d'en bas, m'apprenaient à dé-
tester le despotisme et à aimer la liberté.

C'est au milieu de ces agitations que je terminai mes
études.

Je travaillai assidûment la dernière année, et j'eus un
prix au lycée : J'avais surtout un goût prononcé pour les
études qui sont de notre temps, et la chimie m'attirait d'une
façon particulière. Je suivis au lycée le cours de Bouillon

la Grange, et au Jardin-des-Plantes celui de Vauquelin ; mais les travaux de Thénard vinrent à cette époque transformer la nomenclature et troubler les premières notions que j'avais reçues. Pour continuer cette étude, il eût fallu d'ailleurs rester à Paris, et mon père me fit revenir à Dinan aux vacances de 1813. — Le temps de l'instruction était passé, celui de la vie sérieuse allait commencer.

La maison de mon père, l'une des plus importantes des Côtes-du-Nord, faisait à Dinan des affaires considérables ; c'était un de ces établissements comme il y en avait dans le gros négoce d'autrefois, où venait se centraliser l'activité commerciale de la ville et du pays environnant. On y faisait à peu près tout ce qui pouvait intéresser le commerce et le crédit : les affaires de Banque, l'exportation des produits du pays, l'importation des marchandises étrangères, les entreprises de travaux publics ; et au milieu de ce courant d'opérations variées, deux entreprises spéciales, une manufacture de cuirs et un commerce de vins en gros.

Ce commerce de vins en gros ne pouvait autrefois se faire en Bretagne que par les maisons possédant de grandes ressources ; les difficultés de transport nécessitaient une première mise de fonds assez élevée. La Bretagne, pays à cidre, s'approvisionnait de vins à Bordeaux, et les expéditions pour Dinan et ses environs se faisaient par mer, à Saint-Malo ; mais les cargaisons étaient souvent capturées par les croisières anglaises. Mon père renonça à ce commerce, qui était fructueux, pour une raison que je dois faire connaître. Il avait voté au corps législatif contre l'établissement des droits réunis, dont l'exercice violait le domicile des citoyens ; les

maisons des négociants étaient à la merci des agents de
l'administration, que l'on appelait alors *rats de cave*, et qui
pouvaient y pénétrer à toute heure.
C'était un abus criant, et plutôt que de s'y soumettre,
mon père préféra fermer ses magasins. Les plaintes à ce
sujet étaient si générales et si vives, que la Restauration
dut promettre l'abolition de cet impôt. La promesse fut faite,
et les droits réunis disparurent, mais pour ressusciter sous
la forme d'impôts indirects, les plus onéreux de tous pour
les classes pauvres : tant il est vrai que les gouvernements
n'ont jamais su que sacrifier à leur propre intérêt l'intérêt
des populations.

On voit que la maison de mon père, par l'étendue de ses
opérations, exigeait beaucoup d'ordre, de surveillance et
d'activité. Les absences de mon père, nécessitées par ses
affaires et ses fonctions législatives, faisaient retomber sur
moi une grande responsabilité ; je compris l'importance de
la place que j'occupais, et je me consacrai avec ardeur à
mes travaux, de manière à bien mener de front les opérations multiples de la maison de mon père. J'appris la tenue
des livres et la comptabilité avec d'autant plus de facilité,
que les questions d'affaire, de crédit et de banque, ont toujours eu pour moi un intérêt dominant. La tenue des livres
est certes un savoir dont on fait fi dans l'organisation des
études universitaires. En ceci, comme en beaucoup d'autres
choses, l'université se trompe : la science du *doit* et *avoir*
pourrait exercer sur la vie plus d'influence bienfaisante que
l'analyse des problèmes de psychologie ; la tenue des livres
nous habitue à l'ordre et à l'économie, fait comprendre le

prix de l'épargne et de l'argent, et nous exerce, malgré
nous, à balancer les chances bonnes et mauvaises, les avantages et les inconvénients de tout ce que nous pouvons entreprendre : la règle du *doit* et *avoir* est la meilleure règle
que l'on puisse donner au jeune homme qui entre dans le
monde.

LA PREMIÈRE RESTAURATION

Retour des Bourbons. — Popularité factice. — Vérités sur leurs actes et leur gouvernement. — Réaction violente. — Influence du clergé. — Retour au droit divin. — Maréchal Soult en Bretagne. — Mon père refuse d'aller dîner avec lui. — Comment s'explique à cette époque la popularité de l'Empire.

~~~~~~~~

Ce ne fut que le cinq avril (les courriers de Paris n'arrivaient à cette époque en Bretagne que le quatrième jour après leur départ, et seulement trois fois par semaine), ce ne fut que le cinq avril que nous apprîmes à Dinan la capitulation de Paris, la chute de l'Empire et le retour des Bourbons : trois nouvelles qui secouèrent le pays comme trois tremblements de terre !

Certes, la monarchie légitime fut préparée avec une mise en scène digne de l'habileté du grand artisan qui tenait dans sa main tous les fils de la politique européenne à cette époque ; M. de Talleyrand jouait avec toutes ces catastrophes, comme un faiseur de drames joue avec les coups de poignard et les empoisonnements. Il avait eu soin de faire préparer par le comte Beugnot le mot d'entrée des princes, et la France répéta de bouche en bouche : « Il n'y a rien de » changé en France, il n'y a qu'un Français de plus ! »

Et pour donner complétement le change à l'opinion, le comte d'Artois, lieutenant général du royaume, à son entrée à Paris, le duc d'Angoulême à son entrée à Bordeaux, et enfin Louis XVIII, à son entrée en France, ne manquèrent pas de crier à qui mieux mieux : « *Plus de conscription! plus de droits réunis!* » C'était assurément frapper l'Empire par ses deux côtés les plus vulnérables.

Mais ce n'était là que l'enseigne de l'édifice, et le bandeau tomba bien vite de tous les yeux. La rentrée des émigrés, le retour à l'ancien régime, et les actes du gouvernement firent assister la France à un spectacle qui ressemblait véritablement à une mascarade.

On vit surgir de tous côtés, à la suite des princes et sur les pas des envahisseurs, des gentilshommes depuis longtemps oubliés et sortant comme d'une boîte à surprise, avec leurs cadenettes, leurs ailes de pigeon, et leurs vieux costumes, qu'on aurait dit empruntés au vestiaire d'un théâtre. Le marquis de Carabas, chanté par Béranger, qu'on dirait imaginé à plaisir, n'exprime que la fidèle image de ces revenants d'un autre monde que l'on croyait à jamais disparu.

Et pour entraîner de leur côté les populations, ces derniers représentants du régime féodal donnaient fêtes sur fêtes ; ils organisaient des réjouissances avec nos ennemis sur le tombeau de la patrie : c'étaient à chaque instant des danses sur les places publiques, des distributions de vin et de cidre, des manifestations bruyantes, aux cris de : Vive le roi ! Vive Louis !

Ces défenseurs du trône et de l'autel s'appliquaient à se

distinguer eux-mêmes de ceux qui ne partageaient pas leurs opinions surannées. On créa dès les premiers jours une décoration qu'on appelait *l'ordre du Lys ;* était décoré qui voulait. C'était un signe de ralliement, et les patriotes ne manquaient pas d'appeler ces nouveaux chevaliers *les compagnons d'Ulysse ;* comme riposte, les amis de nos alliés appelaient les patriotes *les Patauds.* C'était, comme on le voit, le partage du pays, dès les premiers jours, en deux grandes divisions : le parti national et le parti légitimiste, ou, pour mieux dire, le parti de l'étranger, puisqu'il n'était debout que grâce aux baïonnettes de la coalition.

Du côté du gouvernement, c'était le même courant de réaction violente ; il était facile de voir par les noms en évidence dans les régions du pouvoir, par la composition des états-majors, par les paroles et les actes des nouveaux ministres, que l'on devait s'attendre non-seulement à un revirement complet, mais encore aux persécutions et aux vengeances. Les Bourbons, en rentrant en France, prouvaient, suivant un mot célèbre, « qu'ils n'avaient rien appris, ni rien oublié ! »

Des commissaires extraordinaires furent envoyés dans les départements, et la mission de ces émissaires, toujours plus royalistes que le roi, faisaient éclater des manifestations déplorables. Ici, c'étaient des réunions où l'on déclarait que la Restauration ne pouvait avoir d'autre signification que celle du retour aux priviléges de l'ancienne monarchie ; là, c'étaient des manifestations où l'on brûlait la charte signée par Louis XVIII, comme un outrage à la souveraineté du pouvoir royal. Partout, enfin, ces revendications audacieuses

en faveur d'une indemnité pour les émigrés, et d'une restitution immédiate des biens du clergé.

Je n'ai pas besoin d'ajouter, en effet, que le clergé jetait
partout feu et flammes. Ce n'était plus l'Evangile que l'on
prêchait du haut des quarante mille chaires des églises catholiques, c'était la haine du présent et le retour au passé.
Des missions étaient organisées partout; la liberté de conscience et des cultes n'était plus qu'un vain mot, et le curé
de Savenay (Loire-Inférieure) ne craignait pas de dire en
pleine chaire que les détenteurs des biens nationaux qui ne
les restitueraient pas soit aux nobles, soit aux curés, auraient le sort de Jézabel, c'est-à-dire qu'ils seraient dévorés
par les chiens[1]! Tel était le langage des serviteurs de Celui
qui a dit que son royaume n'est pas de ce monde!

Ces emportements de la politique du droit divin avaient
sans doute quelque chose de révoltant: c'étaient la passion
et la haine poussées à leur paroxisme; mais il y avait peut-
être encore des tableaux plus navrants pour la dignité humaine : c'était la cohue de ces hommes sans principes, sans
foi, ni loi, qui, toujours prêts à saluer le soleil levant, tournent vers les triomphateurs du jour leurs regards faux et
leurs plates adulations; l'administration, bien entendu, se
retourne comme un gant; mais, malheureusement pour
l'honneur du pays, on vit des conversions encore plus cy-
niques, on vit des bonapartistes vociférer contre l'*ogre de
Corse* et proclamer qu'ils ne servaient l'empire que pour le
trahir plus sûrement.

[1] Vaulabelle, *Histoire des deux Restaurations*.

Je fus témoin en Bretagne de l'une des plus scandaleuses palinodies de cette triste époque: le maréchal Soult, qui avait conquis par la bataille de Toulouse un juste et glorieux renom, parvint, à force de bassesses et de supplications, à se faire nommer gouverneur de la 13e division militaire en Bretagne. En venant prendre possession de son gouvernement, que fit ce lieutenant de l'Empire? Pour se consolider dans son poste et se mettre bien en cour, il commença par provoquer des souscriptions pour élever un monument expiatoire en l'honneur des émigrés tombés à Quiberon! Cette souscription n'était-elle pas la condamnation de toute sa vie?

En rentrant à Rennes, chef-lieu de son gouvernement, le maréchal passa à Dinan où se trouvait alors mon père; comme député de l'arrondissement, il fut invité à assister, chez le sous-préfet, à un dîner qui était donné en l'honneur du gouverneur; mon père refusa l'invitation, pour ne pas se trouver avec le renégat qui venait de solliciter du roi l'érection d'un monument en l'honneur des ennemis de la Révolution.

Devant tant de platitudes et de servilité, Paul-Louis Courrier n'avait-il pas raison de dire que la France était un peuple de valets?

Les commandements et les états-majors de l'Empire étaient ainsi peuplés, non d'hommes libres et à convictions arrêtées, mais de généraux à plumets, disposés, suivant le mot de Tacite, à tout faire servilement pour le pouvoir. *Omnia serviliter pro dominatione.*

Le soldat, lui, était resté bonapartiste, comme le pays, et le bonapartisme représentait alors, dans une certaine mesure, le patriotisme et l'esprit de la Révolution; mais les chefs changeaient de langage comme de cocarde, et le maréchal Soult, comme récompense de son zèle, obtint le ministère de la guerre, pour *royaliser*, comme il le promettait, l'armée, qui pensait toujours à l'empereur.

————————

On a bien souvent cherché à préciser d'une manière exacte l'opinion de la France à cette époque, et les idolâtres de la légende napoléonienne ont toujours cité le retour de l'île d'Elbe et « *l'aigle volant de clochers en clochers jusqu'aux tours de Notre-Dame* » pour démontrer la popularité de l'Empire. La vérité commande de bien observer le caractère de cet enthousiasme du pays. Les populations, se voyant menacées d'un retour à l'ancien régime par la Restauration, et d'une domination impitoyable par les alliés, se tournaient forcément du côté de l'Empire, parce qu'à ce double point de vue l'Empire représentait la haine de l'étranger et le maintien des conquêtes de la Révolution consacrées par le Code civil.

Mais si l'on veut bien interroger les sentiments de chaque famille, de chaque foyer à l'intérieur, on est forcé de convenir que le pays était fatigué outre mesure de cette toute-puissance du sabre qui le précipitait dans un système de guerre sans fin, et le condamnait, rêve chimérique! à vaincre partout et toujours ! Cette orgie de la force n'illusionnait même pas les esprits sérieux qui tournaient dans l'orbite du pouvoir. M. de Fontanes, ministre de l'instruction publique, n'avait-il pas dit : « *Ce que j'admire le plus dans l'histoire, c'est l'impuissance de la force!* »

Aussi commençait-on à se plaindre amèrement du régime imposé à la France. Les pères, en voyant vides à leurs tables

les places de leurs fils, et en voyant leurs bourses toujours
mises à contribution, se sentaient pris par les deux plus
puissants ressorts, la famille et l'argent. Cette situation n'é-
tait plus tenable. De là le mouvement de revendications
libérales que l'empereur lui-même fut obligé de reconnaître,
en adoptant *l'Acte additionnel aux Constitutions de l'Em-*
pire.

LES CENT JOURS

Le retour de l'île d'Elbe. — La raison de la popularité de Napoléon. — L'acte additionnel aux constitutions de l'Empire. — La représentation du commerce et de l'industrie. — La guerre. — La France contre l'Europe. — La fédération en province. — Mon remplacement comme conscrit. — La garde nationale à Dinan. — Waterloo. — L'invasion. — Le but des alliés.

~~~~~~~

J'ai donné plus haut la raison générale de cette prodigieuse volte-face, qui changea en un clin-d'œil, comme un décor d'opéra, le gouvernement du pays.

La Restauration se tournait avec tant de complaisance vers le *bon vieux temps*, que l'irritation était portée à l'extrême.

Aussi Napoléon se sentait-il sûr de lui, en débarquant au golfe Juan, et c'est avec une confiance absolue qu'il se présenta seul aux soldats du 5ᵉ régiment de ligne, dont le colonel avait refusé de parlementer avec ses aides de camp à Laffrey, près de Vizille : « Le trône des Bourbons, dit-il, » est illégitime, parce qu'il n'a pas été élevé par la nation ; » il est contraire à la volonté nationale, parce qu'il est contraire aux intérêts du pays, et qu'il n'existe que dans » l'intérêt d'un petit nombre de familles. Interrogez vos » pères, interrogez les braves paysans qui m'accompagnent,

» et tous vous diront que vous êtes menacés du retour des
» dîmes, des priviléges, des droits féodaux et de tous les
» abus dont vos succès vous avaient délivrés. »

En parlant ce langage, l'empereur était sûr de mettre le
pays de son côté; son retour fut d'autant plus applaudi,
que l'Acte additionnel vint donner aux libertés publiques
les garanties dont elles avaient été si longtemps privées.

La proclamation de cet Acte additionnel aux Constitutions de l'Empire eut lieu le 14 mai, au Champ-de-Mars,
avec la plus grande solennité, en présence des députations
de tous les départements, des divers corps de l'armée et de
tous les corps constitués. L'enthousiasme était très-vif, et
l'espérance de refaire une France nouvelle remplissait tous
les cœurs.

Il faut convenir, en effet, que la résurrection des libertés
stipulées par l'Acte additionnel ne fut pas un vain mot.
Pendant toute la période des Cent-Jours, la France eut la
liberté illimitée de la presse; on pouvait tout discuter; les
journaux reproduisaient les manifestes des généraux ennemis, même ceux qui mettaient Napoléon *hors les relations
civiles et sociales;* la liberté individuelle fut scrupuleuse-
ment respectée, et les conquêtes de la Révolution repre-
naient leur place dans la Constitution. Il n'y eut dans le
gouvernement des Cent-Jours ni une victime, ni un proscrit.

Une innovation précieuse et digne d'être mentionnée accordait à l'industrie et au commerce une représentation
spéciale : un décret fut rendu en ce sens et mis à exécu-

tion aux élections qui eurent lieu : sous la Restauration, le droit électoral appartenait à la propriété foncière seule ; cette adjonction des capacités industrielles et commerciales était à cette époque une large satisfaction accordée au pays, et la bourgeoisie lui fit un chaleureux accueil.

Il était donc naturel que le pays se levât pour défendre ses droits et pour repousser l'étranger : l'entraînement patriotique que provoquait partout le drapeau tricolore était légitime ; mais pour consolider cette situation meilleure, il fallait triompher de la formidable coalition déjà debout et armée sur nos frontières, et la victoire était-elle possible? Poser cette question, c'était poser, dans ses termes les plus rigoureux, le duel de l'Empire contre l'Europe, et Napoléon avec tout son génie devait finir par éprouver lui-même la vérité de sa maxime, *qui mettait la victoire du côté des gros bataillons.*

Je n'ai pas à raconter une fois de plus cette tragique histoire ; elle a montré aux patriotes les plus imbus de chauvinisme la folie des pouvoirs qui n'ont d'autre raison que la force, et plût au Ciel que la France eût pu se pénétrer, au milieu de ces bouleversements terribles, de cette vérité que tout gouvernement personnel est pour elle un fléau !

Pendant ce trimestre si plein de péripéties émouvantes, je ne quittai pas Dinan ; le jour qu'on arbora le drapeau tricolore sur le beffroi de la ville, tout le monde, à l'exception des anciens émigrés, paraissait heureux ; les partisans des Bourbons se tenaient tranquilles ; les nobles se retirèrent dans leurs terres; du jour au lendemain, le gouvernement de la Restauration parut avoir disparu sous terre.

Partout la défense s'organisa avec énergie; on vit se produire en Bretagne le même mouvement de fédération bre-

tonne qu'en 1789, en vue de défendre la France et la liberté. Le centre de cette fédération fut, comme autrefois,
Rennes, où je me rendis comme délégué de l'arrondissement de Dinan.

Il fallait une armée, et la conscription fut décrétée et
exécutée dans tous les départements, à l'exception du département des Côtes-du-Nord; le remplacement devint très-
difficile et le remplaçant dont mon père s'était précautionné
pour moi coûtait 15,000 francs.

Ce remplacement, en exonérant du service militaire,
n'exemptait pas les jeunes gens de l'accomplissement de
leurs devoirs de citoyens. A Dinan, la garde nationale active
et sédentaire fut rapidement équipée, et les jeunes gens
formèrent une compagnie de canonniers, dont je fus nommé
lieutenant.

Notre compagnie n'eut à intervenir qu'une seule fois;
des habitants de Saint-Malo, fidèles au gouvernement des
Bourbons, essayèrent de livrer aux Anglais le fort Lalatte,
situé du côté de la baie opposé à Saint-Malo et au fond de
laquelle se trouve l'embouchure de la Rance. L'émotion fut
vive, deux frégates anglaises croisaient dans la baie pour
favoriser l'opération; le 86e régiment de ligne, en garnison
à Saint-Malo, fut envoyé pour s'opposer à la reddition du
fort, et comme la mer était occupée par la marine anglaise,
la troupe fut obligée de se rendre à son poste par Dinan, où
se trouvait le premier pont pour passer de l'autre côté de
la baie. Je proposai à ma compagnie de nous joindre au
86e de ligne, et tous nos jeunes canonniers furent sur pied
au premier appel. A notre approche, les Malouins s'échap-
pèrent, et les vétérans qui gardaient le fort arborèrent le
drapeau tricolore : à sa vue, les frégates en croisière pri-

rent le large et le fort fut conservé au gouvernement national.

Notre effervescence, hélas! ne fut et ne pouvait être que de peu de durée. Après le glorieux bulletin de la victoire de Ligny, la journée de Waterloo fondit sur nous comme un coup de foudre, et l'invasion, comme une avalanche, fit encore irruption en France.

L'invasion! le pire des désastres, le plus épouvantable des malheurs publics ! Il m'a été donné d'assister trois fois, au commencement et à la fin de ma carrière, à cet horrible spectacle, et j'ai vu, en 1814 et en 1815, comme en 1870, se produire contre mon pays la même duplicité, la même haine intraitable, la même soif de vengeance barbare et sans pitié.

Les alliés de 1815, comme les Allemands de 1870, commencèrent dans leurs proclamations par déclarer « *qu'ils* » *ne voulaient imposer à la France aucun gouvernement* » *particulier et qu'ils ne s'armaient que pour abattre la* » *puissance de l'Empire.* » Indigne et misérable comédie! Le fond de leur pensée ne tarda pas à se manifester par des paroles sans ambages.

Le 15 avril, le général Grunner, gouverneur des provinces prussiennes du Rhin, disait, dans une proclamation à l'armée prête à envahir la France : « *Ce n'est pas* » *pour lui rendre des princes dont elle ne veut pas; c'est* » *pour diviser cette terre impie que la politique des prin-* » *ces ne peut laisser subsister; c'est pour nous indemniser* » *par un juste partage de ses provinces, de tous les sacri-* » *fices que nous avons faits depuis vingt-cinq ans pour ré-* » *sister à ses désordres.* »

A un demi-siècle de distance, nous avons entendu les

mêmes menaces de partage et de mort et nous les avons vu
s'accomplir en partie. Le sort de la Pologne est celui qu'on
nous réserve : mais l'idée révolutionnaire a toujours été et
sera toujours plus forte que toutes les conspirations des
monarchies de l'Europe.

LA SECONDE RESTAURATION

Un trimestre avait suffi pour donner le dessus à la coalition européenne contre l'Empire. Aujourd'hui encore je
me dis : quels temps et quels souvenirs!! La retraite de
Russie, l'invasion, la chute de l'Empire, la première Restauration, les Cent jours, Waterloo, la seconde Restauration, tous ces ouragans passaient et repassaient sur le pays,
sans lui laisser un jour de repos !

Pour retrouver des émotions aussi fortes, il faut traverser
un demi-siècle et arriver aux catastrophes que nous venons
de subir. L'invasion prussienne, la capitulation de Sedan,
la chute du second Empire, la capitulation de Metz, la capitulation de Paris, les cinq milliards d'indemnité, le démembrement de la France, la perte de la Lorraine et de l'Alsace,
la Commune, le second siége de Paris, la bataille des huit
journées, sont autant de secousses qui ont encore remué le
pays jusque dans ses fondements !

L'histoire ne sera que juste en proclamant bien haut que
le premier auteur des calamités de 1814 et 1815, de même
que le premier auteur des bouleversements de 1870 et 1871,
aura été un Bonaparte! Les peuples ne se lasseront-ils donc
pas de se jeter à corps perdu entre les bras de sauveurs qui
deviennent toujours leurs bourreaux?

Une seule pensée me console et me réjouit, c'est que l'idée
révolutionnaire, qui aurait dû disparaître au milieu de tant
d'effondrements, se retrouve au contraire plus forte et plus
puissante que jamais, et la preuve, c'est que la Révolution,
que l'on regardait en 1815 comme un volcan qui ne brûlait
que la France, menace aujourd'hui tous les gouvernements
de l'Europe.

Reprenons le récit des faits.

––––––––––

Au milieu des anxiétés publiques qui se succédaient chaque jour, j'étais trop compromis auprès du régime nouveau
pour ne pas être exposé, même dans mon pays, à des tracasseries et des persécutions de toutes sortes; pendant que
les princes de Bourbon revenaient à Paris, comme on l'a dit
très-justement, dans les fourgons de l'étranger, je fus envoyé par mon père, pour ses affaires, à Jersey et Guernesey,
où nous faisions un grand commerce de cuirs, et de là à
Bristol, où était alors le principal marché de cuirs de l'Angleterre, et à Londres pour les ventes de graines de trèfle,
que les Anglais prenaient alors dans nos contrées et principalement dans la partie du Maine la plus rapprochée de la
Bretagne.

Je rentrai à Dinan quelques jours avant le dimanche 28
juillet 1815, jour de la fête Sainte-Anne, qui était alors en

grande vénération dans le pays. Les chouans des environs, au nombre de 12 à 15,000, voulant pénétrer dans la ville, dont les portes étaient fermées et les postes gardés, ils arrivèrent le samedi, et se répandirent toute la nuit dans les faubourgs et autour des remparts [1]. Quelques coups de fusil furent échangés; le lendemain, par convention, on laissa pénétrer cinquante des assiégeants, pour assister à un *Te deum* chanté dans une des églises de la ville, en réjouissance du retour de Louis XVIII. Le souverain légitime, que « les Patauds » appelaient « le roi panade », se trouvait à Paris depuis le 8 juillet, que l'hôtel-de-ville de Dinan continuait encore à porter le drapeau tricolore, qui ne fit place que quelques jours après au drapeau blanc.

Aucun patriote n'assista, bien entendu, à ce *Te deum*, et cette abstention concertée ne fit que surexciter la réaction.

Pour échapper à d'inévitables tracasseries, je repris mes pérégrinations commerciales. La maison de mon père se prêtait facilement à ces excursions continuelles. Le gros commerce se pratiquait alors par de grandes foires régionales, où les négociants réglaient leurs anciens comptes et prenaient des commissions nouvelles; la célèbre foire de Beaucaire, dans le Midi, était le plus considérable de ces grands rendez-vous du commerce général; l'amélioration des routes, en rendant plus faciles les communications, et surtout l'établissement des chemins de fer, ont rendu presque inutiles ces foires, qui ne sont plus aujourd'hui que des

---

[1] Dinan est une très-ancienne ville, entourée de murailles assez bien conservées et flanquées de très-belles tours. La duchesse Anne, qui épousa Charles VIII, habita l'une de ces tours, et l'on y voit encore le fauteuil de granit où s'asseyait la duchesse pour assister à l'office divin.

marchés plus ou moins importants pour les productions du
pays.

C'est en revenant de l'une de ces foires, celle de Guibray,
en Normandie, que je rencontrai les régiments prussiens
qui s'en allaient prendre garnison sur les confins de la Bretagne, dans laquelle ils ne pénétrèrent pas plus avant que
Dinan, dans les Côtes-du-Nord, à dix lieues de la Normandie. Les nouvelles autorités des villes et les royalistes
avaient le triste courage de venir les saluer et les fêter à
leur passage, en les appelant « nos bons alliés ». Au milieu
de ces démonstrations, nous, les patriotes, « les Patauds »,
nous étions signalés comme des hommes dangereux, tout
prêts à nous soulever, et les Prussiens avaient des appréhensions si vives, que le premier brigadier qui osa pénétrer
dans la ville de Dinan fut récompensé pour ce trait de courage.

Un malheur plus grand pour nous, c'est que l'ennemi
étant logé chez les habitants, les royalistes s'arrangeaient
pour exonérer la population « bien pensante », tandis que
« les Patauds » étaient accablés de billets de logement. C'est
ainsi qu'en l'absence de mon père, retenu à la chambre des
députés, on envoya chez nous le général et tout son état-
major. Le général demanda à ma mère la faveur de manger
à sa table, et ma mère y consentit, à la condition que le
général et ses officiers voudraient bien se conformer à ses
heures.

La fourniture des vivres pour les Prussiens avait été ad-
jugée à un entrepreneur qui n'avait pas la confiance du
pays, et les fermiers n'apportaient pas leurs produits; c'était
une position inquiétante. A l'arrivée de mon père, le préfet

vint le prier de vouloir bien prendre le marché des approvisionnements; mon père y consentit, et cette nouvelle produisit dans le pays une détente générale; les denrées se présentèrent en abondance sur le marché, et le séjour des envahisseurs ne donna lieu à aucun conflit sérieux. Cependant un ouvrier, que l'on appelait *le sorcier*, et qui demeurait dans l'un des faubourgs, eut seul à se venger d'un soldat; entendant ce soldat insulter grossièrement sa femme, il se jeta sur lui une hache à la main, et, d'un seul coup, lui enlève un bras; traduit pour ce fait devant un conseil de guerre, *le sorcier* fut acquitté, sur la plaidoirie de mon père.

Le séjour de la garnison prussienne à Dinan dura trois mois; il fut marqué pour moi par un acte mémorable de ma vie: c'est pendant cette occupation de ma ville natale par nos vainqueurs que je fus reçu franc-maçon, et deux officiers prussiens assistèrent à ma réception. Cette particularité me frappa vivement; elle était de nature à prouver que la fraternité humaine de tous les peuples et de tous les hommes est au-dessus des divisions et des haines semées par les rois et les gouvernements.

L'horrible guerre que nous a faite la Prusse n'a pu empêcher la franc-maçonnerie d'accomplir sa mission humanitaire; nous en connaissons des exemples touchants. Quand donc viendra le grand jour de la fraternité universelle?

———————

Le départ des régiments prussiens fut le signal d'une recrudescence de la réaction royaliste; mais plus les royalistes se montraient violents, plus nous tenions à nous séparer de ce parti anti-national et à défendre les principes de la Ré-

volution. Notre dévouement était acquis à l'avance aux per-
sécutés et aux proscrits; c'est ainsi que mon père offrit sa
maison à la veuve du colonel Labedoyère. La pauvre veuve
y vint pour cacher sa douleur et ses larmes; elle était
accompagnée de sa jeune fille; mais la fin tragique de son
mari l'avait frappée mortellement elle-même; elle vivait
avec sa fille dans une retraite absolue et ne voulait voir
personne.

Cet appui sympathique donné aux victimes mettait naturellement en fureur les autorités, et les visites domiciliaires
se multipliaient de tous côtés chez les citoyens qui faisaient
opposition au pouvoir. Le récit suivant va montrer comment
ces visites étaient accueillies par ma famille :

Un jour, le commissaire de police, accompagné du maréchal-des-logis de gendarmerie et de trois gendarmes, se
présenta à notre porte et demanda à parler à ma mère. Mon
père était à Paris à la chambre des députés. Sans se décon-
certer, ma mère demande au commissaire de quoi il s'agit.
Le commissaire répond qu'il vient faire une perquisition
dans les papiers de mon père; ma mère ne fit aucune objection et les pria d'entrer. — Par où commençons-nous,
dit-elle froidement? — Par les bureaux, répond le commissaire.

A la vue de ce désobligeant cortège, un de mes oncles
était accouru, et ma mère lui dit, ainsi qu'au commissaire
de police et au maréchal-des-logis, de monter au premier,
où étaient installés les bureaux de la maison. On monte, et
ma mère les introduit tous les trois dans le bureau particulier de mon père et le mien, qu'une barrière séparait de
ceux où travaillaient les employés. C'était l'heure à laquelle
les commis étaient sortis; moi-même j'étais ce jour-là à
Saint-Malo pour les affaires de la maison.

Dès qu'ils sont entrés, ma mère sort vivement et les enferme sous clef, en ayant soin de fermer également la porte de l'entrée principale des bureaux qui donnaient sur l'escalier. Puis elle a soin de recommander à son beau-frère de ne pas perdre de vue les mains du commissaire et du maréchal-des-logis ; « je ne crains aucun détournement, dit-elle, » mais je crains qu'on mêle aux papiers de mon mari des » papiers compromettants. »

Les deux agents bondissent de rage. Le maréchal-des-logis dégaine et se précipite vers la fenêtre, avec l'intention de sauter dans la cour ; mais au-dessous de la fenêtre il aperçoit l'orifice béant d'un puits assez large que ma mère venait de faire découvrir, et à cette vue le maréchal-des-logis devint un peu plus maître de lui-même.

Ma mère interpelle alors le commissaire et le somme d'exhiber l'ordre en vertu duquel il agissait pour commettre cet acte illégal dans le domicile d'un député. — Madame, j'agis en vertu d'un ordre verbal. — J'ai le droit d'exiger un ordre écrit. — Nous n'en avons pas. — Envoyez un de vos gendarmes en prendre un. — J'irai moi-même, riposte le maréchal-des-logis, qui écumait de se voir ainsi en cage. — Pardon, Monsieur, un de vos hommes peut y aller, répond ma mère.

Le maréchal se voit obligé d'y consentir, et l'un des trois gendarmes est envoyé auprès du procureur du roi et du sous-préfet. Il revient, mais sans papiers ; le procureur du roi et le sous-préfet avaient refusé de signer un ordre écrit.

Ma mère, sûre de son droit, envoie alors demander l'un de mes beaux-frères, qui est avocat, et quatre témoins que l'on demande au café voisin, que cette perquisition avait rempli de monde. Pour ne donner prise à aucun blâme, elle

recommande de choisir pour les quatre témoins deux patriotes et deux *ultras*, c'est ainsi que l'on désignait les
royalistes plus royalistes que le roi.

Mon beau-frère et les quatre témoins arrivent, et l'on
dresse un procès-verbal des faits qui viennent de se passer,
faits qui constituent, avec raison pour ma mère, un acte de
violation du domicile inviolable de mon père.

Les prisonniers sont alors relâchés, et tout le personnel
du commissaire s'en va

« Honteux comme un renard qu'une poule aurait pris. »

Mais ce n'est pas seulement pour constater la violation
d'une loi que ma mère a fait dresser un procès-verbal : cette
pièce est expédiée le soir même au ministre de l'intérieur,
avec une lettre qui demandait la destitution du sous-préfet,
du procureur du roi, du commissaire de police, du lieutenant de gendarmerie commandant l'arrondissement, et du
maréchal-des-logis qui avait dégainé et fait des menaces
dans notre domicile.

Par le même courrier, ma mère écrit à mon père une
seconde lettre pour l'informer de tous ces faits, en le priant
d'appuyer les demandes de destitution.

Quelques jours après, le ministre de l'intérieur répondit
en faisant droit à la requête qui lui était présentée ; ce fut
une affaire qui, à cette époque de réaction impitoyable, fit
du bruit dans notre Landerneau : le parti des vaincus montrait qu'il n'était pas à la merci des vainqueurs.

En voyant qu'il y avait encore des lois et des juges à
Paris, les royalistes firent contre mauvaise fortune bon
cœur. Le commissaire de police, qui se nommait Brisebarre
et qui avait une nombreuse famille, excitait la sympathie

du parti légitimiste par sa situation misérable; sa femme faisait un petit commerce de sabots pour trouver un supplément aux modestes honoraires de son mari. Quelques dames royalistes vinrent solliciter sa grâce auprès de ma mère. Pour donner aux *ultras* une leçon complète, ma mère exigea que sa demande fût appuyée par tout le parti royaliste : c'était le forcer à faire amende honorable.

La démarche s'accomplit dans les conditions demandées par ma mère; elle écrivit alors une lettre à mon père, qui obtint facilement le maintien du malheureux Brisebarre. Ce pauvre commissaire vint naturellement remercier ma mère, qui lui remit cent écus pour sa femme et ses enfants, en lui disant : — Prenez ceci, M. Brisebarre, pour votre famille ; elle ne doit pas souffrir des fautes que vous commettez. J'espère que vous n'agirez désormais qu'en vertu d'ordres qui mettront votre responsabilité à couvert. — Oh ! Madame, répondit le commissaire tout ému, ordre écrit ou ordre verbal, il n'en est point désormais qui puisse me ramener chez vous, pour faire quoi que ce soit de désobligeant pour vous.

La leçon était humiliante pour les royalistes, et cette humiliation ne fit que les rendre plus intraitables. Que de faits il me faudrait ici rapporter !

Tantôt c'était à propos de la religion, au sujet de l'observation du dimanche et des prescriptions ordonnées les jours de la Fête-Dieu : un ami de mon père, habitant la commune de Pleudhien, près Dinan, refusa de tendre des draps le long de sa maison et de son jardin comme on voulait l'obliger à le faire. On lui intenta un procès pour son infraction à l'ordonnance ; il le soutint en se fondant sur la liberté de conscience ; il fut condamné en première instance et en appela à la Cour, qui déclara par arrêt qu'on ne pouvait le forcer à tendre des draps, mais qu'il devait laisser les tendre à sa place.

Ce prosélytisme à outrance du catholicisme de la Restauration était une des contraintes les plus pénibles pour les populations. On eût dit, à voir ce zèle intempestif, que le gouvernement n'eût pas demandé mieux que de revenir à la révocation de l'édit de Nantes. C'était la politique du trône et de l'autel imposée à l'aide de la Sainte Alliance au peuple, qui avait fait la Révolution pour s'affranchir du gouvernement personnel et de la religion d'Etat.

Si les populations avaient été au-devant de ces manifestations religieuses, le pouvoir aurait pu dire qu'il ne faisait que donner satisfaction au vœu public : mais les villes et les campagnes montraient contre cette propagande une vive résistance, et c'est pour vaincre cette résistance que le ministre des cultes, d'accord avec les autorités ecclésiastiques, organisait dans toute la France ces missions, prêchées par des jésuites, qui semaient partout le désordre et, ce qui pis est, l'hypocrisie.

Mes impressions sur ce point sont demeurées les mêmes, pleines et entières. Voici, à l'appui de mes souvenirs, un fait dont je fus témoin en Bretagne, pays pourtant attaché à ses croyances.

J'étais à Morlaix pour mes approvisionnements de farine pour Glomel quand les missionnaires vinrent à Brest : je m'y rendis pour être témoin de la réception qui leur serait faite. Les jésuites étaient accompagnés de l'évêque de Quimper, pour donner plus de solennité à leur mission : mais

les habitants de Brest ne voulurent pas supporter ces prédications imposées. Pendant quatre jours, la rue où demeu-
raient les Pères jésuites et toutes les rues adjacentes furent
remplies de milliers de personnes qui criaient : A bas les
missionnaires! à bas les calotins! à bas les jésuites! Les
manifestations devinrent si énergiques, que les prédicateurs
prirent le parti de s'en aller.

Tantôt, c'était une délation odieuse, et l'on épiait le domicile de mon père à la ville et à la campagne, pour voir
si le général Clausel n'était pas caché chez lui.

Tantôt, c'étaient des avanies faites à de vieux officiers de
l'Empire : les nouveaux chevaliers fleurdelysés en étaient
venus à vouloir remettre en vigueur une ordonnance de
1751, qui exigeait pour entrer dans les écoles militaires
cent ans de noblesse.

Tantôt, enfin, c'étaient des querelles à propos du service
de la garde nationale. A Dinan comme ailleurs, on n'avait
admis dans la milice citoyenne que ceux qui passaient pour
aimer le drapeau blanc, ce qui semait dans la population
des ferments de rancune et de haine. Je trouvai le moyen
de provoquer la dissolution des compagnies organisées ; je
conseillai à quelques artisans de se plaindre du service, en
alléguant que certains citoyens n'en étaient exempts que
parce qu'ils étaient riches : le coup porta et la garde nationale cessa de se réunir.

Ces divisions et ces animosités se retrouvaient d'ailleurs
dans tout le pays. Dans un des voyages que je fis à Vannes
pour expédier en Hollande des cargaisons de miel[1], je fus
témoin d'un fait que je dois consigner ici.

_____
[1] Les miels de Bretagne étaient très-estimés en Hollande pour

J'avais été présenté au Cercle de la ville par le correspondant de la maison de mon père ; je m'y trouvais un matin en attendant avec anxiété les journaux qui devaient apporter la nouvelle du jugement du maréchal Ney ; c'était dans toute la France le grand événement qui occupait tout le monde.

Les journaux arrivent, et la fatale nouvelle de la condamnation à mort se répand comme une traînée de poudre. Un directeur de la Douane, qui se trouvait au Cercle, fit éclater sa joie, et salua cette condamnation comme une bonne nouvelle : à cette vue, le colonel Lamour, qui avait été officier d'ordonnance du maréchal et qui était présent, se dirigea tranquillement vers la fenêtre qu'il ouvre sans rien dire : il revient alors résolûment au directeur de la Douane, qu'il soulève dans ses bras et le lance dans la rue : le Cercle était heureusement à un entresol, et l'ultra en fut quitte pour une forte secousse et quelques contusions. Ce fut dans toute la ville une rumeur des plus vives et qui dura plusieurs jours, mais le colonel Lamour ne fut pas poursuivi, tant il est vrai que le sentiment public se montrait favorable à l'armée ! Le gouvernement avait tenté de flétrir nos braves soldats en les appelant *les Brigands de la Loire ;* mais le pays les vengeait noblement en les couvrant d'une sympathie qui ne se démentit jamais.

---

la fabrication de l'hydromel (boisson du pays). En 1815, les miels de Bretagne valaient de 70 à 75 fr. les 100 kilogrammes ; depuis, le prix ne s'est pas élevé au-dessus de 25 à 30 fr. par l'effet des arrivages de miels étrangers et surtout de la diminution du prix du sucre, qui, dans les derniers temps de l'empire, valait de 6 à 7 fr. la livre. Le blocus continental avait eu pour résultat de faire employer le miel pour la pâtisserie.

On peut encore en trouver une autre preuve dans le souvenir du procès intenté au général Travot, le pacificateur de la Vendée, que je consigne ici en note en l'empruntant à l'excellent *Histoire des deux Restaurations*, de M. de Vaulabelle[1]. Ce trait et mille autres, que l'on peut citer, prouvent que l'armée du drapeau tricolore ne se ralliera jamais à un gouvernement qui arborera le drapeau blanc.

Si les départements montraient une si ferme résistance, à Paris c'était pis encore. J'y fus appelé par mon père après

[1] Travot, dans les premiers jours de son arrestation, fut mis au secret le plus rigoureux et privé de toute communication, même écrite, avec sa famille et ses amis. Ceux-ci recoururent sur-le-champ aux lumières d'un jurisconsulte, qui s'empressa de demander au geôlier, puis au procureur du roi, copie de l'écrou du prisonnier : sur leur refus, il s'empressa de réclamer auprès de M. de Viomesnil. Ce général, pour toute réponse, lui fit transmettre l'ordre de quitter Rennes dans les vingt-quatre heures et de se rendre en exil à Bordeaux : une seule invitation de cet officier général avait suffi, sept mois auparavant, pour décider M. Ravez et ses confrères du barreau bordelais à déserter lâchement la défense des généraux César et de Constantin Faucher. L'acte de violence qu'il venait de commettre, loin d'intimider les avocats bretons, excita leur courage : l'exil enlevait un défenseur à Travot, trois avocats, MM. Couatpon, inspecteur de l'académie, Bernard et Lesueur, prirent immédiatement la place de l'exilé et firent aussitôt paraître en faveur de Travot une consultation que signèrent avec eux treize de leurs confrères, parmi lesquels figuraient quatre professeurs et entre autres deux hommes dont le nom est resté dans la science : MM. Carré et Toullier. Cette manifestation déconcerta M. de Viomesnil : il n'osa déporter ces seize citoyens et Travot put être défendu. *(Histoire des deux Restaurations,* par Achille de Vaulabelle, 4e vol., p. 191.)

mon voyage à Vannes, et je pus voir qu'il y avait un abîme
entre le gouvernement et la population. Les actes du pouvoir, la polémique des journaux, les discussions des chambres et les incidents de chaque jour entretenaient dans la
capitale une agitation permanente.

Deux aventures qui me sont personnelles me permettent
de montrer quelle était à cette époque la physionomie de
Paris. Je traversais un jour la place Saint-Sulpice avec
mon frère cadet, qui était étudiant en droit. La place, qui
était moins grande qu'aujourd'hui, était envahie par une
grande foule : j'interroge et j'apprends que cette foule attendait la sortie de la duchesse d'Angoulême, qui assistait
régulièrement aux conférences données par M. de Frayssinous, à l'église Saint-Sulpice. Comme nous n'avions jamais
vu la dauphine, mon frère et moi, nous nous arrêtâmes aux
derniers rangs, et deux royalistes vinrent un peu après se
placer derrière nous : un voltigeur de Louis XIV et un
garde du corps. La duchesse sort et toute la foule se dé-
couvre en criant : Vive la duchesse d'Angoulême ! Préoccupé de voir la princesse qui descendait du péristile de
l'Eglise, je ne pensai pas à tirer mon chapeau ; quant au
vivat, je ne l'aurais jamais poussé.

Nos deux royalistes furieux nous coudoient rudement
et nous rappellent au respect dû à la fille de Louis XVI ;
nous ripostons, mon frère et moi, par des bourrades, et
nous nous retirons chez un pâtissier de la rue du Vieux-
Colombier : à peine y étions-nous entrés, que des gendarmes et des gardes nationaux vinrent nous appréhender.
Nous fûmes conduits de poste en poste, jusqu'au corps de
garde, qui existait alors rue Cadet, d'où mon père, prévenu,
nous fit sortir le lendemain.

Une autre fois, c'était au pont de la Concorde : les libéraux se donnaient là rendez-vous pour apprendre au plus vite les résultats des discussions de la Chambre, et plus les débats étaient passionnés, plus les Parisiens réunis aux abords de la Chambre se montraient attachés aux principes de la Révolution, en criant : Vive la Charte! C'était alors le signe de ralliement des patriotes pour résister aux légitimistes, qui ne criaient que : Vive le Roi !

J'étais mêlé avec mon frère aux attroupements, et tout à coup je m'aperçois que sa haute taille attire l'attention d'un groupe qui se tenait près du pont. On le prend pour un garde du corps déguisé, et, en un clin-d'œil, je le vois entraîné vers le parapet. Par un effort vigoureux, je parviens jusqu'à lui et je le délivre en me faisant connaître, au moment où il allait être précipité dans la Seine.

L'exaltation des groupes était des plus vives, et la troupe chargea à plusieurs reprises ; c'est dans une de ces mêlées, place du Carrousel, que fut tué ce jour-là le jeune Lallemand, étudiant en droit.

Le lendemain, l'exaspération de la population était encore plus grande et une manifestation parcourut les boulevards, depuis la place de la Concorde jusqu'à la Bastille. De cette place, la colonne continua sa marche par la rue Saint-Antoine, où la cavalerie fit sur elle une charge à fond, au milieu d'une pluie torrentielle. Pour échapper à un dragon qui me poursuivait, je me réfugiai derrière un garde national, qui était de faction au tourniquet Saint-Jean, existant alors derrière l'Hôtel-de-Ville, et qui dut croiser la baïonnette pour empêcher le cavalier de se jeter sur moi le sabre au poing.

Ces attroupements et ces manifestations se succédaient au fur et à mesure que le gouvernement développait sa politique de réaction. On était sous l'effroyable domination de cette chambre introuvable, qui bouleversait tout pour essayer de ramener au *bon vieux temps* la société nouvelle créée par la Révolution.

L'opposition aux idées envahissantes du clergé et aux prédications jésuitiques des missionnaires était aussi ardente à Paris que dans les départements. Des troubles sérieux, auxquels se mêlèrent les étudiants en droit et les étudiants en médecine, eurent lieu à l'occasion des prédications des missionnaires dans l'église des Petits-Pères, et tinrent, pendant dix jours qu'ils durèrent, tout le pays en émoi. Les journaux royalistes, furieux de voir le peuple de Paris indifférent à toutes ces capucinades jésuitiques et ultramontaines, poussèrent le gouvernement à transporter à Compiègne et à Fontainebleau les écoles de droit et de médecine, et à transférer le siége du gouvernement dans une autre ville.

Toutes ces menées, toutes ces résolutions à contre-sens, toutes ces tentatives pour ramener en arrière la France nouvelle, irritaient profondément la bourgeoisie de Paris sans l'effrayer. Ces troubles, en quelque sorte incessants, agitaient le pays tout entier et ne faisaient qu'accroître sa résistance contre les idées rétrogrades et liberticides du gouvernement.

Il suffit de rappeler les actes principaux qui ont signalé cette crise terrible d'un gouvernement qui croyait pouvoir faire d'un pays vaincu ce qu'il voudrait.

Le spectacle présenté par ce pouvoir, *n'ayant rien appris et n'ayant rien oublié*, était véritablement navrant.

Comme Constitution, une Charte où l'on introduisait ce fameux article 14, qui perdit le pouvoir en le tentant. — Comme représentation nationale, une Chambre qu'on a justement appelée introuvable et qui, plus royaliste que le roi, regardait Louis XVIII comme un révolutionnaire et rêvait tout simplement le retour de l'absolutisme. — Comme représailles de l'émigration affamée, des revendications de toutes sortes, et entre autres celle du milliard de l'indemnité, qui faisait dire au général Foy, à la tribune : « Vous parlez de ce milliard comme d'une goutte d'eau, eh » bien ! pour vous en rendre compte, il faut bien vous dire » qu'il ne s'est pas encore écoulé un milliard de minutes » depuis la venue de Jésus-Christ. » — Comme institutions, toute une série de mesures montrant l'intention de revenir au droit d'aînesse et aux anciens priviléges. — Comme expression de l'influence religieuse, la loi du sacrilége et le ministère de l'instruction publique confiée à M. de Frayssinous, aumônier de la duchesse d'Angoulême. — Comme revanche du droit divin contre la Révolution et l'Empire, la création de cours prévôtales où pouvaient se déchaîner à volonté les vengeances personnelles. — Comme administration financière, la prédominance absolue de la propriété foncière, parce que cette propriété représente surtout la noblesse.

C'était vouloir remonter vers sa source, et cette tentative insensée mettait, bien entendu, Paris et les départements sens dessus dessous. Comment le peuple, créé par la Révolution, n'aurait-il pas bondi en entendant, à propos du droit sur la presse, M. de Marcelles déclarer « que la liberté était » le plus grand fléau qui pût atteindre un peuple, sa perdi- » tion et l'une des plus dangereuses passions du cœur hu- » main. » Comment n'aurait-il pas résisté en entendant

M. de la Bourdonnaye s'écrier, à propos de la loi électorale, que « la loi ne serait complète et durable que le jour où la » puissance électorale, qui doit reposer tout entière sur la » propriété, serait confiée à un nombre déterminé d'élec- » teurs choisis parmi les plus imposés ! » Le pays protestait, et les paroles ardentes de Manuel, de Benjamin Constant, du général Foy, tombaient sur les villes comme des allumettes sur des poudrières. La bourgeoisie émancipée voyait revenir le joug qu'elle avait brisé, et le pays, travaillé en tous sens, ressemblait à un volcan dont les laves s'accumulaient lentement pour éclater plus tard en une explosion formidable.

Ce réveil du pays se manifestait par les signes les moins équivoques, les associations libérales se multipliaient et comptaient leurs adhérents par milliers. La *Société des Amis de la Presse,* dont je faisais partie; la *Société aide-toi, le Ciel t'aidera,* réunirent en corps les membres les plus jeunes de la bourgeoisie libérale, les sociétés secrètes s'organisèrent également pour maintenir intactes les conquêtes de la Révolution : c'est alors que la Charbonnerie enveloppa la France dans un vaste réseau d'associations secrètes : le délégué de la Grande-Vente, en Bretagne, était un de mes amis. Et plus s'accusait l'antagonisme du pays et du gouvernement, plus ces associations acquéraient d'influence. La réaction violente prêchée par la presse et le pouvoir, à la suite de la mort du duc de Berry, ne fit qu'affermir et fortifier l'opposition libérale.

Chaque coup frappé par la Restauration sur la Révolution faisait éclater une protestation, une émeute, une conspiration. Tout ce mouvement d'opposition était inspiré, entretenu, conduit, développé par un comité directeur, dont le gouvernement sentait l'action à côté de lui à Paris, et qui était comme un épouvantail pour la réaction. C'est ainsi que l'on vit se succéder la conspiration de Belfort, de Saumur et des quatre sergents de la Rochelle. Le pays applaudissait à chacun de ces actes, qui était pour lui une énergique attestation de la France aux principes de la Révolution et une espérance de la voir triompher des mesures rétrogrades du pouvoir. La question ainsi posée entre la France d'un côté et la Restauration de l'autre, il n'était pas douteux de voir surgir dans un moment donné, de cette série de conflits, une nouvelle révolution triomphante.

MON ENTRÉE DANS LES AFFAIRES

Mes voyages. — Ma participation aux affaires de la maison comme intéressé. — Mon père me cède sa maison. — Adjudication d'une section du canal de Nantes à Brest. — Je suis déclaré adjudicataire.

~~~~~~~~~

C'est au milieu de cet équilibre instable créé par la politique de la Restauration, que je fis mon entrée dans la vie sérieuse des affaires. Mon père tenait à trouver en moi un successeur capable de mener de front les opérations de sa maison, et l'on a vu que, dès 1813, il m'avait fait revenir de Paris à Dinan pour m'habituer au va-et-vient de son commerce, de son industrie, de sa maison de banque et de ses entreprises de travaux publics.

Tout ce mouvement d'affaires devint bientôt familier pour moi ; j'avais appris la comptabilité et la tenue des livres, et je m'étais habitué au travail des bureaux, ainsi qu'à la réception et à l'expédition des marchandises ; mais ce n'était là qu'une occupation secondaire. De bons employés suffisent à la bonne administration des affaires d'une maison de commerce. Il y avait pour moi d'autres soins et d'autres intérêts supérieurs. Il ne suffisait pas de travailler ; il fallait incessamment songer à la direction de ces opérations mul-

tiples ; il fallait étudier les courants commerciaux, connaître
à fond les marchés et leurs mercuriales, tenir compte des
transports, savoir à temps l'abondance ou la rareté des produits, surveiller le commerce étranger, être informé de
l'offre et de la demande ; en un mot, il fallait sûrement voir
la route à suivre au milieu des fluctuations quotidiennes
des affaires, comme un capitaine voit sa ligne au milieu
des agitations de la mer. Ainsi envisagé, le commerce poursuivi en grand ouvre des horizons aussi variés qu'attrayants;
il attire par des séductions puissantes, et quand une fois il
a récompensé vos calculs par un gain rémunérateur, il finit
par vous enchaîner par des liens invincibles.

Telles étaient les dispositions que j'apportais dans la carrière ouverte devant moi. Je m'appliquais avec une ardeur
extrême aux affaires qui m'étaient recommandées par mon
père, et je recevais d'ailleurs de lui tous les encouragements
que je pouvais désirer. A cette époque plus encore qu'aujourd'hui, l'Angleterre passait pour être la grande école du
commerce. Mon père, pour me former à cet enseignement,
reconnu comme indispensable, me fit faire un long voyage
à Jersey, Guernesey et dans toutes les provinces d'Angleterre, en m'appliquant surtout à bien observer les besoins
commerciaux du littoral, qui avait pour notre maison un
intérêt tout particulier. Mon père se montra satisfait de
mon zèle, et pour me témoigner son contentement, il me
donna une part dans ses bénéfices. Cet encouragement dou-
bla mon ardeur, et bientôt la maison fut laissée à ma direction pleine et entière. Les résultats furent aussi favorables
que par le passé, et trois ans après, en 1820, mon père, autant
pour me récompenser de mes premiers succès que pour
diminuer la lourde tâche que tant d'opérations multiples

faisaient peser sur lui, me céda entièrement sa maison de commerce et de banque, réservant pour lui ses entreprises de travaux publics commencées.

———

C'était pour moi un beau début dans la vie. Je me trouvais à vingt-cinq ans à la tête d'une des premières maisons des Côtes-du-Nord, avec un chiffre d'affaires qui allait croissant d'année en année, et avec la renommée et le crédit que mon père avait su lui conquérir par sa vie privée et par sa vie publique. Mais cette première victoire ne me satisfaisait pas; j'étais jeune et doué d'un tempérament ardent : cette réussite n'était qu'un stimulant pour viser à des opérations plus hautes. Je suis d'ailleurs ainsi fait, que, pour mes affaires personnelles comme pour les affaires de mon pays, je suis toujours porté à rechercher le mieux à côté du bien, le parfait à côté du mieux. Cette disposition, très-caractérisée dans mon esprit et qui a dominé toute ma vie, explique parfaitement comment j'ai été conduit, d'un côté, dans ma vie privée, à une extension de plus en plus grande de mes affaires personnelles, et comment, d'un autre côté, dans ma vie publique, j'ai monté progressivement du libéralisme à la démocratie, et de la démocratie aux réformes sociales.

Une fois chef de la maison paternelle, je l'organisai de telle sorte que le mouvement des affaires se faisait avec la plus grande régularité; je n'avais qu'à donner à la marche de l'ensemble le coup d'œil du maître, et je me trouvais immédiatement en mesure de viser à d'autres entreprises.

Comment cette ambition ne serait-elle pas née en moi : l'entreprise du canal d'Ille-et-Rance, que mon père s'était

réservée, n'était-elle pas sous mes yeux comme une exci-
tation permanente à de plus larges opérations? Une maison
de commerce, quelle que soit sa puissance, n'a jamais d'autre objectif que son intérêt particulier; c'est toujours l'in-
dividualité qui reste en jeu. L'exécution des travaux publics
met, au contraire, au-dessus de la fortune personnelle, la
pensée d'un service rendu à son pays. Cette idée centuplait
mes forces et mon courage. Je me tournai donc naturellement du côté du canal d'Ille-et-Rance, pour en étudier
l'organisation à tous les points de vue. Le travail était alors
sous la direction d'un de mes amis, qui devint l'associé de
mon père et qui épousa plus tard l'une de mes sœurs. Il
devint en 1848, comme moi, représentant du peuple, ainsi
qu'un autre de mes beaux-frères, armateur à Binic. Tous
deux furent nommés par le département dont mon père
avait été le député, presque sans interruption, depuis 1801
à 1838. Je rappelle ici ces faits pour montrer l'importance
qu'avaient à cette époque les travaux d'utilité publique.
Une concession de chemin de fer n'est plus aujourd'hui
qu'une opération des plus simples; mais il y a cinquante
ans, toute adjudication qui avait pour but d'ouvrir de nouvelles voies de communication était accueillie et fêtée comme
la bonne nouvelle.

En dirigeant mes vues vers les entreprises, je me trouvai
d'ailleurs sur un terrain tout préparé pour moi. — Depuis
1814, tout en suivant les affaires de mon père, j'avais observé et analysé une à une toutes les conditions du travail;
j'avais de plus, depuis sept à huit ans, parcouru tous les
marchés, toutes les régions de mon pays breton, j'en con-

naissais les ressources et les produits : matières premières, main-d'œuvre et transports; ces trois éléments de toute entreprise de travaux publics avaient été approfondis par moi sur tous les points des cinq départements de la Bretagne.

Une nouvelle adjudication vint, dans ces circonstances, surexciter mes projets et mes espérances. J'eus l'idée de soumissionner l'exécution d'une partie du canal de Nantes à Brest; je l'annonçai à mon père, qui me répondit : « Eh bien, nous serons concurrents ; car je me porte aussi à l'adjudication. »

Je fis mes calculs, j'établis mes devis, et je présentai ma soumission; les offres de mon père étaient moins avantageuses de quelques centimes, et je fus déclaré adjudicataire. Mon père me félicita de l'avantage que je venais de remporter sur lui, et m'encouragea en me recommandant la plus grande vigilance. « Courage, me dit-il, tu peux trouver dans cette adjudication *honneur et profit.* »

Cette opération a été si importante pour la Bretagne et pour moi-même, que je me vois obligé de présenter ici un rapide exposé de l'entreprise et des péripéties qui l'ont, à certains moments, rendue si dramatique pour moi.

CHUTE DE LA RESTAURATION

Souvenirs rétrospectifs. — L'expulsion de Manuel. — La guerre
d'Espagne. — La Société aide-toi, le ciel t'aidera. — La mission
des jésuites à Brest en 1826. — L'acte d'association bretonne formulée par mon père pour le refus de l'impôt.

~~~~~~~~~

A l'arrivée du ministère Polignac, la Restauration pouvait être considérée comme perdue. Sa politique, de 1815 à
1830, n'avait été qu'un long suicide. Tous les gouvernements
de la France, depuis la Révolution jusqu'à nos jours, Empire, Restauration, Royauté de 1830, Second Empire, n'ont
été que des pouvoirs conspirant par leur politique contre la
Révolution elle-même, mais les sociétés comme les fleuves
ne remontent pas vers leur source, et le seul gouvernement
durable en France sera celui qui représentera, dans sa
marche progressive, l'esprit de la Révolution. Voilà pourquoi la République est devenue une nécessité pour la
France.

Mais je n'ai pas à revenir sur les causes qui ont perdu ce
gouvernement de casuistes et de ducaillons. J'ai esquissé
plus haut le tableau des fautes qui creusaient entre le pays
et lui un abîme que rien ne pouvait combler. Il ne me reste
qu'à rappeler, avant d'arriver aux journées de Juillet, les

souvenirs personnels qui montrent la part que j'ai prise aux événements depuis 1823 jusqu'en 1830.

L'expulsion de Manuel de la Chambre des députés produisit dans tout le pays une émotion indicible. On eût dit que le peuple se raidissait, comme si le pouvoir l'avait frappé lui-même, et chaque citoyen se sentait atteint dans le représentant outragé pour avoir dit la vérité au gouvernement.

On sait que le sergent de la garde nationale Mercier, qui avait refusé de porter la main sur Manuel, fut rayé du contrôle de son bataillon par une ordonnance royale : immédiatement on vit se manifester en sa faveur un mouvement d'opinion irrésistible; ce brave citoyen reçut de Paris et des départements des témoignages de la plus vive sympathie. On ouvrit des souscriptions pour lui offrir des armes de prix, des bronzes, des pièces d'orféverie [1]. Profondément irrité, le gouvernement fit poursuivre les souscripteurs.

Dès le premier avis donné par les journaux, j'avais envoyé ma souscription, et je fus en conséquence impliqué dans les poursuites; plusieurs cours d'appel condamnèrent les souscripteurs à l'amende et à la prison. La Cour d'appel de Rennes seule déchargea les libéraux bretons des peines prononcées contre eux. Ces cotisations avaient obtenu en Bretagne un chiffre important. Chère et vieille Armorique, cela a entretenu en elle une haine de l'oppression qui ne s'éteindra jamais !

A cette époque remonte aussi l'intervention de la France en Espagne.

[1] Voir *Histoire des deux Restaurations*, par de Vaulabelle.

Cette politique des puissances absolutistes est traditionnelle. Vienne une révolution triomphante, et les souverains,
intraitables la veille, s'assouplissent le lendemain pour prêter l'oreille aux revendications de leurs peuples. Nous avons
assisté à cet édifiant spectacle, après les deux révolutions de
1830 et de 1848 ; mais que la réaction reparaisse avec ses
manœuvres occultes et ses machinations souterraines, et soudain « ces pasteurs des peuples » s'arrangent et s'entendent
à merveille pour refaire, en effet, de leurs peuples des trou-
peaux.

C'est sous l'impulsion de cette politique que fut signé et
combiné le pacte de la Sainte-Alliance, et c'est sous l'influence alors prépondérante de cette Sainte-Alliance que
fut résolue la guerre d'Espagne.

Intervention malheureuse, qui mettait à nu la pensée secrète de la Restauration.

La guerre en Espagne commencée, on s'aperçut bientôt
que les approvisionnements et les fournitures de toutes sortes faisaient défaut, et le ministère se vit dans la nécessité de
faire de tous côtés des marchés d'urgence. Habitué dans la
maison de mon père à faire vite et bien de grandes opérations, je me rendis adjudicataire d'une fourniture de vingt-
cinq mille paires de souliers, que je devais livrer dans un
bref délai, par partie de deux mille paires.

Ma première fourniture préparée, je me rendis à Paris
pour assister à la livraison de mes deux premières mille
paires de souliers. A la commission de réception, je fus en
butte à une ouverture honteuse que je dois révéler, car elle
est un témoignage de plus des corruptions qui souillent notre administration militaire : l'officier qui présidait me prend

à part et me demande à brûle-pourpoint quelle sera la commission que je donnerai pour une réception facile.

A cette proposition impudente, je sens le rouge me monter au front ; mais je ne me déconcerte pas et je lui réponds, en le regardant en face : « La commission que vous vou- » drez, pourvu que le montant en soit porté à mon avoir et » que j'en sois remboursé par l'administration. » Il voit que je me moque de lui et veut me parler en maître ; indigné, je riposte : — « M. le colonel, on ne parle pas si haut quand » on fait des actes si bas ; ne l'oubliez pas, après vos propo- » sitions, celui de nous deux qui peut élever la voix, c'est » moi ! » Il se tut, mais il me fit payer cher mon intégrité. Profitant avec une rigueur insolite d'une clause du marché, il me fit retirer le tiers de la fourniture que j'avais à faire, et je fus obligé de revendre plus tard, avec grande perte, les souliers qui me restaient, au général Sebastiani, pour les Grecs.

Les fournitures de l'armée ont toujours été la plaie de notre histoire militaire, et le devoir du gouvernement serait d'organiser ce service de manière à rendre impossible de pareils tripotages. Il y aurait, dans un bon système de fournitures et d'équipements militaires, bien des hontes à prévenir et bien des économies à réaliser. C'est une réforme qui se fera !

———————

Mes voyages à Paris étaient assez fréquents et mes travaux me permettaient d'y séjourner un mois pendant l'hiver. Les travaux d'art étaient, en effet, suspendus en très-grande partie à Glomel pendant la mauvaise saison, et je pouvais donner mes ordres pour les travaux secondaires, de manière à pouvoir prendre un congé de quelques semaines. J'en profitais pour me mettre au courant de toutes les menées de la politique; je dis menées, car, au machiavélisme du pouvoir, l'opposition répondait par l'organisation de sociétés secrètes.

J'étais membre de la Société *Aide-toi, le Ciel t'aidera*, et j'assistais, pendant mon séjour à Paris, assiduement aux réunions de l'association; c'est là que je connus Garnier Pagès l'ancien, dont je devins l'un des amis intimes et dont la mort fut pour la démocratie une perte immense. L'homme qui disait avec un sens politique parfait : « Il faut raccourcir les habits et allonger les vestes, » comprenait admirablement la tradition de la Révolution, et nous le trouverions aujourd'hui dans les rangs de ceux qui défendent les vestes contre les habits, c'est-à-dire le travail contre le capital.

Plus s'accentuait l'antagonisme du gouvernement et du pays, plus je tenais à participer activement à la lutte que soutenait l'opposition. En 1826, je fus invité par mes amis à me rendre à Brest, à l'occasion d'une mission, d'un jubilé organisé par l'abbé Guyon, accompagné d'une foule de missionnaires. Ces représentations religieuses étaient de véritables exploitations commerciales; tous ces prêcheurs étaient suivis de marchands qui vendaient, au profit de la congrégation, des chapelets, des scapulaires, des images, des livres d'église, des cantiques, des objets de piété, trafic considérable, qui faisaitde l'Evangile une boutique! en exploitant les superstitions dont ils sont les propagateurs.

Pour faire pièce aux sermons et aux conférences de l'abbé Guyon, nous demandâmes, mes amis et moi, au directeur du théâtre, de représenter *Tartuffe;* les autorités de la ville s'y opposèrent formellement; de notre côté, nous insistâ-

mes, et le refus persistant des autorités provoqua au théâtre
une collision entre les spectateurs et le régiment de Hohen-
lohe. Les spectateurs des loges s'unissaient à ceux du parterre pour repousser la force armée : les soldats, attaqués
avec les banquettes, les siéges et les tabourets, furent obligés de battre en retraite. La mêlée continua au dehors. Les
autorités firent fermer le théâtre, mais les missionnaires
durent également quitter la ville, sous la protection d'un
régiment de cavalerie.

J'ai souvent entendu mes adversaires politiques blâmer
ma conduite dans ces circonstances, en invoquant contre
moi le principe de la liberté des cultes. L'argument n'est
pas à sa place : Liberté des cultes, soit! et je suis le premier à la défendre et pour l'appliquer dans toute sa vérité.
Mais ce n'est plus la liberté des cultes que l'on pratiquait
en couvrant la France, sous l'influence du pouvoir, de missions qui n'avaient d'autre but que de souder le trône à
l'autel : c'est contre cette politique que j'intervenais, et je
m'applaudis du concours que j'avais pu donner à mes amis
de l'opposition.

———————

En 1829, mon père, prévoyant que la réaction jésuitique
conduirait M. de Polignac à la violation de la Charte, ré-
digea, dans le silence du cabinet, l'*Acte d'Association bretonne, pour le refus de l'impôt*, qu'il envoya à un journal
de Paris. L'acte fut publié, et immédiatement on vit se former des associations pareilles dans toutes les provinces. Le
gouvernement fit poursuivre, non les associés, ils étaient en
trop grand nombre, mais les journaux qui publiaient les
actes d'association. Les journaux furent condamnés. Ces pu-

blications hâtèrent les ordonnances de Juillet, qui emportèrent, par l'explosion de 1830, le trône et la dynastie.

Cet acte d'association pourrait encore servir, si le pouvoir, quel qu'il soit, voulait prélever des impôts non consentis par les délégués du peuple nommés par le suffrage universel, tel qu'il est établi en ce moment.

Voici la copie de cet acte, que je conserve comme un titre d'honneur de ma famille,

« Nous, soussignés, habitants de l'un et l'autre sexe, dans » les cinq départements de l'ancienne province de Bre- » tagne;

» Considérant qu'une poignée de brouillons politiques » menace d'essayer l'audacieux projet de renverser les ba- » ses des garanties constitutionnelles, consacrées par la » Charte;

» Considérant que la Bretagne a pu trouver dans ces ga- » ranties la compensation de celles que lui assurait son con- » trat d'union à la France, il est de son devoir et de son » intérêt de conserver le reste de ses libertés et de ses fran- » chises;

» Considérant que la résistance par la force serait une » affreuse extrémité; qu'elle serait sans motif, lorsque les » voies restent ouvertes à la résistance légale, et que le » moyen le plus certain de faire préférer le recours à l'au- » torité judiciaire est d'assurer aux opprimés une solidarité » fraternelle;

» Déclarons, sous les liens de l'honneur et du droit :

» 1° Souscrire individuellement pour la somme de dix » francs, et subsidiairement ceux des soussignés inscrits » sur les listes électorales, pour le 1/10e du montant des » contributions qui lui sont attribuées par lesdites listes ;

» 2° Cette souscription formera un fonds commun à la
» Bretagne, destiné à indemniser les souscripteurs des frais
» qui pourraient rester à leur charge par suite du refus
» d'acquitter des contributions publiques illégalement im-
» posées, soit sans le secours libre, régulier et constitution-
» nel du roi et des deux Chambres constituées, en confor-
» mité de la Charte et des lois actuelles ; soit avec le
» concours des Chambres formées par un système électoral
» qui n'aurait pas été voté dans les mêmes formes constitu-
» tionnelles ;

» 3° Advenant le cas de la proposition soit d'un change-
» ment inconstitutionnel dans le système électoral, soit dans
» l'établissement illégal de l'impôt, deux mandataires de
» chaque arrondissement se réuniront à Pontivy, et dès
» qu'ils seront réunis au nombre de vingt, ils pourront
» nommer parmi les souscripteurs trois procurateurs géné-
» raux et un sous-procurateur dans chacun des départe-
» ments ;

» 4° La mission des procurateurs-généraux est de re-
» cueillir les souscriptions ; de satisfaire aux indemnités
» en conformité de l'article 2 ; d'exercer sur la réquisition
» de tout souscripteur inquiété par une contribution illégale
» toutes les poursuites légales contre les exécuteurs ; enfin,
» de porter plainte civile et accusation contre les auteurs,
» fauteurs et complices de l'assiette et perception de l'impôt
» illégal. »

Je n'ai sur cet acte à consigner que deux observations,
l'une qui regarde mon père, l'autre qui justifie l'acte lui-
même.

Ce projet révèle dans tout son jour le caractère de son
auteur, mon père était un caractère droit. Dans la vie pu-

blique, il ne comprenait pas qu'on pût avoir une autre règle que celle du bien public, un autre intérêt que celui du
pays. Devant un gouvernement qui se tournait ouvertement
vers l'absolutisme, il n'hésita pas à proposer aux contribuables le moyen de lui couper les vivres. J'applaudis à la
mesure qu'il conseilla, et je m'honore d'avoir reçu de lui
un pareil exemple.

Cette théorie, tout à la fois si simple et si efficace, n'est
pourtant pas, jusqu'à présent, sortie, dans notre pays, du
domaine de la spéculation politique. Seuls, M. de Genoude,
sous le gouvernement de Juillet, et M. Gambon, ancien représentant du peuple, sous l'empire, ont mis en pratique ce
refus de l'impôt qui, universellement pratiqué, rendrait impossible le maintien de tout gouvernement condamné par
le pays. Les rieurs, qui ont voulu se moquer *de la vache à
Gambon,* ne comprennent rien aux nécessités qui doivent
pousser les peuples à résister à leurs gouvernements. Un
jour viendra où toute idée de parjure sera rejetée par les
gouvernants, parce que les gouvernés les mettront pacifi-
quement, par le refus de l'impôt, dans l'impossibilité d'accomplir leur trahison.

MON SÉJOUR A GLOMEL

Le canal de Nantes à Brest. — Le camp de Glomel. — Organisation
de mes travaux au camp. — Mes rapports avec M. de Saisy. —
Général Laboissière. — Elections de 1829. — Ma campagne électorale. — Mon père remplace M. de Quelen. — Révolution de
1830. — Mon voyage à Saint-Brieuc. — Révolte des condamnés
de Glomel. — Ce que je fais pour les ramener au camp. — Résultats de mes entreprises.

Le canal de Nantes à Brest est une des plus importantes
entreprises de travaux publics que la Restauration ait exé-
cutées dans l'Ouest.

Le but de ce grand travail était stratégique. On avait,
pendant la guerre avec l'Angleterre et surtout pendant le
blocus continental, reconnu la difficulté que présentait
l'approvisionnement du port de Brest. Les vaisseaux qui,
de Saint-Malo, de Nantes ou de Bordeaux, étaient dirigés
vers Brest pour le ravitaillement de cette place, étaient
forcés de suivre des côtes dangereuses, et dès qu'ils s'écartaient du littoral, ils tombaient infailliblement au milieu
des croisières anglaises. La voie de mer était ainsi fermée
ou rendue extrêmement périlleuse. Il fallait prendre la voie
de terre; mais ici, nouveaux inconvénients : cette voie présentait aussi de grands obstacles. Et, en effet, les routes er

Bretagne, au commencement de ce siècle, étaient absolument impraticables : des ornières profondes, çà et là de grosses pierres jetées au hasard, des trous remplis d'eau, même en été, telle était la situation des voies de communication. Cet état de choses, assez général en France, avait en Bretagne des causes particulières sous l'ancien régime ; un préjugé assez singulier s'était opposé dans cette province à l'établissement de routes nouvelles. Toujours menacée par les Anglais, la Bretagne vivait dans l'appréhension continuelle d'une invasion, d'un débarquement ; ouvrir des grandes routes, c'était servir les intérêts de l'ennemi, préparer les chemins aux envahisseurs. Aussi les gouverneurs ne concédaient-ils qu'à grand'peine aux localités le droit d'établir entre elles des voies de communication. Quand les gouverneurs permettaient d'ouvrir deux lieues de route nouvelle, les administrés en faisaient trois et même quatre, et, bien entendu, les travailleurs affirmaient que l'on n'avait exécuté que le nombre permis. Voilà pourquoi, avant l'application du système métrique, les *lieues de Bretagne* passaient pour plus longues que les autres.

L'Empire avait voulu porter un remède au mal ; le premier Bonaparte avait fait étudier différentes routes, et Pontivy (Napoléon-Ville) avait été choisi pour être le centre stratégique et militaire de tout un réseau de grandes voies de communication. De ce point central, en effet, les troupes pouvaient, dans dix à vingt heures, arriver à Lorient, Brest et Saint-Malo, ports militaires, ainsi que dans les grandes villes de l'ancienne province, Rennes et Nantes. Dans ce but, on avait tracé le plan d'une place de premier ordre, on avait construit une préfecture, on avait bâti d'immenses casernes. Ce point stratégique était très-bien choisi, non-seulement sous le rapport militaire, mais encore sous le rapport des approvisionnements. Les blés et les avoines, les bestiaux, les fourrages sont dans cette région abondants et de bonne qualité.

Mais les projets formés sous le consulat et dans les premiers temps de l'Empire devaient être abandonnés au milieu des grandes crises du gouvernement impérial. La guerre avait absorbé les ressources qu'on aurait pu consacrer à l'exécution de ce projet, et l'empereur, emporté par sa lutte contre l'Europe, se préoccupait plus du Rhin, de la Forêt-Noire et du Simplon que de la Basse-Bretagne.

En 1815, la Restauration trouvait donc les routes de la Bretagne dans l'état le plus pitoyable. Tous les travaux commencés avaient été abandonnés, et les inconvénients de cet abandon se manifestaient depuis longtemps à tous les esprits. On avait eu particulièrement à en souffrir pour le ravitaillement de Brest, comme je l'ai déjà dit, toujours bloqué par les croisières anglaises. Dès que le calme fut rétabli et que l'on put apporter quelque soin aux intérêts du pays, le gouvernement, sous le ministère Richelieu, fit reprendre l'étude du canal de Nantes à Brest; conçu sous l'ancien régime, étudié sous l'Empire, comme tant d'autres travaux, le canal de Nantes à Brest avait été, de 1816 à 1821, l'objet d'un examen spécial de la part du conseil général des ponts et chaussées.

Je note ici une particularité digne d'être signalée à l'attention de ceux qui tiennent en main le ministère des travaux publics. Au lieu de donner toute l'entreprise, comme on l'a fait sous le second empire, à un seul soumissionnaire, on eut soin de diviser le canal de Nantes à Brest en un nombre de sections très-considérables, et de recourir pour chacune d'elles à une adjudication spéciale; c'était le moyen d'amener à l'adjudication un plus grand nombre de concurrents, et de permettre à des entrepreneurs disposant d'un capital relativement peu considérable de se mettre sur les rangs. C'était en outre le meilleur moyen d'obtenir des soumissions sérieusement étudiées, parce que les bases, portant sur l'étude d'avant-projets examinés à fond par des hommes compétents, pouvaient reposer sur des évaluations très-sûres.

C'est dans ces conditions que la section du canal de Nantes à Brest, qui comprenait l'important travail du point de partage de Glomel, fut mise en adjudication, et que j'obtins l'entreprise en présentant des prix de quelques centimes inférieurs à ceux de mon père.

Le cahier des charges imposé à l'entrepreneur contenait une clause qui avait effrayé mon père et l'avait empêché d'élever le chiffre du rabais autant que je l'avais fait. L'entrepreneur du canal était forcé d'employer pour l'exécution du travail un certain nombre de militaires condamnés aux travaux publics.

Sous l'Empire, on avait employé au canal d'Ille-et-Rance des Espagnols prisonniers en France par suite de la guerre de la Péninsule.

Mon père, qui avait eu beaucoup de peine à se servir des prisonniers espagnols, avait appréhendé pour lui l'emploi forcé des condamnés militaires, et il l'appréhendait également pour moi.

Un camp avait été établi dans une grande lande auprès du bourg de Glomel, sur le point où les travaux devaient

avoir le plus d'importance. Ce camp de Glomel, composé
d'éléments indisciplinés et turbulents, paraissait à mon père
une gêne et un danger plus qu'une ressource et un avantage pour la main-d'œuvre.

A peine adjudicataire des travaux, je me rendis à Glomel,
et ce fut aux condamnés militaires que je pensai d'abord.

Ayant de bonne heure été en rapport avec le peuple et
les ouvriers, et profondément convaincu que plus on des-
cend dans ce que l'on est convenu d'appeler l'échelle sociale, plus on trouve de bon sens, de bonne foi et de sentiments véritablement justes, je conçus, pour l'emploi des
condamnés militaires, tout un régime, dont je ne tardai pas
à recueillir les fruits.

On voyait dans ces hommes des ennemis, que l'on traitait
sinon rudement, du moins fort maladroitement : une petite
rémunération était affectée à leur travail, mais cette rémunération ne venait que longtemps après le travail exécuté.
Le décret de 1810, sur le travail des militaires condamnés
aux travaux publics, était un de ces chefs-d'œuvre de ré-
glementation mal entendue, qui, sous prétexte d'assurer
une certaine régularité apparente, entretiennent les malaises
les plus irritants et les désordres les plus profonds. Les
malheureux prisonniers ne touchaient que deux ou trois
mois après leur travail la petite récompense qui y était attachée. Ne fallait-il pas que les comptes allassent de Glomel
à Paris et revinssent de Paris à Glomel ?

Ajoutez à cela des retenues opérées par l'administration,
et les ennuis qui sont la conséquence inévitable du jeu com-
pliqué d'un système de formalités bureaucratiques inutile-
ment multipliées. L'homme du peuple tient pour refusée
une justice qu'on lui fait attendre, et il est extrêmement
reconnaissant d'un service qu'on lui rend promptement.

Les travaux avaient été commencés en régie avant l'adjudication, et l'application des règlements que je rappelle avait produit des effets désastreux. Les condamnés de Glomel, au moment où j'arrivais au milieu d'eux, vivaient dans un état de mécontentement sourd, mais terrible. Aussi souvent il arrivait à quelques-uns d'entre eux de tenter une évasion. Le camp était, comme je l'ai dit, au milieu d'une vaste lande; il était placé sous la surveillance et la garde de troupes, cavalerie et infanterie. Parfois, le soir, des prisonniers, en suivant quelque ondulation de terrain, rampaient sur terre pour essayer de fuir; étaient-ils aperçus? on tirait sur eux, et la mort châtiait le malheureux qui avait voulu échapper au régime insupportable du camp.

Je me rendis rapidement compte de ce qu'il y avait de défectueux dans les dispositions prises à l'égard des condamnés. — L'année 1823 ayant été pluvieuse et les travaux faits en régie avant mon arrivée ayant été mal dirigés, on n'avait ménagé aucun écoulement aux eaux, ce qui empêchait souvent de travailler. L'administration prélevait, d'après le décret de 1810, sur la paye des condamnés, une certaine retenue, en échange de l'amélioration de nourriture qu'elle était obligée de leur fournir toutes les fois qu'ils sortaient du camp pour aller au travail; mais, en dépit de cette retenue, l'administration, à la fin de la première année, se trouvait en perte. J'allai à Paris, et j'obtins de l'administration des ponts et chaussées de fournir moi-même cette amélioration de nourriture, que je devais retenir sur le travail fait; l'administration n'était plus ainsi obligée qu'à la fourniture de la ration du prisonnier, qu'il travaillât ou non.

Qu'on me permette d'insister sur l'amélioration que j'in-

troduisais ainsi dans l'organisation du travail de ces condamnés. Les règlements en vigueur avant mon arrivée ne
voyaient qu'une chose, l'obéissance par la force, sans tenir
aucun compte du travailleur et de la rémunération. Dans
mon système, au contraire, je mettais en première ligne le
travail et la rémunération qui lui était allouée, et aujour-
d'hui, comme à cette époque, je suis profondément convaincu que le régime organisé par moi était plus juste, plus
profitable à tous les intérêts en jeu, et en même temps plus
conforme aux aspirations de la nature humaine : il ne faut
pas comprimer, il faut au contraire stimuler le travail auquel on vient faire appel.

A un régime de contrainte maladroite, je substituai un
régime de confiance, je pris des mesures pour que la rémunération attachée au labeur des ouvriers leur fût remise au
fur et à mesure du travail exécuté. Rapprocher la récompense de l'effort, c'est ajouter au prix de la récompense
elle-même, et stimuler les bons mouvements du cœur. Le
prisonnier, qui savait qu'en travaillant consciencieusement
toute la semaine, il aurait le dimanche et la semaine suivante une nourriture un peu plus abondante et quelque
adoucissement au régime d'une vie pénible, ne ménageait
plus ses peines pour obtenir ces améliorations. Le travail
ramenait la discipline, et les prisonniers, mieux traités,
n'essayaient plus de s'échapper. J'étais persuadé qu'il n'y
avait point pour surveiller et garder les ouvriers de meilleure surveillance et de meilleure garde que celles qu'ils
exerceraient eux-mêmes, et j'étais si bien dans le vrai que,
trois mois après, aucun des condamnés ne cherchait plus à
s'évader.

Voici comment j'avais organisé la conduite de mes tra-

vaux. J'avais divisé mes ouvriers en escouades de treize
hommes, et placé chaque escouade sous la responsabilité
d'un chef élu par elle. Je traitais ces chefs d'escouade avec
bienveillance, de manière à mériter leur confiance; je leur
faisais des avances, je leur montrais une certaine estime. Je
les relevais à leurs propres yeux, en leur rendant peu à peu
le sentiment de leur dignité; c'était là un ensemble de soins
bien facile à prendre, et dont l'effet devait être, suivant moi,
décisif; mes espérances ne furent pas trompées. Il faut faire
appel au bien pour vaincre le mal!

De plus, j'avais parcouru la Bretagne, et, profitant de la
connaissance que j'avais de ses ressources, j'avais établi à
Glomel des boucheries, des boulangeries, des cantines bien
approvisionnées, où les ouvriers libres, comme les condamnés, trouvaient, près des chantiers même, tout ce dont
ils avaient besoin. Au bout de peu de temps, un ordre parfait régnait à Glomel, le travail était activement mené, et
ces condamnés militaires dont mon père redoutait le concours, devenaient pour moi des auxiliaires excellents.

Tant il est vrai que les révoltes reprochées si amèrement
au peuple tiennent bien souvent à l'ignorance, à l'égoïsme,
à l'indifférence des hommes appelés à la direction des affaires et des intérêts généraux! Tant il est vrai que les mécontentements qui séparent les différentes classes sociales
ont leur principe, non dans la contradiction des intérêts
créée par la vieille organisation des sociétés, mais dans l'ou-
bli que les classes gouvernantes font trop souvent des besoins, des vœux et des aspirations des gouvernés!

En même temps que je donnais le plus grand soin à mes
ouvriers, j'apportais une extrême attention à l'exécution
des travaux. Sans cesse présent à l'ouvrage, ayant l'œil sur

mes travailleurs, vivant de leur vie, me levant un peu avant
eux, me couchant beaucoup plus tard, luttant contre les
ingénieurs, aux prises tout le jour avec les hommes et la
nature, je passai ainsi plusieurs années de ma vie dans une
activité incessante; récompensé d'ailleurs par le succès d'une
entreprise qui marchait conformément à mes espérances, et
par une popularité que je sentais s'élever autour de moi et
m'envelopper partout, comme d'une atmosphère de bienveillance et d'estime.

———————

Qu'on me permette d'en rapppeler ici un témoignage. —
J'étais souvent visité dans ma solitude animée de Glomel
par un voisin dont j'ai gardé le meilleur souvenir; c'était
le vicomte de Saisy, père du député actuel des Côtes-du-
Nord. Il habitait, aux environs de Glomel, le château de
Kersaint-Eloi; il était de mon âge, très-distingué de manières, très-alerte d'esprit et ardent légitimiste. Le gouvernement l'avait nommé maire de Glomel, et il était par sa
position, sa manière de voir, ses relations dans les Côtes-
du-Nord, l'un des chefs du parti auquel il appartenait. Il
venait souvent passer la soirée à la petite maison que j'habitais près du camp. J'étais heureux de voir qu'il prenait
un vif intérêt à mon entreprise et que je lui inspirais des
sentiments d'estime qu'il avait besoin de me manifester, et
que rendait plus précieux pour moi la profonde dissidence
de nos opinions politiques.

Je n'ai jamais consenti à taire ou atténuer mes idées et
mes jugements sur toutes choses : j'ai toujours très-énergi-
quement, quelquefois même avec assez de rudesse, exprimé
ce que je pensais des hommes et de la politique de mon

temps; on disait de moi : « Il met les pieds dans les plats. »
Cela était vrai alors, et j'avoue qu'il en a été ainsi toute ma
vie. Il m'a toujours semblé que certains ménagements, certaines concessions, bien que peu importantes au fond, dimi-
nuaient toujours quelque peu l'indépendance de l'esprit. Un
petit incident encore très-présent à mes souvenirs me rappelle à moi-même l'imperturbable inflexibilité de mon
caractère.

Le général Grenier, grand ami de mon père, lui avait
donné une fort belle gravure de Napoléon Ier; mon père
m'en avait fait cadeau, et je l'avais mise à Glomel, dans la
chambre où couchaient mes hôtes. Un jour, de Saisy me
prévint qu'il me demanderait l'hospitalité pour le général
Laboissière, alors en tournée dans le département. Cet officier était très-peu militaire et plus habitué aux anticham-
bres qu'aux champs de bataille. C'était un royaliste de
l'extrême droite de la chambre des députés; de Saisy m'en
avertit, et me montrant le portrait de l'empereur, m'engagea, par égard pour mon hôte, à le retirer pendant son
séjour. Les passions politiques des hommes de la Restauration étaient tellement vives, leurs rancunes tellement profondes contre le prisonnier de Sainte-Hélène, que sa seule
image les faisait frémir. Le conseil donné par M. de Saisy
me révolta. — Si vous étiez à ma place, lui dis-je, consen-
tiriez-vous à cacher cette gravure par égard pour le général? — Non, me répondit-il avec sa loyauté habituelle.—
Eh bien! trouvez bon, lui répliquai-je, que la fierté d'un
libéral ne soit pas plus accommodante que celle d'un royaliste. Le portrait resta où il était. Le général Laboissière
arriva, et se montra très-aimable; de Saisy lui avait sans
doute raconté ce qui s'était passé pour le portrait. Vous

avez bien fait, me dit-il; mais voyez-vous, continua-t-il, s'il avait eu pour lui tenir tête quelques hommes comme moi, on aurait eu bien plutôt raison de lui.

L'idée du parallèle que le général royaliste établissait entre Napoléon et lui, me parut tellement comique, qu'après cinquante ans, elle me fait encore sourire. Cette morgue, cette arrogance, ce dédain à l'égard de *Buonaparte*, de *l'ogre de Corse* et de tous les hommes de l'Empire, étaient alors communs à presque tous les royalistes. Ces sentiments implacables les rendaient à la fois ridicules et odieux, et offensaient à chaque instant le sentiment public et l'orgueil national.

Quant à ma franchise si intraitable, si brutale même quelques fois, elle ne m'a jamais fait d'ennemis; elle m'a, au contraire, assuré l'estime des hommes honorables qui étaient pour moi, comme le vicomte de Saisy, des adversaires politiques tout à fait déclarés. On peut voir par les lettres que je rappelle ici combien était sincère et indépendante l'amitié qui me liait au gentilhomme que l'entreprise de Glomel avait mis en relations avec moi[1].

---

[1] *Lettre du 29 décembre 1829.* — L'année tire à sa fin, recevez pour la nouvelle mes souhaits pour tout ce qui peut contribuer à votre bonheur. Ils comprennent tout le bien possible : *je n'en excepte que la politique*, sur laquelle ni vous ni moi ne devons transiger; cela n'empêche pas que je me dise avec autant de franchise que de sincérité votre dévoué serviteur et ami.

Le Vicomte DE SAISY.

Château des Alliers, près le Lion d'Angers, le 3 juin 1831.

La nouvelle preuve d'intérêt que vous voulez bien, Monsieur et ami, me donner par votre lettre du 28 mai dernier, que je n'ai reçue qu'hier, m'est extrêmement sensible, et me confirme de plus en

Le ministre eut la maladresse d'envoyer à Glomel, comme gouverneur du camp, un officier de gendarmerie dont je ne me rappelle plus le nom. Il avait été mêlé à la conspiration du général Berton; mais, au dernier moment, il avait honteusement trahi ses complices, il les avait dénoncés et sacrifiés pour s'assurer la faveur du pouvoir; aussi, de brigadier qu'il était, il avait été rapidement nommé commandant. Il vint à Glomel prendre le commandement des troupes chargées de garder le camp des condamnés. Il se présenta chez moi, mais je ne le reçus pas et je ne lui rendis pas sa visite. Le préfet des Côtes-du-Nord et le général commandant le département venaient souvent à Glomel, et comme ils trouvaient chez moi une installation confortable, ils acceptaient avec empressement l'hospitalité que je me faisais un plaisir de leur offrir. Ils firent tour à tour auprès de

plus dans l'idée que je me suis formé de la sincérité de votre amitié pour moi, à laquelle la divergence de nos opinions n'a fait subir aucune modification. Recevez ici le témoignage de ma reconnaissance pour les sentiments de générosité que vous m'exprimez, et dont j'apprécie, comme je le dois, toute la délicatesse; c'est une dette d'honneur que je contracte envers vous. Le souvenir ne s'en effacera pas, il est gravé dans mon cœur.

Agréez, etc.   Le Vicomte DE SAISY.

Kersaint-Eloi, 9 juillet 1831.

Je viens de savoir le résultat des élections de Pontivy et d'apprendre que vous étiez nommé député. Il y a bien là de quoi flatter l'amour-propre d'un jeune homme, et sûrement le vôtre doit être satisfait. Si je pensais que le triomphe de votre opinion pût ramener le bonheur de la France, je vous adresserais mes félicitations avec d'autant plus de plaisir que je prends toujours un bien vif intérêt à tout ce qui vous concerne; mais, persuadé que ce triomphe ne promet au contraire qu'un avenir plus désastreux encore à une

moi les instances les plus vives pour m'engager à revenir
sur ma détermination; mais je résistai à tout, en faisant
comprendre qu'un traître devait être pour toujours séparé
de la société des honnêtes gens, et je ne consentis jamais à
recevoir le commandant du camp. Le gouverneur, dégoûté,
finit par demander son changement. Je me félicite encore
aujourd'hui de la conduite que j'ai tenue. L'absence de caractère n'explique-t-elle pas les violences de nos gouvernements et les défaillances du pays? Soyons hommes! et la
France n'aura plus aucun despotisme à redouter!

Toutefois, la réaction sans mesure du pouvoir en faveur
du *bon vieux temps*, creusait de plus en plus l'abîme qui
séparait la Restauration de la nation elle-même, et les élec-

patrie que j'aime autant que qui que ce soit et pour laquelle je sa-
crifierais ma vie et tout ce que je possède, je ne puis que gémir de
voir ses destinées confiées à des hommes qui renouvelleront bientôt
93 et toutes ses horreurs. Je suis bien loin de vous confondre avec
les anarchistes et les révolutionnaires incarnés, je connais trop
l'élévation de vos sentiments et la générosité de votre cœur. Naguère, quand je fus menacé des cachots, d'une inquisition ombrageuse, vous m'en avez donné une preuve qui m'est bien sensible :
j'en garderai le souvenir; gardez aussi, je vous prie, Monsieur et
ami, celui de la démarche que je fais près de vous ; elle n'a pas la
politesse de vos offres de service si obligeantes, mais elle en a la
franchise. Je devais naturellement vous parler de votre mandat;
mon caractère, que vous connaissez, m'impose l'obligation de le
faire sans flatterie. Je ne suis pas avec moins d'affection (et je saisis
cette occasion de vous en renouveler l'assurance) envers et contre
tous,

Votre dévoué,

Le Vicomte DE SAISY.

tions de 1829, qui se firent pendant mon séjour à Glomel,
trompèrent profondément les espérances du parti légitimiste.
Les royalistes se croyaient sûrs de triompher dans l'arrondissement de Guingamp, et le vicomte de Saisy me demanda
si l'opposition libérale ne présenterait pas de candidat dans
cette circonscription électorale; il me fit d'ailleurs comprendre que la tentative des libéraux serait inutile, parce
que la victoire du parti légitimiste ne pouvait faire l'objet
d'aucun doute. Le candidat « bien pensant » était M. de Quélen, député sortant et frère du prélat, qui était alors archevêque de Paris. Une candidature libérale opposée à celle-là
tournerait, d'après lui, à la confusion du parti libéral.

Quelques jours après cet entretien, je me rendis à Guingamp, et j'y trouvai des dispositions bien différentes des
idées de mon ami. L'esprit libéral y était extrêmement actif
et se tenait sur le qui-vive. Les missions, les exagérations
du clergé, les visées audacieuses de la réaction, dont les
nobles se faisaient en toute occasion les promoteurs, l'écho
des grandes discussions parlementaires, l'arrivée aux affaires du ministère Polignac, et mille autres causes sans
cesse surexcitées par les événements de chaque jour, poussaient les esprits à désirer, sinon une révolution, du moins
un changement de système, de profondes réformes, et l'éloignement des hommes considérés comme les mauvais génies
de la couronne.

Ces résistances de l'opinion se faisaient sentir en Bretagne
comme partout. Bien plus, sur certains points de notre vieille
Armorique, le libéralisme avait un caractère très-accentué,
et notamment à Pontrieux, petite ville dont la population
montrait un esprit d'opposition à outrance. On aurait dit
que ce coin de terre était comme le refuge d'une indépen-

dance absolue ; les libéraux appelaient cette petite ville
« la république de Pontrieux », et, en réalité, les électeurs
de cette circonscription étaient les plus résolus du département des Côtes-du-Nord.

J'appris à Guingamp que la candidature avait été offerte
à mon père, et revenu à Glomel, je crus devoir répondre à
la question que m'avait faite le vicomte de Saisy, en l'in-
formant de la compétition qui s'élevait contre la candidature
de M. de Quélen.

Quelques jours après, nous partions tous deux chacun de
notre côté, pour faire auprès des électeurs une de ces tour-
nées dont la nécessité se faisait encore plus sentir avant
qu'après le suffrage universel. Le vicomte de Saisy avait
sur moi des avantages marqués : il parlait le breton, il était
soutenu par le clergé, et il était le descendant d'une famille
considérée dans le pays. De mon côté, je connaissais, par
la vie des affaires, chacun des électeurs que nous visitions,
et j'étais au courant des questions d'intérêt qui touchaient
le plus ceux qui vivent d'un commerce ou d'une entreprise.
Cette expérience de la vie pratique rétablissait entre nous
l'équilibre.

Il nous est arrivé plus d'une fois de nous trouver ensemble chez le même fermier. Le paysan n'éprouvait aucun
embarras à la vue de ses deux visiteurs politiques. Il nous
faisait asseoir à la même table, et tout en trinquant avec
nous avec un verre de cidre doré, il écoutait gravement les
raisons que nous avions à faire valoir auprès de lui.

Le vicomte parlait du roi, de la religion, de la noblesse,
de tout ce qui constituait alors l'édifice de la politique, telle
que la comprenaient les royalistes. Moi je parlais de liberté,
d'impôts, de travaux publics, d'instruction, d'améliorations

de toutes sortes. Je montrais, par l'entreprise de Glomel,
combien on pouvait faire de grandes choses en France.

Le parallèle se terminait presque toujours en ma faveur.
Le paysan se montrait visiblement plus sensible aux soins
de ses intérêts qu'aux admonitions politico-religieuses de
mon adversaire.

La lutte était aussi vive que loyale; mon ami agissait en
gentilhomme courtois, et je tenais à honneur de me tenir
sur la même ligne que lui.

A Guingamp, le jour des élections, je fis pour mon père
le possible et l'impossible; je discourais en pleine rue dans
les groupes d'électeurs. Un percepteur, celui de Glomel,
vint m'écouter: je le priai de vouloir bien s'éloigner; il
voulut rester en me narguant, je le repoussai si rudement,
qu'il alla tomber à quelques pas de là. Telles étaient à cette
époque nos mœurs électorales. Je faillis payer cher mon
zèle trop ardent pour la cause de mon père. Pendant que le
percepteur se relevait tout meurtri de sa chute, on m'arrêtait comme coupable, disait-on, d'avoir voulu intimider les
électeurs; je protestais en vain contre cette arrestation, que
je qualifiais d'arbitraire, quand le vicomte de Saisy, surve-
nant, me fit immédiatement relâcher, et obtint qu'on ne
prît aucune mesure contre moi. La rigueur avec laquelle
l'administration traitait alors les hommes qui lui tenaient
tête, donnait un véritable prix au service que mon ami
venait de me rendre. Les électeurs, impressionnés par mon
attitude, enhardis par ma résistance, et se rappelant aussi
les services rendus par mon père, votèrent pour lui, et son
nom sortit vainqueur de l'urne électorale. Cet échec des
royalistes, que le parti légitimiste regardait comme impos-

sible, mit le libéralisme au premier rang dans les Côtes-du-Nord.

Après les élections, je retournai à Glomel.

Un soir, en rentrant de mes travaux, je trouvai chez moi une lettre qui m'apportait les plus graves nouvelles. On m'apprenait de Guingamp la révolution qui venait de s'accomplir à Paris. Le gouvernement était renversé, Charles X était en fuite, le drapeau tricolore était arboré à Rennes et à Brest, mais il n'était pas encore rétabli à Saint-Brieuc, et mes amis m'y appelaient. Je donnai l'ordre de seller un cheval, et dix minutes après, j'étais sur la route de Saint-Brieuc.

A Quintin, où je m'arrêtai un instant pour faire reposer mon cheval, je trouvai la garde nationale sous les armes; je me rendis à la mairie pour avoir des nouvelles, j'y rencontrai l'un de mes amis, Joseph Boullé, qui était commandant de la garde nationale. C'était un enragé garde national, il aimait à jouer au soldat. Je le trouvai dormant sur une chaise, comme on représente Napoléon le soir de la bataille d'Austerlitz; quelques gardes nationaux, debout autour de lui, l'entouraient à la façon des aides-de-camp de l'empereur. Ils me firent signe de ne pas le réveiller; je n'en tins aucun compte, et lui demandai des nouvelles, en le secouant par l'épaule.

Il ne savait rien de plus que moi. — Il y a une révolution à Paris, me dit-il, et l'on arbore partout le drapeau tricolore. Mais ce n'est pas ici, à Quintin, qu'on viendra le rétablir. Je fusillerais celui qui viendrait m'en parler ! — Mon pauvre Joson, lui dis-je, tu me fais rire, et je partis pour rejoindre mes amis au rendez-vous qu'ils m'avaient donné.

Ce rendez-vous était Saint-Brieuc. J'y arrivai, dévoré d'une ardeur impatiente, et, à peine descendu de cheval, je me joignis aux patriotes qui s'étaient réunis pour aviser aux mesures à prendre. Nous nous rendîmes à la préfecture, qui n'était défendue que par quelques vétérans. M. Fadate de Saint-Georges, le préfet, voyant qu'il ne pouvait opposer aucune résistance au mouvement, ne fit aucune résistance pour arborer le drapeau tricolore, qui apparut aux fenêtres de la préfecture, salué par les applaudissements enthousiastes de la population.

Persuadé que la révolution était irrévocablement un fait accompli, je repartis aussitôt et sans aucun retard pour Glomel.

Je redoutais avec raison l'effet qu'allait produire sur les condamnés militaires la nouvelle des événements de Paris. Arrivé à Rostrenen, à quatre kilomètres de Glomel, j'appris que les condamnés s'étaient révoltés, qu'ils avaient désarmé la troupe qui les gardait, et mis le feu aux baraquements du camp. On m'apprit qu'ils venaient de passer et qu'ils marchaient sur Pontivy, situé à quarante kilomètres de là.

C'était pour moi une nouvelle des plus graves. Je réfléchis un instant, mais je n'hésitai pas sur le parti à prendre. Et, en effet, que devais-je faire? Si ces malheureux essayaient de forcer l'entrée de Pontivy, c'était évidemment une collision qui allait faire couler le sang des deux côtés. Collision bien inutile, puisque cette révolte était sans issue, et que chacun des condamnés ne pouvait manquer de re-

tomber sous la main des gendarmes, avec une aggravation
de peine. Il fallait donc à tout prix éviter ce conflit, et pour
la ville et pour eux. Comment éviter une collision? J'avoue
que je n'avais en ce moment aucune idée; mais c'était un
devoir que j'avais à remplir, et pour cela, la première chose
à faire, c'était de me présenter à eux.

Je m'engageai dans la route qu'ils avaient prise, et je ne
tardai pas à les rejoindre, avec la résolution bien arrêtée
d'empêcher la collision que je redoutais. L'influence que
j'avais sur ces hommes était grande: j'avais acquis sur eux
un certain empire, et je vis à leur marche tumultueuse
qu'ils sentaient déjà le besoin d'avoir un chef.

Ils me nommèrent par acclamation leur commandant.
Accepter, c'était périlleux; mais refuser, c'était plus périlleux encore. D'ailleurs, mon parti était pris en venant les
rejoindre. Mon intention était de soumettre les révoltés,
et le poste qu'ils m'offraient à l'unanimité pouvait, suivant les circonstances, faciliter ma tâche. J'acceptai sans
hésiter, et je donnai des ordres pour continuer la marche.
La colonne s'avançait vers Pontivy, où il y avait une garnison importante; j'appréhendais le conflit entre les révoltés et l'armée, et les suites qu'aurait pour la ville une
échauffourée sanglante. Il fallait à tout prix empêcher l'entrée des révoltés dans la ville; je faisais tous mes efforts
pour ralentir la marche et pour éviter d'arriver pendant la
nuit.

Un de mes amis habitait une maison au bord de la route;
quand nous atteignîmes ce point, je m'arrêtai et j'ordonnai
de faire halte, pour prendre un peu de repos et quelques
rafraîchissements. Je pris à part mon ami, et je lui racontai
ce qui s'était passé à Glomel; je lui fis connaître le danger

que pouvait courir Pontivy, où se trouvait sa famille. Il fut
convenu entre nous qu'aussitôt la colonne passée, il se rendrait en toute hâte à la ville par le chemin de traverse, qui
était plus court de douze kilomètres, et qu'il avertirait les
autorités civiles et militaires de notre arrivée. La lutte est
plus facile à éviter quand l'éventualité d'une surprise est
écartée.

Je revins alors reprendre mon poste, et la marche est reprise par la colonne, mais la position devenait de plus en
plus critique. Je n'oublierai jamais cette marche de nuit au
milieu d'une troupe révoltée, dont la moindre maladresse
pouvait déterminer les fureurs.

C'était le 4 août, il était quatre heures du matin, le jour
éclairait le vaste bassin où s'étend Pontivy. J'interrogeais
l'horizon avec une anxiété fiévreuse; nous n'étions plus
qu'à deux kilomètres de la ville. Des hauteurs qui domi-
nent Pontivy de ce côté, je réfléchissais au parti à prendre
pour éviter l'effusion du sang; afin de gagner quelques minutes, j'ordonne une nouvelle halte.

Nous étions arrêtés depuis un quart d'heure, et je me demandais, encore tout irrésolu, quel cours allaient prendre
les événements; à cette minute terrible, je vois s'avancer
sur la route un officier à cheval; je le laisse approcher et je
vais au-devant de lui. C'était un de mes amis, Kersausie,
capitaine au 4e hussards, en garnison à Pontivy et officier
très-populaire dans son régiment; il allait au Guémené, ne
se doutant de rien : je le mets, en quelques mots rapides,
au courant de ce qui se passe, et, sur mes observations, il
retourne à Pontivy.

Ce premier avis donné me rassure pour la suite, je reviens à mes hommes plus maître de moi, et je fais appeler

les chefs d'escouade et les maîtres d'armes qui étaient les principaux meneurs du mouvement. Je prends la parole et je leur offre de me rendre avec eux à la ville pour faire accepter sans lutte, aux autorités, les propositions qu'ils voulaient leur soumettre : mieux vaut, leur dis-je, obtenir sans combat ce que vous voulez, car le combat avec armes, et sans munitions, ne peut être que mortel pour la moitié d'entre nous. Cette proposition est acceptée et nous partons en recommandant à la colonne d'attendre notre retour. Arrivé avec eux sur la place de Pontivy, je demande aux habitants que je rencontre, de retenir ces hommes, de les garder avec soin pour qu'ils ne reviennent pas rejoindre leurs camarades et je leur recommande surtout de les bien traiter. Les autorités étaient consternées du danger qui menaçait la ville; je leur donnai l'assurance que je me sentais capable d'empêcher les condamnés d'entrer dans Pontivy. Je demandai qu'on leur envoyât immédiatement des vivres : cela fait, je revins au milieu de ma troupe.

Immédiatement entouré, je pris la parole pour faire connaître la situation; j'annonçai que les habitants montraient pour les troupes du camp les dispositions les plus bienveillantes, et comme preuve, j'appris qu'ils allaient envoyer des vivres et du cidre; mais en même temps, j'ajoutai que la ville s'opposait absolument à l'entrée des soldats révoltés, et j'appuyai sur la résistance que la population et la garnison étaient résolues à leur opposer, s'ils tentaient de forcer l'entrée de la ville. Il était d'ailleurs impossible d'aller plus loin, puisque les ponts qui pouvaient permettre de passer le Blavet se trouvaient tous à Pontivy. Les vivres, qui arrivèrent pendant que je parlais, achevèrent de détourner les révoltés de leur projet. Il restait cependant parmi

eux quelques esprits indisciplinés et ardents; je les envoyai
dans la ville pour s'enquérir de ce qui retardait leurs camarades. Ces mauvaises têtes furent retenues comme les premiers émissaires, les habitants les arrêtèrent à leur arrivée.

Quand je fus certain qu'il n'y avait plus autour de moi
aucun des meneurs de la révolte, je pris de nouveau la parole, et j'exposai le véritable état des choses; je leur fis
comprendre que leur tentative était sans issue : ils n'avaient
devant eux, en persistant, que périls et condamnations sé-
vères; ils n'avaient donc qu'à reprendre le chemin du camp
de Glomel, et je m'engageai, s'ils y consentaient, à augmen-
ter leur salaire; je leur promis de plus de faire un voyage
à Paris pour demander en leur faveur une amnistie.

L'apaisement se fit soudain autour de moi. Ces conseils,
dictés par le bon sens et l'intérêt bien entendu de ces malheureux, furent compris de tous les groupes, et, après une
abondante distribution de vivres, le lendemain matin, la
colonne reprit sans résistance le chemin de Glomel, où chacun reprit sa place et tout rentra dans l'ordre. Les chefs retenus à Pontivy rentrèrent avec la colonne au camp.

Je regardai comme un devoir de tenir vis-à-vis de ces insurgés les deux promesses que je leur avais faites : le prix
de la tâche des travailleurs fut augmentée, et je partis peu
après pour Paris, où j'obtins facilement du ministère de la
guerre la grâce que je demandai pour tous les condamnés
du camp.

Telle était, dans l'organisation de mes travaux, dans les
agissements de ma vie publique et privée, et dans les crises
qui pouvaient surgir, la conduite que je tenais invariablement : je ne reculais devant aucune initiative; mais avant
de prendre une résolution, j'avais l'habitude de me deman-

der sévèrement ce que je devais faire, et mon inflexibilité bretonne marquait à l'avance la limite au-delà de laquelle on ne m'aurait pas fait avancer d'une semelle : cette entreprise du canal de Nantes à Brest fut ainsi conçue, dirigée et accomplie dans les meilleures conditions possibles,. et avec un succès qui dépassa mes espérances.

Ce grand travail me fit connaître avec avantage de toute la Bretagne, en me donnant, suivant l'expression de mon père, « honneur et profit. »

J'ai dû raconter avec détail cette campagne de Glomel, parce que le travail a été comme le fondement de ma vie. Mais en portant ainsi sur mon œuvre et sur le début de ma carrière un jugement qui peut paraître inspiré par la vanité, je n'ai jamais senti en moi l'aiguillon d'une personnalité pleine d'elle-même. Toute ma vie est là pour protester contre toute ambition visée. Si j'ai parlé de ce début avec éloge, c'est que ce sentiment était celui des deux départements que l'entreprise intéressait le plus; comme on va le voir, ma nomination comme député du Morbihan, à la circonscription électorale de Pontivy, ne fut que l'expression de la gratitude du pays pour ma conduite vis-à-vis des militaires condamnés, et la récompense de mes efforts pour exécuter le grand travail qui devait donner des avantages si importants aux cinq départements de la Bretagne.

---

1 8 3 0

La révolution de 1830. — L'impression qu'elle produit dans les départements. — Charles X à l'Aigle. — Le duc d'Orléans au
Raincy. — Son mot à M. de Mortemart. — Ses préoccupations
d'argent. — La curée. — Conduite de mon père et la mienne. —
Mon père refuse une recette générale pour mon frère cadet. —
Je refuse ma nomination par le gouvernement de conseiller général. — Mesure que je prends pour assurer la marche de mes
entreprises.

~~~~~~~~~

J'habitais Glomel, comme on l'a vu, tout affairé, quand
les ordonnances de Charles X firent éclater les trois journées de Juillet, et remplacèrent la monarchie par un gouvernement provisoire établi à l'Hôtel-de-Ville. Je n'étais pas
à cette époque à Paris, et je n'ai rien à dire des journées
de Juillet; mais je voudrais, si c'est possible, exprimer le
sentiment public que les nouvelles de Paris éveillèrent dans
les départements.

Cette révolution, faite, pour ainsi dire, en un tour de
main, fut universellement saluée comme une délivrance.
Les préfets, les généraux, les fonctionnaires, ont sans doute
pu verser, çà et là, sur la chute de la monarchie légitime,
leurs larmes intéressées. L'armée des hommes en place a
l'habitude de mettre au-dessus de tout le gouvernement
qui les fait vivre; mais ce n'est là, dans notre société, qu'un

groupe parasite, et nous n'avons pas à nous préoccuper d'un attachement trop égoïste pour être sincère. Le monde des fonctionnaires n'est pas plus le pays que le gui n'est le chêne.

Dans l'armée, je veux dire parmi les soldats, la satisfaction, bien qu'étouffée par la discipline, fut générale et profonde. Le souvenir de l'humiliation de l'armée était resté vivace dans tous les régiments. On savait que les héroïques débris de Waterloo avaient été appelés les *Brigands de la Loire,* et, honte ineffaçable! on s'en allait dans toutes les casernes, répétant que le gouvernement était un pouvoir imposé par l'étranger. L'armée était restée l'armée du drapeau tricolore, et en le voyant reparaître elle fut heureuse de déchirer le drapeau blanc.

Les campagnes avaient encore moins de discernement politique qu'à notre époque; mais le milliard de l'indemnité avait laissé chez tous les contribuables une impression que rien n'avait pu atténuer. La Révolution, pour les paysans, c'est le droit d'acquérir la terre et de conserver les biens nationaux. Or les paysans, en voyant s'élever autour d'eux l'arrogance de la noblesse, comprenaient que le gouvernement, appuyé par les seigneurs et les prêtres, ne pouvait pas être favorable à la petite propriété, et le travailleur des fermes, comme le soldat, subissait ce régime sans l'aimer. Aussi la nouvelle des événements de Paris, en annonçant la chute du gouvernement, et en même temps la chute de toute influence féodale, fut-elle reçue comme la bonne nouvelle, car elle signifiait pour le laboureur l'affranchissement du sol, et pour lui elle disait : La terre est libre!

Mais la classe où la Révolution fut accueillie avec enthousiasme, c'est la bourgeoisie; la Révolution n'avait, en réalité, mis en relief que cette classe, le mot de Sieyès sur le Tiers-Etat était devenu une vérité : le Tiers-Etat était tout, et comme la Restauration ne représentait, par sa politique, qu'un obstacle à cet avénement de la bourgeoisie, on ne pouvait douter des applaudissements que la bourgeoisie donnait à l'écrasement définitif de la légitimité. La Révolution de 1830 a donc été la joie, l'orgueil et le triomphe de la bourgeoisie ? Pourquoi cette victoire n'a-t-elle pas donné à la classe devenue par les événements maîtresse de la situation, l'intelligence qui fait la grande politique et les institutions durables ?

Si la bourgeoisie avait eu en effet le génie qui sait comprendre, prévenir et agir, elle aurait vu, dès les premiers jours, qu'elle n'était elle-même que le précurseur de la démocratie, et elle aurait conduit le pays vers la réalisation complète des principes de la Révolution ; mais elle aima mieux se renfermer étroitement dans le pouvoir qu'elle avait conquis, comme dans une citadelle, et les défenseurs de revendications populaires furent bientôt réduits à s'insurger à Lyon, en inscrivant sur leur bannière ces mots sinistres : « Du Travail ou du Plomb ! » « Vivre libres ou mourir ! » « Vivre en travaillant ou mourir en combattant ! » Toutefois, en embrassant les événements dans leur ensemble, et en donnant aux journées de Juillet leur caractère et leur physionomie vraie, on peut dire que les nouvelles de Paris furent reçues, commentées, et interprétées de manière à démontrer manifestement l'allégresse des populations. Le pays éprouva partout l'impression de l'homme à qui on a mis des entraves et qui, les sentant brisées, se dit avec joie : « Je vais donc pouvoir marcher ! »

Comment cette impression n'eût-elle pas été ressentie en

face d'un pouvoir qui, suivant un mot rigoureusement vrai, n'avait rien appris ni rien oublié? Cette monarchie qui rêvait un retour de la royauté comme elle existait avant la Révolution, vivait comme en dehors de la nation. La cour n'était tissue que de petitesses.

Il me souvient que, quelques jours après la nouvelle des trois journées de Juillet, je passais à l'Aigle en me rendant à Paris. Charles X avait traversé cette ville en se dirigeant vers l'Angleterre. A mon arrivée à l'Aigle, j'entendis raconter à plusieurs habitants un trait qui montre à nu combien était ridicule et misérable l'esprit qui présidait aux destinées de ce gouvernement impossible.

Charles X, en allant s'embarquer à Cherbourg, était accompagné de commissaires nommés par le gouvernement nouveau : en arrivant à l'Aigle, l'intendant chargé du service de la table prit ses dispositions pour faire le déjeuner du roi dans une maison à l'entrée de la ville; au moment de mettre le couvert, on lui apporte une table; mais il se trouve que cette table est ronde. « Miséricorde! une table ronde? mais c'est contraire au cérémonial des rois de France, qui ne doivent manger que sur une table carrée! » Or, comme on ne peut mettre la main sur une table conforme à l'étiquette, l'intendant prend le parti de faire de la table ronde une table carrée. Tel était l'esprit qui inspirait cette cour sur la route de l'exil! Où l'étiquette allait-elle se nicher dans un pareil moment?

Tous les pouvoirs caducs se ressemblent! Les Byzantins discutaient la façon de faire le pain azyme à l'heure où l'ennemi entrait à Constantinople : le roi de France chassé

par le peuple, en partant pour l'exil, refuse de manger sur
une table ronde! Et l'on s'étonne des révolutions! On pourrait à meilleur droit s'étonner de ne pas voir les peuples
s'indigner et se soulever plus souvent contre leurs souverains!

Tel était le prince qui partait : Quel était le prince qui
arrivait?

Le duc d'Orléans était à la fois ambitieux et avare; il
possédait ainsi deux caractères à peu près opposés; car qui
dit ambitieux, dit un homme disposé à sacrifier au moins
une partie de ses ressources à la réalisation de ses rêves, et
le duc d'Orléans, loin de manifester son ambition et loin de
sacrifier à ses visées son immense fortune, s'appliquait, au
contraire, à l'administrer avec une économie parcimonieuse;
tandis que, d'un autre côté, sa conduite vis-à-vis du roi, de
la cour et de sa famille, était telle qu'on l'aurait toujours
trouvé prêt à s'écrier :

« Le jour n'est pas plus pur que le fond de mon cœur. »

Les journées de Juillet montrèrent, dans toute leur vérité,
la duplicité de cette nature renfermée en elle-même. Le
prince se tint caché au château du Raincy pendant les événements; il attendait là le dénouement pour agir. Quand il
se décida à venir à Paris, il dit au duc de Mortemart : « Si
» vous voyez le roi avant moi, dites-lui qu'ils m'ont em-
» mené de force; mais que je me ferai mettre en pièces,
» plutôt que de me laisser mettre la couronne sur la tête. »
— La duplicité peut-elle aller plus loin?

Quant à sa fortune, sa conduite fut plus repréhensible encore : Suivant les lois de l'ancienne monarchie, au moment

où le roi montait sur le trône, ses propriétés devenaient
propriétés de l'Etat. Le duc d'Orléans, en père prévoyant,
voulut se mettre en garde contre l'application qui pourrait
lui être faite de cette loi, et il n'accepta définitivement la
couronne qu'après avoir fait un acte qui assurait ses biens
à sa descendance. Touchante sollicitude!

Or il n'est pas inutile de rappeler qu'une partie considérable de ces biens consistaient en apanages qui provenaient de
source honteuse, et pour lesquels l'application de l'ancien droit
monarchique n'eût été qu'un acte de réparation légitime :
mais le prince ambitieux et avare prit à temps ses mesures pour qu'il en fût autrement.

Il avait été le premier, en 1815, à revendiquer sa part de
l'indemnité, et le lendemain de l'acte, on vit ses intendants
sortir des archives avec des centaines de cartons contenant
ses titres de propriétés. On le vit également le premier, en
1830, donner l'exemple honteux de cet égoïsme sordide
qui met les écus avant la politique.

C'est pourtant avec ce prétendant que les meneurs du
mouvement, en 1830, s'imaginèrent d'avoir donné à la
France : « la meilleure des Républiques! » Dès le premier
jour de son avénement, la bourgeoisie donnait la mesure
de son intelligence et de sa capacité. Ce n'est pas l'esprit
qui lui manque, c'est le cœur!

On eût dit que le prince, acclamé par la tourbe des triomphateurs du jour, n'était en réalité que le modèle en chair
et en os des héros qui le portaient en triomphe. On sait, en
effet, qu'une fois le trône renversé et les barricades démante-
lées, on vit s'étaler comme une lèpre monstrueuse la maladie
de notre époque, la maladie des places. La cohue des solliciteurs assiégeait chaque ministère, pour le prendre d'as-

saut. Le mal apparut si intense, si profond, qu'un poëte au cœur chaud alors, à l'âme éteinte aujourd'hui, n'hésita pas à flétrir cette orgie immonde, en la stigmatisant dans une page de poésie immortelle, intitulée : *la Curée*.

Quel fut au milieu de ce débordement de prétentions, de vanités, de sollicitations faméliques, la conduite de mon père et quelle fut la mienne? Nous n'avons pas à rougir, mon père et moi, d'avoir participé à ces honteux tripotages. Il n'eût pourtant tenu qu'à nous de profiter, dans les premiers rangs, des avantages qui pouvaient nous tenter de tous côtés. Grâce à sa position sociale, à sa longue carrière, à des antécédents politiques toujours nettement déterminés, et grâce aussi, je dois le dire, à de longs et fructueux services rendus à son pays, mon père était tout-puissant à Paris, pour tout ce qui concernait l'ancienne province de Bretagne. Je vois encore la nuée de solliciteurs qui tourbillonnent au seuil de sa porte; mais il ne prêta jamais, en appuyant les demandes qu'il jugeait dignes d'intérêt, son concours et son influence aux ambitieux, qui ne font de chaque position qu'un marche-pied pour monter plus haut.

Un exemple entre mille :

M. Gaillard Kerbertin [1], depuis *de* Kerbertin, avocat au barreau de Rennes, faisait partie de l'opposition sous la Restauration. Il fut nommé procureur général à la cour de Rennes; mis en goût par cette soudaine élévation, il voulut remplacer le premier président, qui venait de mourir, et

---

[1] Le fils de M. Gaillard de Kerbertin vient d'être nommé président de la cour d'appel de Rennes.

vint solliciter l'appui de mon père. Devant cet appétit insatiable, mon père refusa net; mais Kerbertin ne se tint pas pour battu, et en faisant valoir la première recommandation de mon père, avec d'autres protections, il parvint à se faire nommer; à partir de ce jour, mon père le consigna à sa porte et ne lui reparla jamais.

Mon père, je l'ai dit, était un homme absolument intègre; la droiture, le désintéressement et l'abnégation, étaient pour lui la règle absolue de la vie politique. Libéral envers les autres, usant volontiers de son crédit en faveur de ceux qu'il en jugeait dignes, il ne voulut jamais rien demander pour les siens.

Un trait pour le prouver.

On vint un jour lui annoncer, comme une surprise agréable, la nomination de mon frère cadet comme receveur particulier à Saint-Malo : cette nouvelle le rendit très-mécontent, et il se mit immédiatement en campagne pour apprendre comment cette nomination avait pu avoir lieu. On lui fit savoir alors que c'était le général Lafayette qui, tout étonné de le voir rester dans son coin, avait cru devoir lui prouver que l'on pensait à lui. Mon père témoigna à cette occasion le désir bien accentué qu'on ne s'occupât jamais de sa famille.

Mais à peine était-on sorti de la tourmente révolutionnaire, que la réaction redressa l'oreille, et l'on vint annoncer à mon père que l'on voulait réintégrer dans ses fonctions l'ancien receveur destitué, que mon frère avait remplacé : ce procédé l'indigna. Il fit immédiatement une démarche auprès de Louis-Philippe, qui n'était encore que régent du royaume. « Je sais pourquoi vous venez, dit Louis-Philippe en le voyant entrer; c'est pour le maintien de votre fils à Saint-Malo; mais on a dû lui proposer une recette générale? — Prince, répondit mon père, j'en reçois de vous la première nouvelle; mais je ne veux pas qu'il l'accepte. Il a été nommé à Saint-Malo sans mon assentiment; toutefois, je désire qu'il y reste, pour donner des preuves de sa capacité, quitte à donner sa démission, quand on aura vu qu'il devait sa nomination, non à la faveur, mais à un mérite réel.

Mon frère resta à Saint-Malo et continua sa carrière; au moment de sa mort, il était receveur général en Corse.

On avait également pensé à moi; mais la réponse que je fis à la proposition qui m'était faite, prouva qu'on s'était trompé du tout au tout sur mon compte. Voici le fait:

Sous la Restauration, les conseillers généraux étaient nommés par le roi, et le gouvernement de Juillet, en attendant la nouvelle loi à faire, crut devoir suivre les anciens errements. Le préfet m'avait désigné au ministère pour le canton où se trouvait ma résidence; mais à la première ouverture qui me fut faite, je refusai catégoriquement. Cette sorte de candidature officielle, qui paraissait faire de chaque nomination une créature du gouvernement, froissait jusqu'au vif mes convictions les plus profondes.

Le préfet vint à Glomel pour me décider, et me dit que mon père acceptait pour le canton de Dinan. «Mon père, répondis-je, a toujours été nommé député, sans nul doute il eût été également nommé conseiller général par son canton; mais moi, je ne puis en dire autant, et je refuse.

Je persistai dans ma résolution. Jamais je n'ai voulu accepter d'autres postes politiques que ceux qui m'ont été confiés par le suffrage des électeurs. Il faut savoir résister à la fantaisie des gouvernements : dans une démocratie, l'élection est la base de tout, c'est un principe dont il ne faut jamais se départir.

Deux ans plus tard, quand la Chambre des députés s'occupa de la loi sur les conseils généraux, mon père, trouvant que l'on restreignait trop les attributions des conseils départementaux, se rappela mon refus de 1830 et me dit : « Si tous les conseillers avaient refusé, comme toi, les nominations qui leur étaient apportées par le gouvernement, la loi eût été présentée plus tôt, et elle eût été plus libérale. »

————

Au lieu de courir après les fonctions et les places, je m'appliquai à sauvegarder et à mettre à l'abri de toute secousse les travaux et les intérêts de mes entreprises, que les nouvelles de Paris venaient de surprendre en pleine marche. La Révolution de 1830 avait porté momentanément un trouble assez profond dans les affaires et dans toutes les branches de l'administration. Les fonds manquaient pour la continuation des travaux, et à chaque instant le paiement des mandats était suspendu. Le crédit que j'avais chez différents banquiers me faisait également défaut, par suite de l'influence que la crise politique exerçait sur la fortune publique et privée.

Pouvait-on suspendre les travaux? Pouvait-on les diminuer? en aucune manière; de toutes parts, les ouvriers accouraient sur les chantiers du canal, et en leur refusant du travail, on courait le risque de les voir à la merci des chefs de bandes de chouans, qui commençaient déjà à se montrer en Bretagne. Le préfet des Côtes-du-Nord insistait pour

obtenir des fonds, il ne recevait que des allocations insuffisantes. Je n'hésitai pas à négliger ce que la prudence de
mes intérêts particuliers m'eût commandé : le travail ne fut
pas interrompu, il ne fut pas même ralenti, ni à Glomel, ni
sur le Blavet. Je dus, pour arriver à ce résultat, faire des
sacrifices personnels très-onéreux ; mais l'intérêt du pays
parlait plus haut que tout, et mon parti fut immédiatement
pris.

Quelques années après, j'eus à soutenir un procès devant
le conseil d'Etat contre l'administration des ponts et chaussées, et dans le cours des débats, le préfet des Côtes-du-
Nord vint rendre un éclatant témoignage de la conduite patriotique que j'avais tenue dans cette affaire.

Si la bourgeoisie, en faisant irruption dans les régions du
pouvoir, s'y conduisit comme une armée qui livre la place
au pillage, on a pu voir, par la conduite tenue par mon
père, à la nouvelle de la nomination de mon frère comme
receveur particulier, combien nous avions dans notre famille de répulsion pour les places et les faveurs ; mon père
n'avait jamais pratiqué autrement la vie publique, et quant
à moi, je suis heureux de pouvoir dire que *je n'ai jamais
tondu de ce pré la largeur de ma langue.*

Passons à la politique.

MON SÉJOUR A PARIS COMME DÉPUTÉ

J'étais électeur de l'arrondissement de Guingamp (Côtes-du-Nord) aux premières élections qui se firent après la Révolution de 1830. Les électeurs m'avaient élu président du collége électoral ; ce choix montre l'influence que je possédais dans le pays. La candidature de mon père était populaire, et son élection fut accueillie dans les Côtes-du-Nord avec la plus vive sympathie. Le département restait fidèle à l'homme qui avait toujours défendu ses intérêts, et au représentant qui avait toujours rempli patriotiquement son mandat.

C'est au milieu du mouvement et de la fièvre de cette élection, que je reçus l'émissaire m'apportant la lettre qui m'annonçait à moi-même que j'étais élu député à Pontivy (Morbihan). Je ne pouvais croire à cette nouvelle. Je n'a-

vais pas même parlé de candidature, et je n'avais chargé
personne de me représenter devant le collége électoral d'aucun département. Cette joie, l'une des plus vive de ma vie,
était donc aussi flatteuse qu'inattendue.

Je me rendis immédiatement à Pontivy, pour faire connaissance avec mes électeurs et pour les remercier du haut
témoignage d'estime et de confiance dont ils venaient de
m'honorer. L'accueil que je reçus n'est jamais sorti de ma
mémoire. Ma candidature avait été, en quelque sorte, portée
par l'opinion. D'un côté, l'arrondissement avait tenu à m'exprimer sa gratitude pour les services que je rendais au département par mon entreprise de canalisation à Glomel et
sur le Blavet. De l'autre, les électeurs de Pontivy tenaient
à me montrer qu'ils n'avaient point oublié le péril que
j'avais su écarter, après la révolte du camp de Glomel, en
empêchant, par mon initiative, les condamnés d'entrer dans
la ville. Cette élection établit entre le département du Morbihan et moi des relations et des amitiés que le temps n'a
fait que fortifier.

Ce mandat, en me surprenant au milieu de mon entreprise de Glomel, m'imposait, dans ma situation, d'étroites
et rigoureuses obligations. Sans plus tarder, je m'occupai
d'assurer la direction des travaux, de manière à n'avoir, à
Paris, aucune préoccupation sur ce point. L'organisation de
mon entreprise, d'ailleurs, était depuis les premiers jours
réglée de telle sorte que je n'avais qu'à laisser à un commis
qui avait toute ma confiance mes instructions particulières.
Je ne fis donc qu'une courte visite à Glomel. Je partis pour
Paris, et passai à Dinan, où mon père me pria de retenir sa
place avec la mienne à la chambre des députés.

Dès mon arrivée, je songeai à retenir à la chambre des députés la place de mon père et la mienne. La visite que je fis dans ce but au palais Bourbon me laissa une impression qui ne s'est jamais effacée. J'entrai dans la salle, avec l'intention de marquer nos deux places du côté gauche. Or j'eus beau chercher, monter et descendre, je m'aperçus que presque tous les siéges de ce côté étaient déjà retenus.

Cette particularité fit surgir dans mon esprit tout un monde de réflexions, que je résume ici. — Comment! la royauté nouvelle, sortie des salons de l'hôtel-de-ville, était donc connue et appréciée dès son premier jour! le courant de l'opinion emportait déjà les représentants du pays vers la gauche, c'est-à-dire vers l'opposition! Comment! la bourgeoisie victorieuse reconnaissait donc que son œuvre était avortée, puisqu'à l'ouverture de la première session, ses députés se tournaient déjà vers la résistance! quelle perspective!

Dans l'impossibilité de trouver à gauche des places à notre convenance; je pris le parti d'en arrêter deux, pour mon père et pour moi, en plein centre, juste derrière le banc des ministres, en me disant que nous saurions tout aussi bien montrer là notre indépendance absolue, à la barbe des hommes du pouvoir!

Cette indépendance, je l'avais, je l'ai toujours, et pour me guider dans le labyrinthe des questions complexes qui surgissent dans une grande assemblée, j'avais deux principes inattaquables, qui peuvent servir de règle à tous ceux qui ont des devoirs publics à remplir vis-à-vis de leur pays. Voici ces deux principes :

Toujours mettre l'intérêt général au-dessus de l'intérêt particulier, des gouvernements, des ministères et des partis.

Toujours chercher, dans chaque question, en quoi l'on peut améliorer la situation présente, et faire de cette amélioration la condition première de la loi qu'on discute.

Armé de ces deux règles, comme d'une double cuirasse, j'ai traversé les discussions les plus irritantes, les plus difficiles, les plus compliquées, et je n'ai jamais eu à me repentir des résolutions que j'ai prises et des votes que j'ai émis. Je me retrouverais dans les mêmes situations, que je tiendrais la même conduite.

Je n'ai pas à refaire ici l'histoire du Gouvernement de Juillet, que Louis Blanc a si bien jugé à la lumière des principes de la Révolution; mais il devint bien vite manifeste aux yeux des moins clairvoyants, que ce courant de l'opposition que j'avais pu constater en parcourant le côté gauche de la chambre ne ferait qu'aller en grandissant, et que la branche cadette des Bourbons allait se trouver absolument dans la même position que la branche aînée sous la Restauration. La Restauration s'était heurtée à la bourgeoisie, qui l'avait emportée; la branche cadette se heurtait à la démocratie, encore plus redoutable pour elle que la bourgeoisie pour la légitimité.

La monarchie dite légitime n'avait pas compris qu'elle ne pouvait gouverner qu'en s'appuyant sur la bourgeoisie libérale; la Monarchie de Juillet ne comprit pas davantage qu'en refusant de se faire, suivant le mot de Lafayette, *la meilleure des républiques,* elle se brisait contre l'éternel écueil de tous les gouvernements français, *la Révolution!*

Je viens de le dire, l'histoire du Gouvernement de 1830 ne peut trouver place dans ces souvenirs tout personnels;

mais la nature même de ces réminiscences et de ces récits
m'oblige à inscrire ici quelques notes caractéristiques.

A l'arrivée des députés, les invitations à la cour et chez
les ministres commencèrent à jouer un grand rôle. C'était
le retour du régime des *ventrus* de la Restauration. Après
la curée des places, la bombance, les festins et les fêtes. En
vérité, la bourgeoisie n'avait fait que jouer avec les marquis
et les comtes le jeu bien connu : Ote-toi de là que je m'y
mette.

Il fallait prendre langue dans ce monde nouveau pour
moi, et j'acceptai quelques invitations chez les ministres et
à la cour.

Le premier dîner ministériel auquel j'assistai eut lieu
chez M. Casimir Périer, ministre de l'intérieur. Il était
donné en l'honneur du dey d'Alger, qui venait d'arriver à
Paris. L'un de mes collègues de l'opposition me reprocha
vivement ma présence à la table du ministre. Ce puritain,
si collet monté, était M. Auguis; je lui répondis :

— Apprenez, mon cher collègue, que chez nous autres
Bretons, le ventre n'a jamais mené la tête. Je vous souhaite
d'être aussi insensible que moi aux sucreries ministérielles.

En lui faisant cette réponse, j'étais en effet bien sûr de
moi-même; mais en peut-on dire autant de M. Auguis, qui
passa plus tard dans le régiment des Bornes, qui formait la
majorité de M. Guizot, et qui fit à la royauté de 1830 un enterrement de première classe?

Les invitations que je reçus pour les bals des Tuileries
me permirent de faire sur la tenue et les agissements de la
cour une piquante observation, que je crois devoir noter,
pour montrer combien était justifiée l'opinion que l'on avait
de la parcimonie de la nouvelle liste civile, en dépit de la
fortune immense du nouveau roi.

Dans les premiers bals qui furent donnés aux Tuileries, on servait le souper sur de petites tables de cinq à six personnes. J'étais, un soir, assis à l'une de ces tables, avec des collègues de la Bretagne, et entre autres avec M. Fruchard, de Lorient, que nous appelions Truffard, à cause de l'importance qu'il donnait à la table.

On sert le champagne, et le domestique chargé du service en verse à tout le monde, excepté à moi. J'allais réclamer, quand je vis arriver une autre bouteille. Le domestique me dit alors à mots couverts qu'il avait voulu me donner du champagne meilleur que celui qu'il venait de verser.

A cette observation singulière, je lève la tête pour voir l'homme qui me parlait ainsi, et je suis tout étonné de voir un visage de ma connaissance.

— Je vous ai vu quelque part, dis-je à ce serviteur si bien intentionné?

— Certainement, me dit-il, M. Beslay me voit tous les jours au Café Anglais, où j'ai l'honneur de lui servir, depuis quelque temps, son dîner.

Le lendemain, à table, j'appris de ce garçon de café que la liste civile, les jours de bal aux Tuileries, pour payer moins cher sa domesticité, avait l'habitude d'engager pour une soirée les garçons des premiers restaurants de Paris. Ils trouvaient au vestiaire une livrée qu'ils endossaient, et ils recevaient vingt francs pour chaque soirée.

C'était la monarchie au rabais!

Pour la politique, pis encore. Dès les premières discussions de la chambre, il ne fut pas difficile de voir que ce gouvernement du juste-milieu ne répondait vraiment à aucune des grandes aspirations du pays, et qu'il n'avait pour défenseurs et pour ministres que des marchands de paroles.

Quelques traits pour le prouver.

Placé immédiatement derrière le banc des ministres, j'entendis un jour un des conseillers du roi, M. Barthe, prononcer des paroles blessantes pour M. Cabet, un de mes collègues de l'opposition. Je le rappelai aux convenances, qu'il paraissait oublier. M. Barthe me répliqua vivement et assez haut pour que son langage pût être considéré comme une injure personnelle.

Devant cette provocation, je priai l'un de mes collègues, M. Kœcklin, de demander au ministre une réparation par les armes. M. Barthe répondit cavalièrement qu'il ne se battait pas!

Viser à l'insolence et ne pas se battre! c'était trop, et je n'étais pas homme à laisser vis-à-vis de moi cette latitude aux hommes du pouvoir; et comme M. Barthe rentrait à la chambre, là, devant tous les assistants, je lui fis un de ces outrages matériels qui font bondir les hommes les plus calmes. Le ministre subit l'outrage, et sans rien répondre alla reprendre dans la salle son banc de ministre. Que pouvait-on attendre d'un pareil homme?

Une autre fois, c'était à l'occasion de la discussion de la liste civile, M. Dupin aîné, qui était commissaire, se trouvait devant moi, au banc des ministres. Il était en apparence tout courroucé des allocations demandées par le projet de loi. « Allons! c'est trop aimer l'argent! disait-il en parlant du roi; c'est comprendre le pouvoir à la façon de Crésus! »

— Bravo! lui dis-je tout étonné, avec un adversaire comme vous, la loi ne passera pas. — Vous allez voir, répliqua-t-il, comme je vais bousculer tout cela!

Un instant après, l'orateur aux *souliers ferrés* monta à la tribune, et avec un aplomb imperturbable, avec une faconde étourdissante, il accorde et justifie tous les millions demandés!

Quel pantin!!

Il y avait sans doute dans ce gouvernement de grands intérêts ; mais il n'y avait pas de convictions. M. Guizot lui-même, qu'on appelait le puritain, et qui fut comme le pontife de ce régime agenouillé devant le veau d'or, M. Guizot, avec sa magistrale éloquence, ne me rappelle en réalité que ces augures de Rome qui ne pouvaient se regarder sans rire.

L'homme qui disait à ses électeurs : « *Enrichissez-vous !* » « *Vous sentez-vous corrompus ?* » ne pouvait être un puritain bien rigide. Il est peut-être l'un des ministres qui ont le plus contribué à la démoralisation du pays et à l'avilissement des consciences. Il m'a été donné de pouvoir en quelque sorte toucher du doigt ce qu'il y avait d'aride et de dissolvant sous cette nature sèche et sous cette majestueuse parole.

Il menait *sa majorité* avec l'arrogance d'un maître et la morgue des parvenus. Un jour, cette majorité n'ayant pas compris dans une affaire quelle était la volonté du ministre, émit un vote qui était absolument contraire au programme ministériel. En entendant prononcer le résultat du scrutin, M. Guizot se retourne irrité vers le centre et dit à mi-voix : — Tas d'imbécilles! — Ils n'ont pas entendu, M. le ministre, lui dis-je; voulez-vous que je leur trans-

mette votre compliment? — Non, M. Beslay, me dit-il, je
vous en prie. — N'importe! répliquai-je, je n'oublierai pas
le mot.

On voit que toute cette machine gouvernementale n'était
montée que sur deux rouages : avoir une majorité d'une
complaisance à toute épreuve, et avec cette majorité gouverner le pays, de manière à ne faire absolument que ce
qui était arrêté *par la pensée du Règne!*

On sait où mène cette politique en France.

———

A cette place, que j'appellerais volontiers une place d'a-
vant-scène et qui me permettait d'entrevoir ce qui se passait dans les coulisses ministérielles, il me fut donné de
pouvoir rendre deux services : l'un à mon pays, l'autre à
mon ami, services que je rappelle ici.

Un jour, le maréchal Soult, qui lisait attentivement une
note, se retourne vivement vers moi, et me dit :

— M. Beslay, vous êtes Breton, et vous pouvez me donner un renseignement utile dont j'ai besoin. Connaissez-
vous la maison des fous établie au château de la Hunaudaye?
— Parfaitement, Monsieur le ministre ; c'est une excellente
maison, et où les pauvres malades se trouvent dans les meilleures conditions que l'on puisse désirer pour les fous.

— Le directeur de l'établissement me demande de lui envoyer les militaires atteints de folie? — Vous ferez là, Monsieur le ministre, deux bonnes choses : vous consoliderez
une maison qui est digne de tous vos encouragements, et
vous aurez la certitude d'avoir fait pour vos militaires tout
ce qui est possible. — Merci, Monsieur Beslay; je prends
note de vos renseignements et j'agirai en conséquence.

Peu après, le directeur de la maison de fous était autorisé à faire dans toute la France une quête qui lui permit de donner à son établissement un développement considérable. Le directeur apprit que ma recommandation lui avait été grandement favorable, et il vint me remercier de mon concours.

Les agrandissements de la maison furent tels qu'on dut choisir un autre local. L'établissement fut transporté aux Bas-Foins, près de Dinan où il est encore aujourd'hui ; c'est, sans contredit, une des maisons de fous les plus belles et les plus importantes de France.

Une autre fois, ce fut à propos d'une affaire de société secrète ; on sait l'importance que ces sociétés avaient atteinte sous la Restauration et après 1830 ; l'un de mes amis, le capitaine Kersausie, esprit ardent, s'occupait beaucoup de politique et faisait de la propagande pour les associations révolutionnaires.

Un jour M. d'Argout, qui était assis à son banc de ministre, se retourna vers moi pour me demander si je ne connaissais pas le capitaine Kersausie. «Certainement, Monsieur le ministre, répondis-je, et je m'honore de son amitié, car c'est un des plus braves cœurs que je connaisse. — Eh bien, Monsieur Beslay, voici ce que votre ami a dit dans un conciliabule : Il a dit qu'il était prêt à attaquer les Tuileries, mais au grand jour et tambour en tête ; il ne reconnaissait comme digne de lui que cette lutte à visage découvert et condamnait ouvertement tout guet-apens préparé pour assassiner le roi. — Vous avouerez, Monsieur le ministre, que vous avez en lui un adversaire loyal, et dont les révoltes, dans ces conditions, ne doivent pas vous inspirer de crainte. — C'est égal, c'est un homme dangereux.

Un homme dangereux, c'est le dernier mot de tous les hommes du gouvernement pour condamner ceux qui les attaquent.

Le capitaine Kersausie fut impliqué plus tard dans un procès qui fut jugé à la Chambre des pairs. Appelé comme témoin, je ne manquai pas de rappeler la déclaration que m'avait faite M. d'Argout, et d'en faire ressortir tous les avantages en faveur de mon ami. Kersausie fut acquitté.

———————

Encore un souvenir sur une des plus terribles crises de cette époque si tourmentée : je veux parler du choléra de 1832.

L'épouvante était aussi grande à la Chambre des députés que dans la ville. Le premier député qui tomba victime du fléau, fut M. Crignon de Montigny, député du Loiret, qui habitait place Vendôme, au coin de la rue de la Paix, un hôtel qui, je crois, lui appartenait. Je faisais partie de la députation tirée au sort pour assister à ses funérailles. Des douze députés qui devaient accompagner le convoi, nous ne fûmes que deux, M. Fulchiron et moi, à nous rendre au domicile du représentant décédé.

Nous arrivons, accompagnés d'huissiers de la Chambre, dans les voitures de cérémonie à la maison du défunt. Triste spectacle! La maison était vide. Il n'y restait que le concierge et une vieille garde-malade. Tous les domestiques étaient partis. J'essayai en vain de retenir M. Fulchiron, qui, à la vue de ce sauve-qui-peut, crut devoir se retirer à son tour, et j'accompagnai seul mon pauvre collègue à sa dernière demeure.

Si je rappelle cet incident sans importance, c'est que je

veux me faire connaître et juger par mes lecteurs. Quand
on publie un livre de souvenirs tout personnels, il est nécessaire de montrer sous son vrai jour son caractère et son
tempérament. Cette photographie morale de l'auteur en
scène permet de mieux comprendre le rôle qu'il a pu jouer
dans le va-et-vient du drame contemporain. Or, je dois le
dire, le danger, qui généralement éloigne, m'attire par un
invincible aimant. Reculer est un acte que je ne comprends
pas. C'est ainsi qu'à la nouvelle des événements de Paris,
en 1830, j'accourais à Saint-Brieuc pour rétablir le drapeau
tricolore, et que je me jetais à corps perdu au-devant de
l'insurrection de Glomel. C'est ainsi qu'en 1848 et 1851, je
me tins au premier rang des défenseurs de la République,
et c'est dans mon domicile, rue de la Cérisaie, qu'eut lieu
une des réunions qui organisaient la résistance contre le
coup d'Etat. C'est ainsi, enfin, que dans la dernière guerre,
en 1870, à l'âge de 76 ans, je m'engageai comme volontaire
dans un régiment de ligne qui combattait à Metz, et que je
proposai au gouvernement de la Défense nationale de me
charger des missions les plus périlleuses qu'il aurait à remplir auprès des villes assiégées. Sous la Commune, enfin, le
jour de la manifestation de la franc-maçonnerie, je n'hésitai pas à m'engager seul, au milieu d'une pluie d'obus, sur
l'avenue de la Grande-Armée, pour planter sur les remparts les bannières de la fraternité, pendant que la colonne
entière des francs-maçons y allait par l'avenue de l'Impé-
ratrice. Le lecteur ne se méprendra certainement pas sur le
sentiment qui m'anime, en rappelant ces diverses circonstances de ma vie. La simplicité de mon existence proteste contre toute idée de forfanterie. Je tiens à me montrer au public tel que je suis, voilà tout. Il n'y a d'ailleurs dans cette

énergie de ma nature rien que d'ordinaire. La race celtique a pour trait marquant le mépris du danger, et nous descendons de ces rudes guerriers qui disaient dans les temps antiques : « Nous ne craignons qu'une chose, c'est que le ciel ne tombe sur nos épaules. » Gardons, comme un trésor, cette première vertu de nos pères.

———————

En terminant ce chapitre, je me demande involontairement si le lecteur peut se faire une idée exacte de l'esprit qui m'animait dans l'exercice de mon mandat de député. En tout et pour tout, je n'ai jamais eu pour objectif que les deux principes que j'ai fait connaître. L'accomplissement de mon devoir était pour moi la règle suprême, et je puis montrer, par une dernière anecdote, que, même dans les plus hautes régions du pouvoir, je savais exprimer hautement mes convictions.

Je faisais partie de la députation du Morbihan, qui se rendit auprès de Louis-Philippe pour le remercier d'avoir approuvé la construction du pont de la Roche-Bernard, sur la Vilaine, ouvrage d'une grande utilité et d'une importance considérable pour le département du Morbihan.

Le roi-citoyen, s'adressant au doyen de la députation, Villemain, maire de Lorient, lui dit : « Je connais Lorient, c'est une ville empestée de bien mauvaises odeurs. » Ce sot compliment jeta un froid ; le roi s'en aperçut et ajouta : « Il est vrai que j'y ai passé pendant l'été, et c'est l'époque de la pêche des sardines. » Vigier, que ses bains ont rendu célèbre, tâchait d'attirer l'attention du roi ; étant le seul membre qui était de l'opposition, le roi s'adressait de préférence à moi ; à toutes ses questions je répondais très-brièvement.

Suivant son habitude, le roi m'entraîna dans l'embrasure d'une fenêtre ; là il commença par me faire remarquer que mon père était souvent de ses amis, et qu'il trouvait son vote parmi ceux de la majorité.

— Sire, répondis-je, mon père vote suivant sa conscience et moi suivant la mienne.

— Mais enfin, votre conscience ne peut désapprouver toutes les mesures que je prends dans l'intérêt du pays.

— Sans doute, sire, mais d'une manière générale, je puis dire à Votre Majesté que je suis et serai toujours de l'opposition.

Le roi fit un mouvement de physionomie qui exprimait tout son mécontentement.

— Toujours de l'opposition, Monsieur le député. En vérité, je ne vous comprends pas.

— Sire, je me comprends très-bien moi-même. Quand votre Majesté nous aura donné *la poule au pot*, je serai le premier à demander une bouteille de Bordeaux. Toujours le progrès !

Le roi sourit, me tendit la main en me disant : « Nous pouvons nous entendre ! »

Il se trompait ! Avec une politique qui ne visait qu'au pouvoir personnel, il ne pouvait que compter sur mon opposition de plus en plus accentuée.

Cette opposition n'était que libérale en 1830 ; elle était démocratique en 1848.

SUITE DE 1830

~~~~~~~~~~

De la chambre et de mon premier mandat de député, passons aux événements qui ont marqué ma vie privée, pendant la même période.

Le premier acte que j'aie à mentionner est mon mariage.
J'épousai, en 1833, la fille d'un colonel d'artillerie, ancien
aide-de-camp du maréchal Ney, et petite-fille de M. Delorme, propriétaire du passage qui porte ce nom. On me
permettra de consigner ici à ce sujet quelques particula-
rités qui me paraissent piquantes. Je fus marié à l'église de
l'Assomption par l'internonce du pape à Paris, à cette époque Mgr Garibaldi, parent du général, prélat d'une modération qu'on ne trouve plus chez nos ultramontains. —
Mgr Garibaldi fut pour moi des plus obligeants. Il se donna
la peine d'aller lui-même trouver le curé de la paroisse de
Notre-Dame-de-Lorette, dont l'église était alors rue du Fau-

bourg Montmartre. Il s'agissait de mon billet de confession, et le bienveillant prélat me pria de me rendre à l'église, à l'heure qui avait été fixée par le curé, en me donnant gracieusement l'assurance que tout irait bien.

Je me rendis à l'église exactement à l'heure indiquée. Je trouvai, en entrant, M. le curé, qui m'attendait à l'entrée de l'église, et qui me pria de vouloir bien le suivre. Il me conduisit chez lui et me fit entrer dans la salle à manger. C'était un curé homme du monde, et, en m'asseyant, je trouvai sous ma serviette le billet de confession que je venais chercher. Ce procédé me parut charmant. Cette manière de me confesser m'allait à ravir, et je ne pus m'empêcher de penser aux casuistes, qui soutiennent que le catholicisme est le plus accommodant de tous les cultes.

Le déjeuner fut des plus agréables, et à propos de mon billet de confession, le curé me dit que, la semaine précédente, il avait rendu le même service à M. Thiers. — J'ai profité, dit-il, de cette heureuse circonstance pour solliciter du ministre un calorifère pour l'église Notre-Dame-de-Lorette, qui est en construction. — Un calorifère? m'a dit M. Thiers; vous m'embarrassez; car, ajouta-t-il en riant, les calorifères n'entrent pas dans mes attributions; mais je n'oublierai pas votre église, et vous pouvez compter sur un souvenir de moi.

Voilà une manière d'entendre et de pratiquer le catholicisme que je recommande aux fougueux partisans du *Syllabus* et de l'infaillibilité du pape.

Ma femme . . . . Je ne veux pas introduire le lecteur dans notre maison, si hâtivement fermée par le deuil. Mais je tiens pourtant à faire rayonner sur ce livre, comme une auréole, la douce souvenance des vertus d'une compagne toujours chère et toujours vénérée. Les dix-huit mois qu'elle a partagé ma vie m'ont prouvé qu'avec elle ma longue carrière n'eût pas eu tant de déchirements. C'est assez dire que sa perte a été le plus grand malheur de ma vie.

Mme Beslay était excellente pianiste. Son talent dépassait de beaucoup le jeu brillant des salons. Tous les quinze jours, nous allions dîner chez M. Lassagni, vice-président de la Cour de cassation, oncle de ma femme, et nous y trouvions assidûment M. Rossini, qui ne manquait jamais de dire à Mme Beslay : « J'espère bien, chère Madame, que vous allez me donner une petite leçon de piano? » Etait-ce flatterie? Etait-ce le désir d'encourager d'heureuses dispositions? Je ne sais; mais l'auteur du *Barbier* m'a dit bien des fois : « Mme Beslay touche le piano comme une grande artiste. »

Cette appréciation du roi de la musique, à notre époque, fit du reste quelque bruit, et Mme Récamier, retirée à l'Abbaye-aux-Bois, me fit inviter à ses soirées pour lui donner le plaisir d'entendre une jeune femme qui n'aimait pas à se produire ainsi. Nous nous rendîmes pourtant à cette gracieuse invitation, car la famille de Mme Récamier et la mienne se connaissaient depuis longtemps : M. Récamier avait été le banquier de mon père et, dans ma jeunesse, j'avais eu souvent l'occasion de voir Mme Récamier, alors dans tout l'éclat de son incomparable beauté. Le trait d'union était donc tout établi, et l'invitation ne pouvait guère être éludée. Mme Beslay y reçut le plus encourageant accueil, et son talent y obtint les louanges qu'on accorde aux virtuoses.

Souvenirs, hélas! aussi douloureux que ravissants! car à peine avions-nous commencé à goûter ces joies tout à la fois si pures et si douces au cœur, que la mort venait heurter à notre seuil et briser ma vie pour toujours. Au bout de dix-huit mois, ma pauvre femme, si brillante de jeunesse et de beauté, mourut en mettant au monde un fils. Crise déchirante dont la pensée est toujours pour moi accablante! Mon fils fut élevé par ma belle-mère et par une sœur de ma femme, qui n'a jamais voulu se marier pour se consacrer toute entière à l'éducation de mon enfant, et plus tard de mes petits-enfants, avec des soins maternels.

C'était là le premier malheur de ma vie. Le coup était irréparable, et il venait m'apprendre que je ne devais pas toujours compter sur les succès hors ligne qui avaient encouragé mon entrée dans le monde. La vie est ainsi faite de triomphes et de revers. Le devoir consiste à lutter jusqu'au bout, et la plus grande victoire est dans l'accomplissement de ce devoir viril de la lutte à outrance. Tel est le cri de la conscience. Le juste est celui qui lui obéit jusqu'au dernier jour.

_____

En dehors de mes devoirs de député, il y avait pour moi tout un ensemble d'études, d'affaires, de travaux et de préoccupations de toutes sortes, qui me prenaient un temps considérable, et ouvraient pour mon activité, qui a toujours été très-grande, de nouveaux et vastes horizons.

J'avais, tout d'abord, à diriger de loin mon entreprise de travaux sur le Blavet et à Glomel, et puisque j'ai à rappeler encore cette opération, je termine en peu de mots ce qui me reste à en dire. Cette soumission fut pour moi l'une des plus profitables, et l'on peut juger par un fait de la régularité et de la droiture avec lesquelles je l'avais menée à bonne fin. Dans un procès que l'administration m'intenta devant le Conseil d'Etat et que je gagnai, l'administration prétendait qu'il m'avait été versé de trop deux cent mille francs, et le conseil des ponts et chaussées, non-seulement repoussa la demande de l'administration, mais me fit allouer un complément de 187,000 francs, pour le règlement définitif de mes entreprises. C'est aussi dans ce procès que le préfet des Côtes-du-Nord intervint par une lettre, pour déclarer que, pendant la crise de 1830, je m'étais conduit avec un patriotisme incontesté, et que je n'avais pas hésité à sacrifier mes intérêts personnels pour continuer et même développer le travail sur tous mes chantiers.

Mais, à peine arrivé à Paris, je vis s'ouvrir devant moi de plus larges perspectives. Cette période de 1830 est vraiment intéressante à étudier. On y trouve tous les germes de toutes les grandes choses qui se sont accomplies dès lors. C'était le moment où l'on commençait à se passionner pour les chemins de fer. L'initiative privée se montrait sur ce point capital plus intelligente et plus hardie que le gouvernement, qui affectait, par l'organe de M. Thiers, d'être hostile à l'établissement des grandes lignes. C'était également l'origine de la mécanique industrielle, et les machines à vapeur, encore rudimentaires, étaient l'objet d'études et de perfectionnements nombreux.

La société était vraiment comme en ébullition. Le monde des esprits et le monde des affaires étaient pleins d'idées nouvelles qui demandaient à trouver leur voie. Dans le monde des esprits, on commençait à discuter fiévreusement les rapports du capital et du travail, l'ignorance et l'instruction, les moyens de développer la richesse publique, l'organisation du crédit : c'était la Révolution qui demandait à

descendre de la bourgeoisie jusqu'au travailleur; dans le
monde des affaires, c'était le réseau de nos grandes lignes
de voies ferrées, le développement de la mécanique industrielle, l'organisation de nos canaux et des transports à bon
marché, la mise en valeur de mille inventions nouvelles, de
mille opérations commerciales, financières, industrielles,
maritimes, agricoles : c'était l'explosion de cet esprit nouveau d'entreprises, créé par la science de notre temps, et
qui n'avait pas encore trouvé moyen d'arriver aux grands
résultats qu'il promettait au travail et au capital.

J'avoue que, sans m'enivrer de toute cette fumée d'idées
nouvelles, j'étais porté, par mon tempérament et mes goûts,
à tout voir, à tout connaître, à tout observer, et, au besoin,
à tout entreprendre, pourvu que l'affaire fût jugée par moi
praticable et avantageuse. Mais, je dois le dire, au milieu
de ce tourbillon de projets et d'innovations, deux choses
attiraient surtout mon esprit, le développement des affaires
industrielles et les rapports du capitaliste et du travailleur.

En voyant s'établir en France les premiers chemins de
fer, je compris immédiatement la portée qu'aurait bien vite,
dans un grand pays, l'établissement de tout un nouveau
système de locomotion. Aussi n'ai-je pas hésité, dès les premiers temps, à me préoccuper des concessions qui étaient
préparées. C'est ainsi que, de concert avec M. Frimot, ingénieur des ponts et chaussées, nous soumissionnions le
chemin de fer de Paris au Pecq, et que nous offrions, en
même temps, de le conduire jusqu'à Saint-Germain ; malheureusement, nous avions pour concurrent M. Emile Pé-

reire, qui était alors soutenu par M. de Rothschild, et la concession nous échappa : elle fut accordée à M. Emile Péreire.

Il était facile de voir dès les premières concessions que le siége du gouvernement était fait. Sous prétexte d'apporter à ces grandes opérations les plus sérieuses garanties, les ministres ne voulaient pas se départir du système qui les entraînait à s'appuyer toujours sur la haute banque.

Devant un parti pris qui faisait, pour chaque concession, la partie inégale entre les hommes spéciaux et les banquiers, je renonçai à refaire plus longtemps à mon préjudice la lutte du pot de terre et du pot de fer, et je songeai à créer un établissement industriel.

Peu de temps après mon mariage, je fondai un atelier d'essai pour les chaudières et une fabrication de machines à vapeur, à laquelle je donnai un développement considérable, quand la politique me laissa libre de tout mon temps. Cet établissement avait pour moi un attrait surprenant; j'y trouvais réunis les éléments des études et des opérations qui m'attiraient invinciblement. D'un côté, j'avais en main une affaire que le développement des chemins de fer pouvait rendre colossale, et de l'autre je pouvais observer, sur une grande échelle, les rapports de l'ouvrier avec le patron, en un mot, les relations du capital et du travail.

Que le lecteur ne s'imagine pas que j'anticipe sur les principes et les actes de ma vie ultérieure, et que je m'applique, pour montrer plus d'unité dans ma carrière, à revêtir le député de 1834 des doctrines et des agissements du socialiste de 1848. J'étais en 1834 ce que je fus en 1848 et ce que je suis aujourd'hui, l'homme tout rempli d'une sympathie ardente pour le travailleur et tout pénétré du désir d'améliorer son sort. Et c'est ce que j'essayai de faire, dès que mon établissement fut en pleine marche.

Tous les deux ans, je faisais venir deux jeunes gens de la Bretagne et je les faisais entrer dans mes ateliers comme apprentis mécaniciens, en vue de leur donner le goût de la mécanique et de les mettre à même de faire connaître ces travaux dans les départements bretons, quand ils y retourneraient. Malgré le grand nombre de ses cours d'eau et les chutes de nombreuses écluses, qui pourraient offrir tant de ressources à l'établissement de manufactures, la Bretagne ne possède que très-peu d'entreprises industrielles. Le clergé se montre hostile à la création de ce genre d'opérations, et tous ses efforts s'appliquent, bien entendu, à maintenir le *statu quo*.

C'est en vue d'essayer de faire tomber cette muraille catholique, qui est pour la Bretagne la muraille de la Chine, que je faisais venir ces jeunes apprentis, dont je prenais à ma charge toute l'éducation, logement, entretien, nourriture, apprentissage, tout était à mes frais, et je n'eus qu'à me louer de cette détermination. Plusieurs de ces apprentis sont devenus des industriels importants et sont restés à la tête des spécialités auxquelles ils s'étaient livrés.

Mais j'allai plus loin. Dans le cours de mon entreprise, en 1847, je créai une société d'encouragement, dont les statuts associaient au bénéfice de mes travaux une partie de mes ouvriers. La révolution de 1848 m'empêcha de donner suite à cette création importante, mais la première année d'application produisit des résultats inespérés. Oui, je dis inespérés ; je maintiens le mot, et le lecteur désintéressé comprendra comment peut s'obtenir un tel résultat, et combien la routine est coupable de ne pas se rendre à une telle initiative et à de tels exemples.

Voici, en effet, ce qui se passe dans l'atelier où le tra-

vailleur participe au bénéfice. Ayant désormais la certitude
d'avoir lui-même une part du bénéfice qu'il aura produit,
l'ouvrier donne, de son propre mouvement, le maximum
de son temps et de sa peine. Il n'y a plus aucune perte sur
son travail. La production de l'atelier, dès lors, augmente,
et avec l'augmentation des produits arrive l'augmentation
du gain. En réalité, les bénéfices ainsi répartis sur les travailleurs ne sont en quelque sorte que les bénéfices qu'ils
ont apportés eux-mêmes aux produits de l'entreprise.

Dans ce système, tout profite à l'intérêt général de l'établissement. C'est ainsi que les apprentis, surveillés par les
intéressés à la bonne conduite de l'affaire, font de rapides
progrès. Le gaspillage disparaît; le travail fait à la diable
n'est plus toléré. Tout se fait plus vite et mieux. Est-il
étonnant que les résultats s'en ressentent?

Autre chose : J'avais compris dans mon acte d'association un contre-maître, qui était mon chef d'atelier depuis
une douzaine d'années. Quinze jours après la publication de
mon acte et de la mise en vigueur de mes statuts, il vint
me demander à me quitter. Je fus étonné de sa démarche,
et comme je tenais beaucoup à lui, j'insistai pour qu'il
gardât son poste; mais toutes mes sollicitations furent vaines, et rien ne put le retenir. Ce départ me surprit singulièrement.

Quelque temps après sa sortie, il m'arriva de parler avec
un autre contre-maître, et je lui demandai s'il connaissait
le véritable motif de sa sortie?

— Certainement, me dit-il.

— Quel est-il donc? Il n'a jamais consenti à me le dire.

— Je le crois bien, dit le contre-maître en riant.

— Pourquoi donc, répliquai-je intrigué?

— Pour une raison bien simple, c'est que le gaillard avait *la main crochue*, et depuis notre participation aux bénéfices, nous lui avons signifié qu'il devait être sage, sous peine d'avoir à faire à nous tous.

Encore un argument en faveur du système de la participation. Le détournement devient impraticable, tant il est vrai que le bien porte toujours avec lui sa récompense !

Je publierai, dans un autre ouvrage que je prépare, cet acte d'encouragement entre patrons et ouvriers, que j'ai fait imprimer en 1847, et qui était un acheminement à l'association entière. J'ajouterai à ce premier acte un projet d'association entre propriétaires et fermiers, que j'ai publié en 1850, et ce projet a devancé de plus de quinze ans celui que met en application, en ce moment, en Angleterre, lord Kames. Je publierai également un autre projet sous ce titre : *La Terre aux Travailleurs*, qui a déjà reçu l'approbation d'un grand nombre de propriétaires et qui contribuera, je l'espère, à mettre en pleine lumière la solution des problèmes du socialisme. Enfin, cet ouvrage en préparation contiendra les bases, les statuts et l'organisation d'une *Banque du Travail*, qui, sans toucher au privilége de la Banque de France, arrivera progressivement à la réduction de l'intérêt de l'argent et à la légitime obtention du crédit par tous les ouvriers laborieux. Le problème du socialisme est posé ; il faut qu'il soit résolu, et la solution ne se trouvera pas sur les barricades, elle s'obtiendra par un trait d'union entre ce qui est et ce qui doit être. C'est la leçon du passé ; ce sera la leçon de l'avenir. Heureux si je puis contribuer à souder, par une plus juste organisation des rapports sociaux, le passé qui s'en va et l'avenir qui se lève !

L'établissement dont je viens de parler avait déjà une certaine importance, quand les élections de 1837, en me laissant libre, me permirent de consacrer tous mes soins au développement de cette entreprise. Je n'ai qu'un mot à dire de ces élections.

En arrivant à Pontivy, je reçus de mes commettants l'accueil le plus encourageant, et je fus nommé président du collége électoral. Mais les moyens d'influence que devait employer plus tard M. Guizot sur une si large échelle, étaient déjà effrontément pratiqués. Les derniers jours semèrent autour de moi tant de promesses, tant de faveurs, que la lutte devint très-inégale. En dépit des générosités de l'administration, mon concurrent ne l'emporta pourtant sur moi que d'une seule voix. Ce résultat montre que j'avais conservé toute l'estime et toutes les sympathies de mon département.

Après l'élection, je revins à Paris, mais je continuai à me rendre tous les ans au Conseil général du département du Morbihan, dont je faisais partie.

Je dois pourtant une mention particulière à un mandat spécial qui me fut confié cinq ans après ces élections de la Chambre. En 1842, je fus nommé inspecteur du travail des enfants dans les manufactures; j'avais été désigné au choix du gouvernement par mes collègues du syndicat des constructeurs de France, dont j'étais alors vice-président. Cette fonction gratuite me plaisait beaucoup, parce qu'elle me mettait en rapport avec les ouvriers, leurs familles, leurs enfants, et qu'elle me permettait ainsi d'étudier à fond, en les prenant sur le vif, ces rapports du capital et du travail, qui forment le grand problème du siècle, et dont je comprenais, dès cette époque, toute l'importance.

Ce mandat, je puis dire que je l'ai rempli, comme mon mandat de député, en conscience, et en ne consultant que mon devoir; j'ai souvent réclamé contre le peu d'unité et d'égalité que je trouvais dans l'application de la loi. Malheureusement, tous les inspecteurs ne comprenaient pas l'observation de cette loi de la même manière; je puis même dire que beaucoup ne faisaient pas d'inspections, ce qui laissait toute liberté aux industriels, liberté regrettable, celle-là, car elle représentait pour eux un véritable monopole. En violant la loi, ils pouvaient prendre des enfants au-dessous de la limite d'âge. C'est dans cette condition que je trouvai, un jour, le fils de Fieschi, travailleur dans un atelier de teinture de l'île Saint-Louis. Je le fis rendre à sa mère.

Il y avait, avec ce laisser-aller, bien d'autres abus. Les chefs d'industrie n'envoyaient pas les enfants à l'école; ils faisaient travailler plus que le nombre d'heures réglementaires; ils leur imposaient une tâche au-dessus de leurs forces. En un mot, c'était la mise en pratique de tous les coupables agissements que la loi avait voulu faire cesser et que mes collègues perpétuaient par leur négligence.

Quant à moi, je demeurais ferme observateur de la loi, que je regardais comme la sauvegarde des jeunes apprentis. Mais l'administration était loin de paraître satisfaite de ma vigilance. Au moment des élections, on se montrait surtout très-pressant pour me prier d'être un peu tolérant. M. Trebuchet, chef de division, mécontent sans aucun doute de me voir prendre cette fonction au sérieux, me conseilla plusieurs fois de donner ma démission. Mais je ne voulais

pas me prêter à cette ouverture, que je regardais comme
un acte de complaisance, et à chaque invitation qui m'était
faite, je répondais : « Destituez-moi. » — Je fus en effet destitué en 1850. C'est ainsi que se passent les choses dans notre
pays. L'opinion s'enflamme; on fait une loi, et l'application
de cette loi vient se heurter à mille difficultés imprévues.
Quoi de plus important, de plus sympathique, de plus sacré,
que cette question du travail des enfants? L'enfance est la
pépinière de l'avenir, et l'on ne peut trop se mettre en garde
contre les pernicieuses influences qui peuvent porter atteinte
à ces espérances vivifiantes. Eh bien ! l'on voit l'écart que
l'on trouve entre l'idée et le fait. La loi une fois faite, la
situation reste à peu près la même. Les abus passaient à
travers, comme l'eau à travers un crible. Ce n'est pas ainsi
que nous fonderons les institutions de la terre promise que
nous rêvons.

Après comme avant les élections de 1837, j'avais continué
à m'occuper de politique et à me tenir au courant des actes
et des événements qui pouvaient influer sur la marche du
gouvernement. Ils étaient malheureusement de nature à ne
laisser aucune illusion aux esprits clairvoyants. Plus se
dessinait la politique du règne et plus devenait manifeste la
trahison des hommes qui, appelés après 1830 à continuer
l'œuvre de la Révolution, ne travaillaient qu'à fortifier et
à enraciner un pouvoir oligarchique au profit de la famille
d'Orléans et de la grosse bourgeoisie. En tenant compte des
difficultés de la situation, car tout gouvernement en France
est appelé à en avoir beaucoup, il était impossible de considérer le point de départ et le point d'arrivée de la Révo-

lution de 1830, sans se dire qu'il y avait un abîme entre le gouvernement et le pays. L'idée de la Révolution et les revendications qu'elle apporte avec elle s'étaient souverainement élargies, et la politique du gouvernement, au contraire, n'avait cessé de se faire plus hostile à ce courant, plus étroite, plus mesquine, plus antipathique à la nation. On avait beau interroger le régime et ce que l'on appelait *la pensée du règne,* on n'y trouvait à tous les points de vue que mensonges : mensonges de la politique, mensonges de la royauté, mensonges des ministres, mensonges du parti conservateur, mensonges partout !

Mensonges de la politique ! A l'extérieur, comme à l'intérieur, on ne trouvait que déceptions et désenchantements. Au dehors, l'attitude du gouvernement était telle qu'on ne parlait que de la paix à tout prix et de l'abaissement continu de la France. Je ne fais certes pas un crime à ce gouvernement d'avoir voulu la paix. Tout gouvernement, pour moi, doit en faire le pivot de sa politique, et tout homme qui étudiera sérieusement la question de l'organisation du travail et vivra au milieu des travailleurs, ne manquera pas de maudire les crimes commis au nom de la gloire militaire. Qui donc s'est, jusqu'à présent, immolé pour ces triomphes et ces conquêtes, qui commencent par Marengo et finissent par Waterloo et Saint-Hélène? Le travailleur, qui voit disparaître dans le gouffre de la guerre tout ce qu'il a créé pendant la paix. La politique pacifique est donc l'objectif des gouvernements; mais la royauté de 1830 avait le tort impardonnable, quand il s'agit de l'une des cinq grandes puissances de l'Europe, de parler et d'agir comme si l'épée de la France était à jamais brisée. Pour les peuples, comme pour les individus, la paix est funeste quand elle n'est pas

digne. *Otium cum dignitate.* Et le gouvernement de 1830
avait été si peu digne, que les grandes puissances de l'Europe le bafouaient tour à tour, comme si la grande nation
avait abdiqué ! L'abandon de la Pologne, le retrait de notre
armée d'Ancône, le traité de la quadruple alliance (en 1840)
à l'exclusion de la France, l'indemnité Pritchard, l'humiliation de notre ministère devant l'empereur Nicolas et lord
Palmerston, ne prouvent que trop que les puissances étrangères pouvaient, suivant un mot célèbre, faire passer la
France par le trou d'une aiguille.

Mensonges de la Royauté ! Ici, la mystification était complète. La volte-face de Louis-Philippe avait été cynique. Le
roi-citoyen de l'hôtel-de-ville, le monarque qui, le lendemain des barricades, ne se présentait au peuple qu'en chantant la *Marseillaise,* le souverain qui ne prenait la couronne
que pour faire *la meilleure des républiques,* tournait au
potentat qui ne voulait et ne comprenait que le gouvernement personnel. Et qu'était-ce que ce gouvernement personnel ? Pas autre chose que le maintien de la branche
cadette ! Calcul d'autant plus misérable que cette dynastie
ne semblait, en vérité, vouloir fonder son pouvoir que sur
la plus misérable influence, l'argent ! L'un des plus intrépides serviteurs de ce régime, M. Dupin, avait appelé les
banquiers des *loups cerviers,* et le roi de la charte-vérité
se montrait lui-même le plus intraitable de ces *loups cerviers.* Il était impossible d'afficher plus que Louis-Philippe
l'idolâtrie de l'or. Sa fortune était le premier et le dernier
mot de sa vie !

Et quelle fortune ! Tous ses biens étaient devenus la propriété de l'Etat, car Philippe-Egalité, qui était le prince le
plus riche de l'Europe, fut obligé, par suite de sa décon-

fiture, d'abandonner sa fortune à ses créanciers, qui lui
accordèrent son concordat le 10 janvier 1792. Mais le gouvernement fut obligé de prendre en mains cette liquidation,
et racheta ces biens pour le compte de l'Etat, après avoir
payé 37 millions aux créanciers. Ces biens appartenaient
donc à l'Etat, quand la Restauration vint permettre au duc
d'Orléans de reconquérir la fortune de sa famille. Trois ordonnances de Louis XVIII rendirent aux d'Orléans tous
leurs biens. Les archives du royaume remirent en un jour,
au fondé de pouvoirs de Louis-Philippe, cent-sept cartons,
contenant 1733 pièces, et ce fut le jour même où parut la
dernière ordonnance, le 17 septembre 1814. Le prince ne
put attendre le lendemain !

En 1830, le roi populaire en parapluie avait donc une
immense fortune. Quatre millions de rente, en terres et
forêts ; 2,514,912 en apanages, onze palais avec leurs mobi-
liers, plus un domaine privé grossi de 17 millions provenant
du milliard de l'indemnité. Et c'est avec cet avoir, qu'allait
accroître une liste civile de 18 millions, que le prince songeait, avant d'accepter la couronne, à faire à ses enfants la
donation de ses biens ! N'est-ce pas honteux ?

Le roi mit le comble à sa détestable renommée en pour-
suivant avec acharnement les 80 millions de l'héritage du
dernier des Condé, mort pendu à l'espagnolette de son salon !
Ses relations avec la baronne de Feuchères, la maîtresse du
duc de Bourbon, ont laissé sur sa mémoire une tache qui
ne s'effacera jamais. Ajoutez encore à cette odieuse intrigue
les demandes de dotations pour ses fils, pendant son règne,
et vous aurez le vivant portrait du monarque. Et voilà le
roi qui, racontant un jour ses peines à M. Guizot, lui disait
avec tristesse et en lui prenant la main : « Je vous dis, mon

cher ministre, que mes enfants n'auront pas de pain! » C'est
M. Guizot qui le raconte dans ses *Mémoires*. La Révolution
avait donc été complétement jouée. Non-seulement on avait
substitué une monarchie à la république, mais, dans le
prince choisi, il n'y avait que l'étoffe d'un thésauriseur
avide et sans vergogne!

Mensonges des ministres! Après Casimir Périer, emporté
dans la première période du règne, le Gouvernement de
1830 n'eut guère qu'un trio ministériel composé de MM. Molé,
Thiers et Guizot, qui se passaient le pouvoir sans rien changer au fond des choses. L'un d'eux ne l'a-t-il pas dit avec
une spirituelle parole, mais qui, pour moi, est une injure
pour le pays: « Nous jouons le même air; mais moi, je le
joue mieux que les autres. » — Le même air, en effet, et
cela est si vrai, qu'après dix-huit ans de règne on se demandait ce qu'avait donc fait le gouvernement pour faire
progresser le pays. Mais en jouant le même air, ces hommes d'Etat ne pouvaient évidemment donner satisfaction à
la Révolution, qui est toujours en marche pour développer
jusqu'au bout l'émancipation sociale; et pour retenir dans
leurs mains cette société qui leur échappait, que faisaient
alors ces ministres? Ils usaient et abusaient du vieux moyen
des gouvernements qui séparent leurs intérêts des intérêts
généraux du pays; ils faisaient de la corruption. La presse,
l'administration, les places, la magistrature, le corps électoral, le favoritisme dans l'armée, tout devenait pour ces
trois ministres un instrument du règne. Et l'audace égalait
leur démoralisation : « Enrichissez-vous! » disait M. Guizot
dans une allocution célèbre adressée à ceux qu'on appelait
d'un mot caractéristique: les « satisfaits »! Et comme pour
ajouter l'injure à ses funestes doctrines, il ajoutait dans un

autre discours, adressé à ses électeurs : « Vous sentez-vous corrompus ? »

En vérité, les censitaires qui maquignonnaient des places, pouvaient-ils se plaindre des ministres qui les leur réservaient exclusivement ? Fût-il jamais un plus écœurant spectacle, et n'ai-je pas raison de dire qu'il n'y avait là que des mensonges ?

Mensonges du parti conservateur ! Oui, en prenant le système dans son ensemble et en le considérant comme l'expression du parti conservateur qui avait tout en main, on peut dire que ce parti conservateur, si riche, si intelligent, si puissant, n'eut jamais pour le peuple que des mensonges et d'impitoyables rigueurs. La Révolution ? On la déclarait terminée, en disant aux travailleurs : « Gagnez de l'argent, et vous serez bourgeois comme nous ! » Mais le travail lui-même, on ne songeait guère à l'améliorer, et quand la voix des foules se faisait entendre, M. Guizot répondait, en discutant la loi du travail : « Le travail est un frein. » — L'émancipation politique ? Oh ! il n'y fallait pas songer. En répondant aux revendicateurs de la gauche radicale, M. Guizot avait dit à la tribune : « Il n'y a pas de jour, dans notre siècle, pour le suffrage universel ! » — Et la résistance, sur ce point, était si opiniâtre, si stupide, que le gouvernement allait laisser la Révolution frapper à sa porte, plutôt que d'accorder le droit de suffrage aux capacités !

M. de Lamartine avait donc raison, quand il disait en s'adressant au parti conservateur : « Vous ne représentez que des bornes ! » De tous côtés, en effet, le régime se trouvait complétement fermé pour le monde des travailleurs. Instruction, crédit, propriété, droits politiques, tout commençait à l'argent et finissait à l'argent. La bourgeoisie avait mis sur la société ses gros sacs d'écus, comme un couvercle de plomb, absolument comme la Restauration avait placé ses vieux parchemins. Ce n'est pas avec de pareilles barrières qu'on peut arrêter la marche d'un peuple. L'idée est irrésistible, et son essor devait avoir d'autant plus de puissance, que le gouvernement ne faisait rien pour retarder son triomphe. L'un des partisans dévoués du juste-milieu n'avait-il pas caractérisé sa politique par ces trois mots désespérants : « Rien! Rien! Rien! »

En présence d'un système qui ne représentait que le vide, il ne faut donc pas nous étonner de voir apparaître la Révolution pour reprendre, en 1848 comme en 1830, l'idée impérissable de l'affranchissement de l'homme!

1848

Fin du règne de Louis-Philippe. — Les banquets et la réforme. — Le banquet du Château-Rouge. — Le banquet du 22 février. — Le coup de pistolet du boulevard des Capucines. — Chute de la dynastie et proclamation de la république. — M. Arago au 8e arrondissement. — Les postes de la Bastille. — La caserne de Reuilly. — Ma nomination comme commissaire général dans le Morbihan. — Les élections : mon élection à la tête de la liste des représentants du Morbihan.

Le règne de Louis-Philippe touchait à sa fin. Réforme ou Révolution, telle était pour lui, comme pour tous les gouvernements en France, l'inévitable alternative, et comme le souverain et ses ministres ne voulaient même pas entendre prononcer le mot de réforme, il était clair que la révolution n'était pas loin. La répulsion du pouvoir pour toute initiative était si opiniâtre que, malgré le progrès des idées et de l'instruction, M. Guizot, premier ministre, écartait sans aucune concession le modeste projet qui avait pour but d'élargir le droit électoral, pour y comprendre ce que l'on appelait les capacités. La résistance du chef des doctrinaires était d'autant moins bien fondée, que l'Empire lui-même, le gouvernement absolutiste par excellence, n'avait pas hésité, pendant les Cent jours, à reconnaître dans le corps électoral les capacités commerciales et industrielles. C'était donc le parti-pris de l'immobilité. L'opposition releva le gant et commença la célèbre campagne des banquets.

Ces banquets et les virulents discours qu'on y prononçait remuaient profondément le pays. Il importe, en effet, de remarquer que ce n'étaient pas seulement les républicains qui soutenaient cette grande ligue de la réforme électorale. Les républicains étaient depuis dix-huit ans sur la brèche, et tout naturellement ils se trouvaient au premier rang.

Le lendemain des journées de 1830, l'un des plus vaillants combattants, Godefroy Cavaignac, avait eu un entretien avec le prince qu'on voulait replacer sur le trône de Charles X, et cette seule entrevue avait suffi pour éclairer l'intègre publiciste.

— Vous me reviendrez, lui dit Louis-Philippe d'un ton caressant.

— Jamais ! avait énergiquement répondu Godefroy Cavaignac.

On peut dire que ce *jamais* du républicain convaincu avait été fidèlement respecté par le parti entier, pendant tout le règne, comme le mot d'ordre de la démocratie, et quand le pays se réveilla pour imposer au gouvernement ses revendications, les républicains se retrouvèrent, bien entendu, à l'avant-garde. Mais ce n'était pas seulement l'extrême gauche de la chambre qui agissait. Toute l'opposition constitutionnelle s'était mise sur les rangs, et le pays tressaillait aux éloquentes protestations que MM. de Lamartine, Ledru-Rollin, Odilon Barrot, Duvergier d'Hauranne, de Malleville faisaient entendre contre l'abaissement et la démoralisation de la France.

Le pays se passionnait manifestement pour la réforme;

mais il est certain que, même aux derniers jours de la campagne des banquets, aucun des chefs du mouvement ne songeait à faire une révolution nouvelle. On peut même affirmer que la chute du ministère Guizot et l'avénement d'un ministère Thiers-Odilon Barrot, avec un programme libéral comprenant la réforme électorale, eût donné pour le moment pleine et entière satisfaction au pays. Tant il est vrai que cette France, qu'on prétend ingouvernable, se contente de la moindre amélioration et sait attendre pour le reste. Le refus obstiné du gouvernement poussa seul les choses à l'extrême.

Le 9 février, eut lieu le banquet du Château-Rouge, auquel j'avais souscrit. En m'y rendant, je rencontrai un ouvrier que je connaissais et qui se lamentait d'avoir perdu sa carte d'entrée. Comme ce banquet devait être suivi de plusieurs autres, je lui donnai ma carte, et me privai d'assister à cette réunion. C'est là qu'Odilon Barrot stigmatisa si puissamment les hontes du gouvernement de Louis-Philippe.

« Ne rendons pas, s'écria-t-il, la glorieuse Révolution de
» Juillet responsable des misères de la politique actuelle.
» On est arrivé au spectacle honteux qui afflige nos yeux,
» non pas en gouvernant selon cette Révolution, mais en
» gouvernant contre elle, en mentant à tous ses principes.
» Y a-t-il aujourd'hui des incrédules? Les scandales sont-ils
» assez grands? Le désordre moral qui menace cette société
» d'une dissolution entière, ne se manifeste-t-il pas par des
» exemples éclatants? (Le procès Teste-Cubières, l'assassinat
» de la duchesse de Praslin, etc.)

» Il n'y a que deux moyens de gouverner les hommes,
» ou par des sentiments généreux, ou par des sentiments
» égoïstes. Le gouvernement a fait son choix; il s'est adressé
» aux cordes basses du cœur humain. Les atteintes portées
» à la liberté peuvent se réparer. Un seul jour de victoire
» de l'opinion publique peut emporter toutes les mesures
» rétrogrades et liberticides dont on a chargé le pays; mais
» les atteintes portées aux mœurs publiques, mais la démo-
» ralisation du pays, mais le mépris du pouvoir, mais la
» déconsidération des classes aisées, mais la défiance entre
» les classes de citoyens, tout cela est un mal profond, et
» je le crois irréparable! »

Quelques jours après, devait avoir lieu le banquet du
douzième arrondissement, auquel j'étais convoqué comme
ancien député. En présence de la propagande efficace produite par les banquets et de la surexcitation des esprits
dans la capitale, le gouvernement prit la funeste résolution
d'interdire cette réunion. L'opposition, de son côté, après
avoir discuté la mesure prise par le ministère, persista dans
la décision qu'elle avait annoncée et maintint le banquet,
pour consacrer un des droits imprescriptibles de tout peuple libre.

Le 22 février, je fus donc exact au rendez-vous que l'on
avait donné. C'était à la Madeleine; j'y allais parce que les
circonstances étaient graves et qu'il y avait péril; car la
carte que j'avais offerte à un ouvrier pour le banquet du
Château-Rouge, montre que je n'attachais plus personnellement grande importance à ces réunions de députés, où je
ne voyais jamais surgir que des aspirations ambitieuses et
égoïstes qui ne faisaient de la cause populaire qu'un marche-
pied pour escalader le pouvoir.

L'histoire de ces trois journées est aussi connue que les trois journées de 1830. Je n'ai pas à refaire ici le récit de ces événements, qui ont depuis longtemps trouvé des historiens. Mais comme la légende du fameux coup de pistolet du boulevard des Capucines a joué un grand rôle dans ce tragique dénouement, je tiens à donner ici le témoignage de ce que j'ai vu, de ce que j'ai entendu et de ce que j'ai fait dans cette soirée où s'est joué le sort de la monarchie de 1830.

Le 23 février, devant la marée montante de l'émeute populaire, la cour s'était rendue, et la chute du ministère Guizot avait été annoncée et accueillie avec une joie sincère qui fit cesser toute résistance de la part de Paris. Qu'allait faire encore M. Thiers? On ne se le demandait pas; mais on se disait qu'il ferait assurément quelque chose pour la réforme, et la population se montrait satisfaite.

Dans tous les quartiers, on s'en allait disant : « C'est fini ! mais il ne faudra plus que le gouvernement bronche. » Partageant l'opinion générale, et voyant dans tout mon quartier, si agité, la lutte cesser sur tous les points, j'allai, le soir du 23, le long des boulevards, pour étudier la physionomie de Paris, et je me rendis rue de Courcelles, chez M. Delorme, le grand'père de ma femme, chez qui je devais dîner.

En passant, je remarquai qu'il y avait des troupes au Ministère des affaires étrangères. Toutefois ces troupes n'empêchaient pas de passer. Les circonstances étaient trop graves pour ne pas revenir le soir sur le théâtre des événements. Je dînai donc à la hâte, et je revins vers huit heures au Ministère des affaires étrangères, où j'avais trouvé des troupes.

Arrivé sur ce point, je remarquai que la consigne était changée; on ne laissait plus passer sur le boulevard, mais on laissait passer par la rue basse du rempart, qui était à cette époque en contre-bas du boulevard. Je m'engage dans cette rue, et, arrivé au coin de la Chaussée d'Antin, je vis Ernest de Girardin, député de la gauche, sortir du restaurant Bignon.

— Quelles nouvelles? me dit-il en m'offrant un cigare.

— J'en cherche, répondis-je, et je trouve les boulevards bien mouvementés.

— Oh! je pense que c'est fini avec les concessions faites.

— Et moi aussi, mais à la condition d'agir et de marcher rondement.

— Il faudra bien que l'on fasse quelque chose; le ministère Guizot n'est plus possible.

Au moment même où nous échangions nos impressions sur la journée, défilait devant nous, en allant du côté de la Madelaine, une colonne d'ouvriers, accompagnés de quelques gardes nationaux, de femmes, de jeunes gens; le cortége, marchant par rangées inégales, était précédé d'un drapeau, et éclairé de torches. Suivant l'habitude française, on s'en allait chantant la *Marseillaise*. Nous ne vîmes apparaître aucune arme.

Nous continuons à causer, Ernest de Girardin et moi, et quelques minutes après, nous entendons distinctement un feu de peloton bien nourri. A cette décharge inattendue, Girardin me quitte et se dirige vers la rue Blanche, où il demeure, et j'accours au plus vite vers le boulevard des Capucines, d'où venait la détonation.

A peine avais-je fait quelques pas, que je vois se précipiter de mon côté toute une foule en désordre. J'essaye d'arrêter quelques-uns des fuyards pour leur demander ce qui se passe. Impossible ; prise d'une folle terreur, la foule passait comme une trombe. Je recule avec elle jusqu'à la rue Le Pelletier, sans avoir rien appris, et là je monte au bureau du *National ;* j'y trouve Dornès en uniforme de garde national, et je lui propose de venir avec moi voir ce qu'il y avait de nouveau. Dornès accepte, et nous partons.

Arrivés à la hauteur de la rue de la Paix, nous entendons des gémissements. Il régnait un grand tumulte ; c'était une scène déchirante. Il y avait çà et là, sur le boulevard, des blessés que l'on relevait pour leur porter secours, et qui poussaient des cris affreux. Nous continuons à avancer le long de la rue basse du rempart, pour arriver jusqu'à la troupe. Là je m'adresse à un tout jeune sous-lieutenant, qui paraissait récemment sorti de Saint-Cyr. Pas de réponse. L'émotion, le saisissement, lui avaient coupé la parole. Je passe sur la chaussée, et je vais à un lieutenant, qui ne peut me donner d'explication ; et là, apercevant le lieutenant-colonel du 14e, qui était à cheval sur le terrain en élévation qui servait de passage le long du Jardin du Ministère, je vais directement à lui.

— Colonel, lui dis-je, comment avez-vous pu donner l'ordre de tirer sur des citoyens sans armes, alors que tout conflit est terminé sur tous les points de Paris ?

— C'est une fatalité, répondit-il, et je suis navré. J'ai donné l'ordre de croiser la baïonnette, un coup de fusil est parti, et les autres soldats ont fait feu. J'en suis désolé.

Et tous les officiers présents paraissaient également consternés.

— Eh bien! dis-je au commandant, ce malheur peut avoir de terribles conséquences. Il faut que le fait s'explique et soit immédiatement connu de tout Paris. Que l'un de vos officiers vienne avec moi; nous donnerons des explications, et peut-être pourrons-nous calmer l'irritation. Je réponds sur ma tête qu'il ne sera rien fait à l'officier qui m'accompagnera.

Le lieutenant Baillet[1] se propose, et nous partons pour le boulevard Montmartre. A peine étions-nous arrivés aux Bains chinois que nous voyons les groupes s'avancer vers nous, et en voyant sur le shako de l'officier la plaque du 14e, les démonstrations deviennent si menaçantes que j'ai peine à protéger le lieutenant. Nous ne réussissions même pas à nous faire entendre. Près du café Tortoni, un homme en blouse se précipite sur l'officier, le sabre au poing, et je n'ai que le temps de parer le coup avec le parapluie que j'avais à la main.

En ce moment passe sur le boulevard la 2e légion de la garde nationale, commandée par Talabot, l'un de mes amis. J'entraîne le lieutenant dans les rangs, où il se trouvait en sûreté, et je vais dire à Talabot tout ce qui vient de se passer.

— Accompagnez-moi, me dit-il, et nous irons ensemble voir le commandant du 14e.

— Restez à la Chaussée d'Antin, répondis-je. Mieux vaut que j'y aille seul. Je dirai au colonel que vous êtes là, et je vous rapporterai sa réponse.

— Partez, je vous attends. Il importe que cette troupe s'en aille au plus vite.

---

[1] Le lieutenant Baillet, avec lequel je suis resté en relations, s'est retiré à Marchiennes (Nord), où il s'occupe d'industrie.

J'arrive au lieutenant-colonel, qui, en me voyant seul,
me dit immédiatement :

— Et mon lieutenant?

— Colonel, il est en sûreté dans les rangs de la 2e légion
de la garde nationale, qui est un peu plus loin, à la Chaussée
d'Antin. La 2e légion est commandée par l'un de mes amis.
Elle s'avance de votre côté, et je viens vous demander, pour
éviter un nouveau malheur, comment vous allez la recevoir?

— Y a-t-il dans la légion un officier d'un grade supérieur
au mien?

— Oui, sans doute.

— Eh bien ! qu'on me donne des ordres; j'obéirai.

Je rapporte à l'instant même cette réponse à Talabot, qui
arrive et ordonne au lieutenant-colonel de se replier. Tout
danger d'une collision nouvelle avait disparu.

Quelques jours après, je rencontrai chez mon grand-père
M. Perrin, notaire, qui se trouvait sur le boulevard, au
moment de la fusillade, avec les enfants de Doublat, député
des Vosges, et en entendant le récit que je fis de l'affaire, il
déclara qu'il était exact.

J'avais fait de mon mieux pour empêcher l'effusion du
sang, et pour le moment, je réussis à l'endroit même où
s'était accompli le drame ; mais cette décharge avait produit
dans tout Paris une commotion électrique, et je m'aperçus,
en entrant dans mon quartier, près la place des Vosges, que
les dispositions avaient complétement changé. De la paix
on était revenu à la guerre. Ce sang versé, par une décharge
exécutée sur une foule sans armes, criait vengeance. Des
groupes de citoyens parcouraient les rues, en appelant aux
armes. Le tocsin sonnait dans un grand nombre d'églises.

De nouvelles barricades s'élevaient dans tous les arrondissements de Paris. Dans cette nuit mémorable, Paris en éleva
plus de douze cents! La lutte recommençait le lendemain
matin, et, à midi, Louis-Philippe prenait à son tour le chemin de l'exil ! La dynastie de la branche cadette avait vécu !

––––––––––––

La République avait été proclamée à l'hôtel-de-ville, au
milieu d'un enthousiasme indescriptible, et, de là, quelques
membres du gouvernement provisoire étaient allés la faire
reconnaître dans les mairies des arrondissements. Ce fut
M. Arago qui vint lire la proclamation à la mairie du 8ᵐᵉ
arrondissement, place des Vosges. Après cette lecture, accueillie par des bravos frénétiques, le maire de l'arrondissement, M. Moreau, et l'un des adjoints, M. Bayvet, accompagnés d'un peloton de gardes nationaux et d'une foule de
citoyens, se rendirent dans les différents quartiers de l'arrondissement pour lire au peuple cette même proclamation.

La première station eut lieu sur la place de la Bastille.
En m'y rendant avec le cortége, je songeai aux postes et
aux casernes, qui étaient toujours occupés par la troupe et
qui, ne connaissant pas les événements de la journée, pouvait encore être disposée à la résistance. Il y avait là,
évidemment, un danger, et il fallait le conjurer. Pendant la
lecture de la proclamation, je me dirigeai vers le corps-de-
garde établi sur la place de la Bastille, et j'y trouvai un
général qui ne savait rien des grands actes de la révolution
nouvelle.

— C'est la République que l'on proclame, général, et vous
pouvez venir avec moi pour vous en convaincre.

Le général m'accompagna jusqu'au pied de la colonne

où se trouvaient le maire et l'adjoint. La lecture était terminée. Tout en donnant connaissance au général des faits principaux, le cortége avait repris sa marche pour entrer au faubourg Saint-Antoine; mais devant les magistrats municipaux marchaient, comme une bruyante avant-garde, des groupes de citoyens tumultueux. L'un de ces groupes avait voulu désarmer le poste qui se trouvait à l'entrée de la rue de Charonne, du côté du faubourg Saint-Antoine, et le corps de garde, suivant ce que je craignais, ne voulut pas se rendre et répondit par une décharge qui fit tomber sur la place quatre ou cinq hommes du cortége.

En un clin-d'œil, la place fut vide. Les magistrats cherchèrent refuge dans le faubourg, et le général et moi nous fûmes pris entre deux feux. Le général regagna son poste et je me dirigeai moi-même vers le faubourg; mais en me retournant, je vis se débattre sur la place une des victimes. A cette vue, je ne pus me retenir, et je me précipitai seul pour lui porter secours. Les soldats qui venaient de tirer me crièrent : Bravo ! Mais ma bonne pensée était bien inutile : le malheureux avait une balle dans la tête, et à peine étais-je près de lui qu'il rendait le dernier soupir.

Ce qui venait de se passer était significatif, et j'avais raison de redouter de pareils malheurs. Je pensai immédiatement à la caserne de Reuilly, où il y avait encore deux régiments.

Ayant retrouvé les deux magistrats dans la maison où ils s'étaient réfugiés, et où ils se préparaient déjà à se dépouiller des insignes de leurs fonctions pour échapper à la fusillade, je les mis au courant de la situation, le cortége se reforma, et prit sa marche pour aller au carrefour Reuilly.

Je me rendis en toute hâte à la caserne de Reuilly et je demandai à parler au colonel. Je trouvai les deux officiers supérieurs se promenant tristement dans la cour de la caserne. A ma première ouverture, l'un d'eux me dit qu'il allait me retenir comme prisonnier.

— Colonel, lui dis-je, votre prison ne m'effraie pas, car dans deux heures, vous serez le premier à me rendre la liberté. Ce que je veux, avant tout, c'est empêcher l'effusion du sang. Par suite du malentendu qui peut se produire, bien d'autres citoyens peuvent encore tomber, comme les victimes qui sont en ce moment couchées sur la place de la Bastille. Il y a un moyen bien simple de tout éclaircir, c'est de venir avec moi entendre la proclamation que le maire de l'arrondissement va lire au carrefour Reuilly.

Après quelques instants d'hésitation, l'un des deux colonels m'accompagna et nous entendons proclamer la République; le colonel, édifié, retourne à la caserne, où il donne à ses hommes les instructions nécessaires pour éviter tout conflit. Il n'y avait plus aucune méprise à craindre de ce côté.

———————

Le lendemain de la proclamation de la République, le vénérable Dupont de l'Eure me dit qu'il avait été question de moi, la veille, au conseil du gouvernement, pour me nommer commissaire général du département du Morbihan. Arago avait pourtant fait craindre que je ne pusse accepter, à cause des grandes affaires industrielles qui me retenaient à Paris. Mon atelier de construction avait, en effet, pris des proportions considérables. J'avais un grand nombre d'ouvriers, et mon séjour à Paris était justifié par les plus graves intérêts.

Pourtant je fus nommé, et j'étais décidé à me rendre pendant un certain temps dans le Morbihan. Ma nomination fut partout accueillie avec les témoignages de sympathie les plus chaleureux. Je reçus un grand nombre d'adresses, de félicitations et de remerciements. L'adresse de la ville de Lorient était signée par Dahirel, le député actuel de l'assemblée nationale, avec lequel je suis toujours resté dans les meilleurs termes, malgré les divergences absolues de nos opinions.

Mais avant de partir, il fallait m'entendre avec Ledru-Rollin, ministre de l'intérieur. Je le vis, à ce sujet, et nous ne pûmes nous mettre d'accord sur la ligne de conduite à suivre dans un pays que je connaissais mieux que lui.

Ces nominations de commissaires généraux étaient, le lendemain du 24 février, très-enviées et très-recherchées. La mienne avait été accueillie dans le Morbihan avec les démonstrations les plus sympathiques : mais je n'ai jamais sacrifié à la popularité, et je n'ai jamais cherché qu'une chose, être utile à mon pays. Voyant que M. Ledru-Rollin voulait m'imposer un programme qui n'était pas le mien, je n'hésitai pas à refuser le poste qui m'était confié.

J'étais alors ce que je suis aujourd'hui. Ledru-Rollin voulait plier sous une discipline uniforme toutes les régions de la République. Il n'était préoccupé que du point de vue politique de l'unité française, dont la République devait faire un faisceau tout-puissant. Il avait raison, et l'unité de la patrie doit être absolument *le credo* de tout homme politique en France ; mais il avait tort de confondre l'administration avec la politique, et au point de vue de l'administration et des affaires, la Bretagne est un pays à part, parlant une autre langue, et qui demande à être manié par

un homme qui la connaisse à fond et qui sache faire comprendre aux gens de la campagne les bienfaits de la vie
moderne.

Cette observation s'applique à toutes les provinces anciennes de la monarchie. Voilà pourquoi l'idée de la fédération, préconisée par la Commune et justifiée par la science
et l'expérience, a, suivant moi, l'avenir pour elle, et voilà
pourquoi, en prononçant comme doyen d'âge le discours
d'inauguration de la Commune, je n'ai pas hésité à désigner
par une formule précise le problème de notre organisation
future.

L'unité avec la centralisation répond mieux à l'idée de
guerre qui représente le passé; la fédération répond mieux
à l'idée de paix qui représente l'avenir.

L'avenir sera pour la fédération contre la centralisation.

Autre souvenir.

Le jour que je me rendis au ministère de l'intérieur pour
prendre les instructions de M. Ledru-Rollin, j'attendais
dans l'antichambre, lorsque je vis arriver, tout pressé,
M. de Cormenin.

— Oh! me dit-il, n'attendez pas plus longtemps. Entrez
avec moi; c'est moi que l'on attend. J'ai été chargé de préparer la nouvelle loi électorale, et je l'apporte. Tenez,
voyez.

Et il me la donna à parcourir.

— Comment! lui dis-je, le suffrage universel?

— Oui, me répondit-il; c'est le seul moyen d'assurer le
règne du peuple.

Telle fut la réponse de l'esprit clairvoyant qui devait, un

peu plus tard, s'éclipser et s'éteindre au milieu des pape-
rasses du Conseil d'Etat, après le coup d'Etat du 2 décembre. Triste fin !

Il avait raison pour le suffrage universel ; mais ce décret
n'était logique et complet qu'à la condition d'avoir pour
pendant un autre décret, celui de l'instruction publique et
obligatoire.

Cet autre décret n'est pas venu, et le second Empire a pu
faire du suffrage universel une machine à plébiscites et à
candidatures officielles. Qui dit suffrage, dit instruction. En
sommes-nous donc réduits à démontrer encore que le citoyen de notre temps a tout autant besoin des yeux de l'intelligence que des yeux du corps !

Le jour des élections arrivé, je crus devoir porter ma
candidature dans ce département du Morbihan qui avait
multiplié pour moi tant de témoignages de confiance et de
sympathie. Dans un moment où les candidatures s'étalaient
pompeusement avec des professions de foi ardentes, enthousiastes, hyperboliques, je crus devoir me renfermer dans
un programme des plus simples et des plus concis. Voici
ma circulaire :

« Electeurs du Morbihan,

» Puisque je ne suis plus appelé à l'honneur de vous ad-
» ministrer, je puis solliciter celui de vous représenter à
» l'Assemblée nationale, sans m'exposer au reproche d'avoir
» abusé de ma position pour obtenir vos suffrages.

» Plusieurs d'entre vous me connaissent déjà depuis long-
» temps : mes principes politiques n'ont jamais varié. Je

» défendrai la liberté toute ma vie : liberté d'association,
» liberté des cultes, liberté de réunion, liberté de la presse.

  » Je n'ai jamais été un homme de parti, un homme de
» coterie, je suis et resterai l'homme de mon pays.

  » Mes opinions se résument ainsi : Respect au droit de
» Propriété, Liberté de Conscience, Progrès pour avoir
» l'Ordre, l'Ordre pour avoir le Progrès.

  » Vive la République!

                                    » Ch. BESLAY. »

Ma profession de foi était assurément bien simple et bien
modeste à côté des dithyrambes et des phrases de rhétori-
que qui ont rempli à cette époque les circulaires du plus
grand nombre des candidats. Je ne puis à ce sujet me dispenser de consigner ici quelques réflexions sommaires.

Plus tard, j'aurais certainement adressé à mes compatriotes un autre langage et un programme plus accentué.
C'est qu'en effet les convictions qui sont aujourd'hui la lumière de ma conscience ne se sont complétées que graduel-
lement et par l'expérience successive des événements qui
se sont déroulés devant moi. J'ai été, si je puis ainsi parler,
national sous la Restauration, libéral sous le gouvernement
de 1830, républicain en 1848 et socialiste pendant le second
empire.

En confessant ici à cœur ouvert les évolutions successi-
ves de mes idées, j'ajoute immédiatement que je n'ai qu'à
m'applaudir de cet élargissement de mon esprit. En mon
âme et conscience, je n'ai fait qu'avancer dans les voies ouvertes par la Révolution, qui ne sera réellement accomplie
que le jour qu'elle aura partagé entre tous, les avantages et
les droits qui constituent le patrimoine et la suprématie de
la minorité.

Toutefois, en revenant au modeste programme de ma profession de foi de 1848, je puis du moins me donner le témoignage d'avoir tenu fermement ce que je promettais, tandis que j'ai vu s'envoler depuis longtemps la fumée de toutes les périodes pompeuses de nos Tartuffes politiques. Suivant un vieux proverbe, les paroles pour moi sont femelles et les actes seuls sont mâles. Je promettais peu, mais j'ai tenu plus que je n'ai promis, tandis que les conservateurs hypocrites, qui promettaient monts et merveilles, n'ont su que mentir lâchement à toutes leurs promesses.

Le département du Morbihan, qui me connaissait, me fit l'honneur de me porter sur toutes les listes que les divers comités faisaient circuler dans les villes et les campagnes. Ma nomination était donc certaine, et, en effet, je fus nommé représentant le premier sur la liste du Morbihan, avec 95,000 suffrages.

Mon nom, je dois le dire, était accueilli dans les villes ainsi que dans les campagnes comme un gage de concorde et de conciliation générale sur le terrain de la République. J'en donne ici deux témoignages qu'on ne récusera pas.

M. Ducordic, président au tribunal de Vannes, l'un des hommes les plus considérés du Morbihan et qui, en 1830, avait été nommé député par deux colléges, m'écrivit la lettre suivante après ma nomination :

« Mon cher Beslay, vous êtes un heureux mortel. Dans » notre département, où il est si difficile de s'entendre, il » s'est formé beaucoup de comités électoraux, sans relations » entre eux. Vous avez eu le bonheur de convenir à tout le » monde, et l'on s'est plu de tous côtés à vous donner une » preuve d'estime et de confiance. Je vous en félicite, et j'en » félicite également le pays. Dans les circonstances graves

» où nous sommes, à la suite d'une grande révolution, il
» faut des hommes dévoués au nouvel ordre de choses, mais
» en même temps fermes et raisonnables. Votre nom est
» sorti de l'urne avec honneur et distinction. Recevez en,
» mon cher Beslay, mon bien sincère compliment. Nos re-
» lations à la Chambre ont été franches et amicales, j'en ai
» gardé un bon souvenir, c'est pourquoi je vous adresse
» mes félicitations bien sincères. » (13 mai 1848.)

L'autre témoignage est plus significatif encore : c'est celui de l'abbé Danielo, ancien professeur de physique au
petit séminaire de Sainte-Anne, et qui fut ensuite nommé
curé de Guer.

L'abbé Danielo était avec moi au nombre des représentants du Morbihan, et venait le second sur la liste ; c'était
un saint prêtre et un esprit indépendant. Un autre ecclé-
siastique du diocèse, l'abbé Leblanc, fut aussi nommé,
comme l'abbé Danielo, par les électeurs morbihannais ;
mais il y avait un abîme entre ces deux abbés : tandis que
l'abbé Leblanc restait cramponné à l'absolutisme politique
et religieux, l'abbé Danielo se montrait l'homme de son
temps et comprenait les nécessités de son siècle. L'étude des
sciences lui avait ouvert des horizons qui échappent aux
intelligences que le catholicisme retient sous son joug.

L'abbé Danielo prit modestement sa place à l'Assemblée,
auprès de M. Mazuline, le représentant noir des Antilles,
dont le voisinage ne paraissait pas recherché. Ce digne
prêtre montra pour moi une sympathie marquée et je me
sentis moi-même attiré vers lui par sa nature droite et sincère. Je me fis un plaisir de le présenter à François Arago,
qui lui reconnut un mérite réel, surtout comme minéralo-
giste. Nos relations restèrent affectueuses, toutes cordiales,

et je pourrais le prouver par plusieurs lettres, où le brave curé de Guer m'invite chaleureusement à visiter son humble presbytère. J'aime mieux mentionner ici la lettre politique qu'il m'adressait à la date du 23 juillet 1850, lettre où il m'ouvre son âme, en me montrant ce qu'il pense de nos restaurations monarchiques. Ce coup d'œil du digne abbé est aussi juste et aussi vrai en 1873 qu'en 1850. Voici sa lettre :

« Guer, 23 juillet 1850.

» A propos de la République, vivons-nous encore sous le » régime républicain ? Nous autres paysans et barbares de » la Bretagne, nous ne comprenons pas grand'chose à la » politique, et pour mon compte, je vous avoue que je n'y » vois pas très-clair pour le moment. On ne fait ni de la » république, ni de la monarchie : on marche au jour le » jour, sans savoir où l'on va, frayant devant soi un petit » sentier tortueux, y faisant un pas mal assuré à mesure » que l'on sent le besoin de marcher, ou bien pour tâcher » d'éviter la main qui pousse en avant. C'est que les hom-» mes qui nous mènent n'ont point apparemment une vo-» lonté qu'ils puissent avouer, un but qu'ils osent montrer. » Il faudrait pourtant se décider franchement à quelque » chose, pour agir avec ensemble et avec l'énergie que » commandent les circonstances. Je crois toujours que, pour » le présent du moins, la République seule est possible ; » qu'il faut s'attacher à la Constitution, parce que la Répu-» blique seule peut rallier les honnêtes gens de tous les » partis qui ne s'entendent jamais, et dont l'union est ce-» pendant nécessaire pour passer la crise où nous sommes. » Et puis enfin, si la France ne voulait pas du régime ré-» publicain, il faudrait aller à la véritable monarchie, qui

» n'a chez nous qu'un seul représentant, et non pas rêver
» ici une contrefaçon de l'Empire, là la restauration d'un
» système bâtard. Nous ne sortirons jamais de la voie mal-
» heureuse des révolutions si nous ne restons pas en Répu-
» blique, ou si, sortant de la République, nous n'allons pas
» à la monarchie héréditaire. Mais la France est-elle légiti-
» miste à l'image de notre pays? Quoi qu'on dise autour de
» moi, j'ai peine à le croire, et si la France ne le veut pas,
» est-il sage, est-il prudent de l'agiter et l'inquiéter sans
» cesse pour la pousser où elle ne veut pas aller?»

On voit par cette lettre que ma nomination avait obtenu
l'entière confiance de la partie éclairée du clergé breton, et
l'on voit aussi que les esprits libres et les cœurs droits sont
bien vite d'accord pour apprécier équitablement les grands
problèmes politiques de notre temps. Mais l'esprit de parti
et l'égoïsme des classes privilégiées viennent toujours se
mettre à la traverse. L'Assemblée nationale de 1848, après
avoir acclamé quatorze fois la République, ne tarda pas à
voir surgir une réaction fougueuse et impitoyable. Pour mon
compte, je n'hésitai pas sur la route à suivre. La République n'était pour moi que l'élargissement des voies ouvertes
par la Révolution, et j'entrai à l'Assemblée avec la ferme
résolution de défendre la République et la Révolution.

SUITE DE 1848

L'Assemblée nationale. — La proclamation de la République. —
Les partis en présence : républicains et monarchistes, conservateurs et socialistes, capitalistes et travailleurs. — Le 15 mai. —
Le lendemain des journées de juin. — Explication de la mort de
l'archevêque.

La Révolution de 1848 avait eu son heure d'enthousiasme.
La proclamation de la République, après trois gouvernements monarchiques ; le renom glorieux de quelques-uns
des membres du gouvernement provisoire ; la joie de voir
éclater les idées de grandes réformes, après le système de
compression à outrance pratiqué par Louis-Philippe; la circulaire de M. de Lamartine, le chaleureux accueil fait par
les départements aux décrets envoyés de Paris, toutes ces
secousses réconfortantes semblaient avoir infusé dans les
veines de la France une vie nouvelle. L'organisation des
gardes nationales rapprochait les citoyens et faisait disparaître pour un instant les antagonismes sociaux. Le réta-
blissement de la République fut donc salué comme un gage
de patriotisme, de concorde et de grandeur nationale.

La proclamation de la République par l'assemblée nationale fut comme l'écho tout-puissant de ces démonstrations
patriotiques. L'assemblée, toute entière debout, sous le pé-

rystile et sur les degrés du palais, proclama, au milieu des acclamations universelles du peuple de Paris qui l'entourait, la République comme le gouvernement de la France. Quatorze fois l'assemblée renouvela ses chaleureuses adhésions, et quatorze fois le peuple, qui couvrait comme une fourmilière tous les environs, lui répondit par des cris et des transports indescriptibles. On aurait pu croire à une réconciliation universelle ; malheureusement ce n'était qu'une heure d'ivresse et un baiser Lamourette de plus à joindre à tous ceux dont nous avons rempli l'histoire de nos révolutions.

A peine était-elle proclamée, que la République voyait surgir immédiatement des éléments de discorde et de divisions intestines, et nous ne devons pas nous en étonner : l'union peut-elle être à la surface, quand la désunion est partout au fond des choses ? Et nous devons le reconnaître, nous traversons en France, depuis un siècle, une crise terrible, une crise qui ne cessera que le jour où toutes les idées de la Révolution seront devenues la loi vivante de tous les rapports sociaux.

En attendant, la désunion sera notre état normal ; car cette désunion résulte forcément de l'état actuel de la France, au point de vue des idées, comme au point de vue des intérêts.

Désunion entre le passé monarchique et le présent républicain, jusqu'au jour où la République sera loyalement et sans aucune arrière-pensée reconnue comme le gouvernement définitif de la France.

Désunion dans les idées, entre la science et la foi, entre la pression du culte catholique, le plus terrible ennemi de la Révolution et de la liberté de conscience, désunion qui ne cessera que le jour où la République aura décrété la séparation pleine et entière de l'Eglise et de l'Etat.

Désunion entre la bourgeoisie et le peuple, entre les capitalistes et les travailleurs, désunion qui nous a déjà donné les journées de Lyon en 1832, les journées de juin en 1848, et les journées de la Commune en 1871; désunion qui nous assure la guerre civile comme perspective inévitable, et qui ne cessera que le jour où la République aura fait pour le peuple ce qu'elle a déjà fait pour la bourgeoisie.

Dans notre situation actuelle en France, ces déchirements sont si bien dans la nature des choses, qu'à peine installé, le gouvernement provisoire lui-même avait vu se dessiner dans ses conseils deux politiques nettement tranchées, celle de la république modérée, favorable aux intérêts de la bourgeoisie, et celle de la république radicale, favorable aux intérêts du peuple. Travail et capital, jusqu'à ce que l'union soit faite, tout aboutit là.

En présence de tant de ferments de discorde, il était chimérique de compter sur la paix intérieure. A peine l'assemblée était-elle réunie, qu'elle voyait arriver le Quinze Mai.

———

Avant la journée du 15 mai, différents actes avaient pu faire pressentir que le parti populaire ne se contenterait plus de vaines promesses, et qu'il saurait faire valoir ses revendications auprès de la République. La Révolution de février, comme toutes les autres, avait imposé à la population laborieuse de Paris les plus rudes privations. La misère était grande, et le gouvernement avait dû prendre des mesures pour atténuer les souffrances des travailleurs. Il

avait organisé les bataillons de la garde mobile, et en quelques jours vingt-cinq mille jeunes gens s'étaient présentés.
C'était pour eux le pain assuré. Pour les pères de famille,
il avait fallu songer à autre chose, et le gouvernement organisa les ateliers nationaux.

Ces deux décrets apaisèrent tout d'abord les ouvriers malheureux. La proclamation de la République, qui représentait d'ailleurs pour le travailleur une grande espérance, avait
inspiré à tous ceux qui souffraient une résignation patriotique, et l'orateur d'une députation d'ouvriers à l'hôtel-de-
ville avait éloquemment traduit la pensée commune à tous,
en déclarant que *tous les travailleurs mettaient trois mois
de misère au service de la République.*

On touchait à la fatale échéance, et les ouvriers se disaient
que les deux premiers mois de la République, au lieu d'atténuer, avait aggravé leur situation. Le gouvernement avait
bien nommé la commission du travail, qui se réunissait au
Luxembourg sous la présidence de Louis Blanc. Beaucoup
de grandes phrases et d'éloquents discours avaient été prononcés sur cette création, excellente en elle-même, et que
les thuriféraires du gouvernement appelaient les états-
généraux du travail. Mais la commission n'avait pu, en si
peu de temps, agir d'une manière efficace sur la situation
présente, et le mécontentement grandissait, au lieu de s'é-
teindre.

D'un autre côté, la réaction bourgeoise n'avait pas tardé
à relever la tête. Les circulaires de Ledru-Rollin provo-
quaient d'ardentes récriminations ; la manifestation dite *des
bonnets à poil* avait montré que la morgue de la grosse
bourgeoisie ne s'était pas dissipée devant la République.
Enfin, les excitations des nombreux clubs que la Révolution

avait fait surgir, jetaient de l'huile sur le feu et donnaient au parti populaire une attitude visiblement hostile au gouvernement.

C'est au milieu de cette fermentation générale que les chefs du parti révolutionnaire, Blanqui, Sobrier, Hubert et autres, organisèrent une manifestation en faveur de la Pologne. La colonne, précédée des chefs qui l'avaient convoquée, trouva à l'assemblée nationale le moyen de pénétrer dans l'enceinte du palais.

L'assemblée envahie, le président Buchez se couvrit, leva la séance et disparut avec la grande majorité des représentants du peuple. Au fur et à mesure que les constituants désertaient leur poste, les manifestants, devenus des insurgés, prononçaient la dissolution de la chambre et se donnaient rendez-vous à l'hôtel-de-ville pour proclamer un nouveau gouvernement provisoire.

Pendant cette scène d'un tumulte effroyable, nous étions dix représentants du peuple qui n'avions pas quitté la salle. C'étaient MM. Baraguay d'Hilliers, Bedeau, Fournas, Lamoricière, Lanjuinais, Mornay, général Rey, Sesmaisons, Treveneuc et moi. Remarque singulière! sur ces dix représentants, nous étions sept Bretons.

Réunis en un seul groupe, nous nous étions rangés sur les bancs du côté gauche de la salle, pour attendre le dénouement de la journée. Mais les insurgés qui remplissaient encore la salle avaient observé notre présence, et les plus exaltés d'entre eux se dirigeaient de notre côté, pour se ruer sur nous, quand nous entendîmes un bruit de tambour, et aussitôt nous vîmes entrer dans la salle le lieutenant Bernard, du 52e régiment, capitaine de la garde mobile. Il n'avait avec lui que vingt hommes à peu près. Le tambour qui battait la charge à leur tête était un nègre.

Les insurgés, à la vue de la force armée, ne tardèrent pas à se précipiter par toutes les sorties. Les représentants revinrent alors peu à peu reprendre leurs places, et ce fut à qui rappellerait qu'il était revenu avant les autres. Les représentants Tracy et Clary se disputaient ainsi devant moi l'honneur d'être rentrés les premiers.

Je les mis d'accord en leur disant que nous étions probablement avant eux, nous qui n'avions pas quitté la salle.

Mon collègue de Treveneuc, aujourd'hui membre de l'assemblée nationale à Versailles, m'invita à publier une note sur ce qui s'était passé dans la salle des séances, en lui donnant pour témoignage l'attestation des dix représentants du peuple présents dans l'enceinte. Je rédigeai la note et je la portai au *Moniteur;* mais M. Grün, le directeur, me dit qu'il ne pouvait l'insérer sans la soumettre à M. Barthélemy-Saint-Hilaire, alors secrétaire de la commission exécutive, aujourd'hui secrétaire de la présidence, qui refusa la publication. Le *Moniteur* était soumis à la toute-puissante influence des hommes d'Etat du *National*, qui occupaient toutes les avenues du pouvoir.

En résumé, la journée du 15 mai ne fut qu'une échauffourée; mais le mal n'avait fait que s'envenimer, et l'insuccès de la manifestation pour la Pologne n'était malheureusement que le prélude au drame terrible des Journées de juin.

Je n'ai pas à revenir sur les causes de ces journées terribles. L'exposé que je viens de faire montre que l'exaltation du parti révolutionnaire et la misère de la population laborieuse représentaient un péril qu'il fallait s'appliquer à conjurer. Malheureusement, au lieu de le conjurer, on le rendit plus imminent encore, en provoquant la dissolution des ateliers nationaux. C'était, dans les circonstances critiques que l'on traversait, mettre le feu à la poudrière.

Cette mesure était déplorable, et MM. Goudchaux et de Falloux, qui y ont poussé de toute leur influence, peuvent assumer une lourde part de responsabilité dans cette formidable insurrection. Il fallait sans doute mettre un terme à ce gaspillage qui rongeait le trésor, sans rien produire; toutefois, on pouvait le faire en proposant aux ouvriers embrigadés d'autres travaux plus sérieux, soit à Paris, soit sur les lignes de chemins de fer; mais licencier d'un seul coup les brigades des ateliers nationaux, c'était donner à l'insurrection une armée toute disciplinée, et l'événement ne tarda pas à justifier ce funèbre pronostic.

Les démonstrations hostiles et les constructions de barricades ne commencèrent que le vendredi 23 juin ; j'habitais alors la rue des Tournelles, dans le huitième arrondissement. J'étais chez moi, tout préoccupé des sombres nouvelles qui attristaient déjà Paris, quand un huissier de l'assemblée vint me demander, de la part de M. Sénart, président de la chambre, de vouloir bien me rendre immédiatement à la présidence. Je me préparais à sortir, pour aller voir M. Sénart, quand un aide-de-camp du général Cavaignac vint me demander également de la part du général. Je partis aussitôt pour me rendre à la présidence de l'assemblée, où se tenaient ensemble M. le président de la chambre, les membres de la commission exécutive et le général Cavaignac.

L'entrevue ne fut pas longue.

— Mon cher collègue, me dit le général, vous connaissez bien les ouvriers?

— J'en connais un grand nombre, général, et je vis tous les jours avec eux.

— Vous connaissez aussi le huitième arrondissement?

— C'est celui que j'habite et où sont mes ateliers.

— Eh bien! je vous prie de vous rendre à la mairie du huitième arrondissement, et je vous autorise à prendre toutes les mesures que vous croirez nécessaires pour le maintien de l'ordre.

— Donnez-moi une commission, général.

— Le président de l'assemblée va vous en signer une.

M. Sénart me signa la commission suivante :

« Le président de l'assemblée nationale invite M. Beslay,
» représentant du peuple, à se rendre dans le huitième ar-
» rondissement, et l'autorise à prendre toutes les mesures
» qu'il jugera convenables dans l'intérêt du maintien de
» l'ordre.

» Paris, 23 juin 1850.   Signé : SÉNART. »

Je partis aussitôt pour cette mairie, établie place des Vosges, où j'arrivai vers onze heures. La fusillade se faisait déjà entendre dans les rues voisines, et, dans cette première attaque, venait d'être assez grièvement blessé le fils de l'un de mes collègues de la députation du Morbihan, M. Harscouët de Saint-Georges.

La mairie était occupée par M. Richard, adjoint au maire, qui rendit les plus grands services à la défense et à l'administration pendant toute l'insurrection. Je m'entendis avec lui pour les mesures à prendre, et nous résolûmes de défendre la mairie, dont l'occupation donnait aux insurgés une étape importante sur le chemin de l'hôtel-de-ville.

Malheureusement, nos forces étaient bien insuffisantes. Le premier engagement qui venait d'avoir lieu avait fait disparaître bon nombre de gardes nationaux. Il n'en restait plus qu'une trentaine, et à peu près le même nombre de gardes républicains. Force nous était de retenir auprès de nous un bataillon du 18e de ligne, commandant Tombeur, qui passait par la place des Vosges en venant du pont d'Austerlitz, pour se rendre à la place de la Concorde.

Cette décision était pourtant contraire aux ordres du général Cavaignac, qui avait fait évacuer les casernes de l'Ave-Maria, de Reuilly, de Popincourt et du faubourg du Temple. Son plan consistait à concentrer autour de lui toutes les forces dont il pouvait disposer, pour en tirer tout le parti possible, et à éviter ainsi le déplorable effet moral que n'eût pas manqué de produire sur la troupe la nouvelle du désarmement d'un régiment ou d'un bataillon.

Pour mettre ce plan à exécution, il avait envoyé Edmond Adam, actuellement membre de l'Assemblée de Versailles, dans notre direction, pour faire replier vers la place de la Concorde toutes les troupes qu'il pourrait trouver dans son excursion. Je refusai de laisser partir ce bataillon du 18e, malgré toute l'insistance de Edmond Adam, en lui démontrant la nécessité de défendre, d'après la commission qui m'était donnée, la mairie de la place des Vosges. Je me contentai de laisser partir les gardes républicains, que je craignais de voir passer d'un moment à l'autre à l'insurrection.

Ces dispositions du général Cavaignac livraient à l'insurrection toute la région de l'Est, et nous ne pouvions manquer d'être bien vite attaqués. Et, en effet, avant la fin de la journée, la place des Vosges fut investie du côté du boulevard, par la rue du Pas-de-la-Mule et par la rue Royale, qui donne rue Saint-Antoine.

La situation devenait critique, et la fusillade cessant la

nuit, je profitai de l'obscurité pour me rendre à la Présidence, en vue d'avertir le général Cavaignac du véritable état des choses.

J'arrivai à la Présidence à onze heures et demie et j'y trouvai Lamartine, Ledru-Rollin, Sénart, le général Cavaignac, à qui je fis connaître l'importance que donnait de mon côté à l'insurrection l'abandon de toutes les casernes.

— C'est mon plan, me dit-il.

— Une autre conséquence, répliquai-je, c'est que ce mouvement de retraite général démoralise la garde nationale, et lui fait abandonner la partie.

— J'ai mon plan, me répéta-t-il encore.

Il ne fallait donc plus songer à obtenir de renfort. Bien mieux, quand je lui dis que j'avais gardé à la mairie un bataillon du 18e de ligne, il eut un moment d'emportement contre lequel je dus me mettre en garde, en ripostant :

— Mais vous voulez donc, général, que la mairie qui donne barre sur l'Hôtel-de-Ville se défende toute seule?

Il n'y avait à attendre du général ni renforts ni munitions, et nous ne devions compter que sur nous-mêmes. Je sortis de l'hôtel de la Présidence avec Lamartine, que j'accompagnai au faubourg Saint-Germain jusqu'à sa maison, et je revins à la mairie, en passant par l'Hôtel-de-Ville, où je trouvai le général Duvivier donnant des ordres à Guinard pour l'attaque de la place Maubert et de la rue Saint-Victor.

En me rendant à la place des Vosges, je passai par la rue Barbette pour demander à la caserne des gendarmes de Paris des hommes et des munitions. La caserne était abandonnée à la garde de deux ou trois gendarmes, et les munitions avaient été enlevées.

A mon retour à la mairie, il était quatre heures du matin. En me voyant, le commandant Tombeur vint m'avertir qu'après avoir passé en revue son bataillon, il avait fait le compte des munitions qui lui restaient, et que chaque homme n'avait plus qu'une ou deux cartouches.

Autre nouvelle grave, les hôtels de la place des Vosges ont presque toutes une issue sur les rues voisines. Les insurgés, qui connaissaient à fond ce quartier, avaient profité de cet avantage en forçant les habitants à livrer ces communications, en y mettant au besoin le feu. C'est au milieu de ces assauts livrés par les insurgés aux hôtels de la place, que je vis arriver, fuyant, toutes tremblantes et la toilette en désordre, Mme Victor Hugo et sa fille, dont la maison était ainsi assaillie par les assiégeants : je les fis conduire dans un hôtel du côté opposé à la mairie, où nous nous préparions à la résistance.

Mais la résistance n'était plus possible. Maîtres des hôtels qu'ils avaient envahis, les insurgés avaient gagné les toits et nous forçaient de nous tenir sous les arcades, d'où nous ne pouvions pas même répondre à leur feu. J'allais convoquer un conseil de guerre, quand j'aperçus le colonel de la garde nationale qui détachait ses épaulettes et revêtait une blouse. Au même instant, les entrées de la place furent forcées, et je donnai l'ordre au commandant Tombeur de se faire jour à la baïonnette par la rue Saint-Louis, où il y avait peu d'insurgés.

Alors je remontai à la mairie, où l'insurrection triomphante faisait son entrée en même temps que moi. Les premiers insurgés qui se présentèrent étaient des ouvriers que je connaissais, ce qui me permit d'avoir sur eux un peu d'influence. Ils cherchaient déjà querelle à un jeune mobile que nous avions parmi nos blessés.

— Allons donc! dis-je à l'un d'eux en l'appelant par son nom, pour bien montrer que j'étais en pays de connaissance, faire des misères à un blessé! Si l'un de vous avait été recueilli par nous, je vous jure qu'on n'aurait pas touché à un seul de ses cheveux! allez plutòt prendre un verre de vin pour vous et pour lui. Et je leur donnai l'argent nécessaire pour aller prendre des rafraichissements. Je profitai de ce petit intermède pour circuler dans la mairie, comme si je continuais à m'en occuper, et je descendis pour trouver moi-même une issue.

Le tumulte qui accompagnait la prise de possession de la mairie me facilita le moyen de trouver un passage, et je me rendis directement à la Présidence de l'Assemblée.

Je rendis compte au général Cavaignac des événements et de la crainte que j'avais que le commandant du 18e n'eùt pu opérer sa retraite, et j'insistai sur la mollesse de la garde nationale de tous les quartiers que je venais de traverser.

— Si la garde nationale ne marche pas, me dit-il, je retire les troupes et j'accepte la bataille aux Champs-Elysées ou dans la plaine Saint-Denis, et si un seul bataillon se laisse désarmer, je me brùle la cervelle.

Me tournant alors du côté de M. Sénart, je lui dis :

— Il y a moyen d'encourager la garde nationale, c'est de permettre que des représentants, revêtus de leurs insignes, aillent aux barricades, et montrent ainsi l'exemple du courage et du dévouement.

M. Sénart approuva mon idée, et l'on fit immédiatement appel à quarante ou cinquante représentants du peuple de bonne volonté; je fus désigné avec Ducoux, pour rejoindre Lamoricière au faubourg du Temple.

Le triomphe des insurgés à la place des Vosges ne fut pas

de longue durée; refoulés par les colonnes de Lamoricière du côté du boulevard du Temple, et par les troupes du général Négrier du côté de la rue Saint-Antoine, les insurgés durent battre en retraite, et je pus reprendre mon poste à la mairie du 8° arrondissement, le dimanche matin. M. Richard y rentra en même temps que moi, et nous nous remîmes à la besogne, qui n'était pas mince : la bataille à suivre dans ses péripéties, les blessés à recueillir et à soigner, les vivres à trouver, les boulangeries à faire ouvrir et travailler.

Nous étions tout entiers à l'organisation de nos services, quand MM. de Falloux et Goudchaux vinrent nous annoncer que le général Négrier, qui commandait les troupes sur la place de la Bastille, venait d'être tué, et que l'un de nos collègues était blessé grièvement.

A ces nouvelles, je me rends immédiatement sur la place, et je confie notre collègue blessé aux soins de deux élèves de l'école polytechnique, qui se chargent de le faire transporter à son domicile. Je m'entends avec le colonel qui avait pris le commandement après la mort du général Négrier, et j'écris au général Cavaignac pour l'informer des événements et lui demander un nouveau général. J'envoie également au général Lamoricière une estaffette, pour lui faire connaître notre situation, qui s'était améliorée, puisque nous occupions un côté de la place de la Bastille et que les insurgés se trouvaient refoulés de l'autre côté, vers le faubourg.

Telle était la position quand, à huit heures du soir, je reçus sur la place la visite d'un jeune homme, Jules Brechemin, de Versailles, qui venait me demander de la part de l'archevêque de faire cesser le feu. Le prélat, qui était à

l'arsenal, avait l'autorisation de se rendre auprès des insurgés pour les exhorter à faire leur soumission. Je répondis
que je serais dans dix minutes auprès de Monseigneur Affre
pour m'entendre avec lui.

J'appelle sur ce point de mon récit toute l'attention de
mes lecteurs, car ma version au sujet de ce tragique événement est loin de se trouver d'accord avec la légende fal-
sifiée que la réaction s'est empressée de répandre. En mon
âme et conscience, j'ai la conviction profonde que je vais
dire, comme témoin et comme auteur de ce drame émouvant, la vérité pleine et entière. Cette vérité ne doit pas
coûter à dire, parce que je suis bien certain que, d'un côté
comme de l'autre, aucun combattant ne pouvait désirer la
mort de l'archevêque. Mon témoignage est d'ailleurs conforme à celui des personnes qui se tenaient le plus près du
prélat. Ce sacrifice, absolument inutile, a été le résultat
d'une méprise et je vais dire comment elle a pu se commettre.

Au moment où l'envoyé de l'archevêque se retirait, on
m'annonça deux parlementaires des insurgés; je fis cesser
le feu, et le prélat, croyant sans doute que cet ordre était
le résultat de la démarche qu'on venait de faire de sa part
auprès de moi, quitta l'arsenal et s'avança vers le faubourg,
avant d'avoir reçu la visite que je venais de lui promettre.

Les parlementaires des insurgés mettaient à leur soumission une seule condition, c'était d'obtenir, avec sa signature, la dernière proclamation du général Cavaignac, que je
leur avais fait passer. La question, on le voit, était des plus
importantes. Une démarche rapidement exécutée pouvait
arrêter l'effusion du sang, qui n'avait, hélas! que trop coulé
depuis trois jours.

J'attachais donc le plus grand prix aux propositions que venaient me faire les deux parlementaires de l'insurrection, et je tenais à ce qu'il n'y eût pas entre nous de malentendu. La moindre irrégularité pouvait, en effet, entraîner de nouveaux malheurs. Or, comme la place s'était remplie de monde et que le tumulte nous empêchait de nous entendre, j'ordonnai à l'officier qui se tenait auprès de moi de faire écarter les assistants, pour connaître d'une façon précise les conditions qui pouvaient mettre un terme à cette lutte fratricide.

L'ordre que je venais de donner produisit un mouvement sur la place. Ce mouvement fut probablement mal interprété par les insurgés, car ils reprirent la fusillade à l'instant même, et l'un de leurs deux parlementaires tomba grièvement blessé.

En un clin-d'œil, la place est vide. Je songe au moyen de faire cesser encore le feu, et je me précipite vers la seule maison qui, de notre côté, réponde aux balles du faubourg. C'était la maison du Café des *Quatre Sergents de la Rochelle*. Au moment où je frappe à la porte du café, une balle m'effleure le front et les doigts de la main.

Je monte au quatrième étage, où il y a un balcon d'où nos soldats ripostent aux insurgés, et je fais cesser le feu; mais il était trop tard. On avait déjà tiré et l'archevêque était tombé sur la barricade!

Je dois à ma conscience de déclarer que, suivant moi, la balle qui a frappé le prélat est partie de ce balcon, et mon témoignage est conforme à celui de M. le grand vicaire Jacquemet, depuis évêque de Nantes, qui accompagnait l'archevêque et qui assurait que *la blessure de Monseigneur Affre n'avait eu d'autre cause que le plus fatal accident.*

De plus, M. Brechemin, lui aussi, qui se trouvait à côté de l'archevêque, a écrit *que le prélat venait de pénétrer dans l'intérieur de la barricade, et qu'il faisait face aux insurgés, quand la balle qui l'atteignit dans les reins était venue de haut en bas, d'arrière en avant, et non d'avant en arrière.* Mon opinion se trouve donc en parfaite concordance avec celle des deux personnes les mieux placées pour connaître la vérité.

Enfin, ceux qui voudront se rendre compte de ce dénouement imprévu par l'examen des lieux, comme je l'ai fait moi-même avec un officier d'artillerie, acquerront la conviction que le coup mortel est bien parti de la maison où se trouve le *Café des Quatre Sergents de la Rochelle*. La direction plongeante de la balle dans les reins du prélat ne pouvait être obtenue par derrière que de la maison que j'indique ou de l'une des maisons voisines. Il n'y a pour moi aucun doute sur ce point.

La réaction n'en songea pas moins à profiter de ce malheur pour soutenir, avec des lamentations sans fin, que la mort avait été donnée par les insurgés, et, en 1869, le général Larue disait encore au Sénat que *l'archevêque avait été lâchement assassiné*, tandis que la balle avait été involontairement lancée par les soldats qui défendaient l'ordre, la République et la loi. Tant il est vrai que, dans notre malheureux pays, on ne cherche qu'à perpétuer les haines qui divisent la bourgeoisie et le peuple !

A partir de ce moment, les hostilités cessèrent, et le général Cavaignac m'envoya enfin dans la soirée le général Perrot, qui prit le commandement de l'armée. Je pus rentrer chez moi le dimanche soir, à onze heures. J'étais sorti le vendredi matin, et depuis ce moment je ne m'étais pas

couché, j'étais resté sans manger : c'est à peine si j'avais eu
le temps de prendre un peu de café. Chaque heure de ces
trois jours et de ces trois nuits avait eu son drame et son
émotion.

Je me jetai sur mon lit, et le lundi matin, à quatre heures, je fus réveillé par le bruit d'une vive fusillade, qui
m'arrivait du côté de la Bastille.

J'accours sur la place, où je trouve la situation dans le
même état que la veille. Navré de voir le sang couler, je
me décide à intervenir moi-même auprès des insurgés, et je
préviens le général Perrot, à cinq heures, que je vais me
rendre au faubourg Saint-Antoine.

Arrivé au pied de la barricade qui se trouvait à l'entrée
de la rue de Charonne, sur la place de la Bastille, je suis
assez heureux pour apercevoir quelques ouvriers que je
connaissais. On me laisse pénétrer dans la barricade, et l'on
m'apprend que si je viens parler d'accommodement, il me
faut aller trouver le commandant de l'insurrection, qui se
tient au faubourg Saint-Antoine.

Quel est son nom ? Où est-il ? Comment arriver jusqu'à
lui ? Impossible d'obtenir sur ces questions indispensables,
au milieu d'une pareille mêlée, le moindre renseignement.
Je m'engage néanmoins dans le faubourg, que je parcours
sans trouver un seul chef de l'insurrection, et je me vois
forcé de revenir à la barricade que je venais de quitter,
sans avoir pu conférer avec personne.

Mais je trouve la barricade en grand émoi. Les insurgés
vont et viennent et se consultent à voix basse. Je demande
ce qu'il y a de nouveau, et l'un des combattants me répond : « Nous venons d'apprendre que si nous ne nous
rendons pas, avant sept heures, on va livrer l'assaut à no-

tre grande barricade. A nous donc de nous défendre comme
nous pourrons, et si l'armée s'avance, nous sommes résolus à placer debout, sur le sommet de la barricade, les
quatre représentants du peuple qui sont en notre pouvoir.»

— Comment! m'écriai-je indigné, nous qui venons vous
trouver pour vous sauver et pour faire cesser l'effusion du
sang!

— Toute discussion est inutile, me dit-il d'un ton qui
n'admettait pas de réplique.

Les quatre représentants dont il parlait étaient MM. Lara-
bit, Galy Cazalat, un représentant de l'Orne dont le nom
m'échappe et moi.

Par malheur, les ouvriers que j'avais reconnus en arrivant n'étaient plus là, la situation devenait critique.

J'entre chez le marchand de vin, où je me fais verser un
verre d'eau de-vie. J'écris quelques mots sur mon calepin
et je sors. Mon parti était pris ; mieux valait pour moi la
mort immédiate que le supplice qui m'attendait.

En sortant dans la rue, j'avise un tout jeune garçon, qui
porte un pistolet d'arçon qu'il vient de charger. Je vais à
lui et je lui prends son arme. Un insurgé, qui m'observe,
se précipite vers moi et me demande ce que je veux faire
de ce pistolet.

— Me brûler la cervelle! lui dis-je.

— Tiens! c'est vous, M. Beslay, me dit cet ouvrier que
je connaissais comme un excellent forgeron et qui avait
travaillé dans mes ateliers.

Et se retournant vers ses camarades :

— Mes amis, dit-il, c'est M. Beslay, un bien brave homme
et un ami des ouvriers.

Je pus alors donner des explications sur ma présence

dans la barricade, et l'on me permit de sortir, sans pouvoir obtenir la même faveur pour mes collègues.

Sur la place, je trouve Recurt, ministre de l'intérieur, et Guinard, qui se disposent à renouveler la tentative que je viens de faire. Je les en dissuade vivement, car ces deux républicains, bien connus et très-populaires dans le faubourg, étaient précisément l'objet des reproches les plus amers de la part des insurgés, qui leur en voulaient de n'avoir pas soutenu le drapeau de l'insurrection.

J'avais été suivi par quelques ouvriers, qui donnèrent à Recurt et à Guinard l'assurance que la soumission des derniers insurgés serait certaine et immédiate, si on pouvait leur apporter la proclamation du général Cavaignac, *signée par lui*, comme les parlementaires me le demandaient à moi, dès la veille, au moment où l'archevêque fut blessé. Nous donnâmes à ces ouvriers une attestation signée de nous trois, et affirmant que la proclamation connue d'eux était bien réellement signée du général en chef de l'armée, et nous partîmes, Guinard et moi, pour aller mettre Lamoricière au courant de ces dispositions.

Nous trouvons le général Lamoricière aux environs de la place de la Roquette, et nous lui faisons connaître les propositions faites par les insurgés à la Bastille. Le général, qui se voyait sûr de la victoire, ne voulut pas suspendre son mouvement; il nous répondit en tendant la main vers les quartiers encore occupés par l'insurrection : *Il faut qu'ils nous le payent!!*

Parole impie et qu'il faut hautement flétrir. Nous fîmes observer au général que sa conduite était en opposition formelle avec la proclamation du général Cavaignac; mais il ne voulut rien entendre et continua de donner ses ordres.

Lé souvenir de cette démarche auprès du général Lamoricière m'est venu bien souvent à la mémoire, et j'avoue que je me suis repenti depuis de n'avoir pas montré plus d'énergie en cette occasion. Je pouvais lui faire remarquer qu'il combattait dans le périmètre du 8e arrondissement, soumis à mon commandement. Je pouvais surtout lui parler au nom du général en chef, Cavaignac, dont la proclamation nous traçait à tous la ligne de conduite à suivre. Avec les dispositions que montra Lamoricière, je n'aurais probablement abouti qu'à une altercation des plus vives, mais la mission que je m'étais imposée eût été plus complétement remplie.

C'est ainsi, hélas! que la continuation de la lutte nous conduisit à la transportation sans jugement, et que la transportation sans jugement fit entrer dans les souvenirs de la population laborieuse un esprit de vengeance qui n'a pas été sans influence et sans action sur les événements de la Commune. Semez les vents et vous récolterez les tempêtes; semez la haine et vous récolterez la vengeance. Quand donc le capital et le travail comprendront-ils que la fraternité, comme ils l'enseignent et comme ils la pratiquent, ne sera jamais que la fraternité de Caïn et d'Abel.

———————

Le jour même, l'insurrection était vaincue. Victoire nécessaire, mais triste victoire! Cette guerre sociale, qui mettait entre la bourgeoisie et le peuple un ruisseau de sang, n'ouvrait que les plus sinistres perspectives.

Chacun sentait que cette victoire, indispensable pourtant, ne résolvait rien, et que la lutte des capitalistes et des tra-

vailleurs, loin de s'apaiser, ne faisait que s'envenimer et
s'agrandir.

Il fallait songer au plus pressé. Or, ce qu'il y avait de
plus urgent, c'était de constituer un gouvernement capable
d'entreprendre et de terminer au plus vite la liquidation de
cette horrible guerre.

Sur ce point, il n'y avait à Paris et dans l'Assemblée,
comme dans l'opinion du pays, qu'un seul courant qui emportait tous les esprits : c'était à qui montrerait le plus
d'empressement pour confier au général Cavaignac le pouvoir exécutif.

A ce sujet je fus, dans cette question comme dans beaucoup d'autres, d'un avis contraire à celui de la Chambre
toute entière, et ce n'était pas à coup sûr pour me montrer
hostile au général Cavaignac, qui venait de me témoigner à
moi-même toute sa confiance. Mon appréciation du projet
qui proposait de confier le pouvoir exécutif au général Cavaignac, reposait sur une opinion qui était depuis bien
longtemps enracinée dans mon esprit, et que j'avais déjà eu
occasion de manifester à la Chambre des députés, en 1832.

Les deux votes que j'ai dû émettre, dans ces deux circonstances, m'ont valu de la part de deux généraux deux
réponses qui méritent d'être mentionnées.

En 1832, le général Lafayette m'engagea dans un bureau
à voter pour le général Clausel, qui était porté par l'opposition dans une question politique. Je me montrai peu disposé à voter conformément au vœu du général. En présence de ma réserve, le général Lafayette insista.

— Puisque vous insistez, permettez-moi, général, de
montrer la même sincérité et la même franchise que vous.
Malgré tout le respect que je vous porte, je dois vous dire

que je ne vous donnerai jamais ma voix, ni à vous, ni à l'honorable général Clausel.

— Et pourquoi donc? fit-il étonné.

— Parce que vous êtes militaire, et que les militaires ne sont jamais pour la liberté.

— Et vous avez bien raison, mon ami, me dit le général.

En 1848, il s'agissait de confier le pouvoir exécutif au général Cavaignac. Au moment de voter le 1er article du décret, confiant ces hautes fonctions au général, je fus seul à me lever à la contre-épreuve. Tout le monde crut que je me trompais, d'autant plus que je votai le deuxième article, qui lui accordait la nomination des ministres. Quand on vota sur l'ensemble du projet, je demandai la contre-épreuve, et je fus seul encore à voter contre l'ensemble du décret.

Un instant après, je sors de la salle en passant du côté où se tenait le général, qui m'appelle et me dit :

— J'ai remarqué que vous venez tout seul de voter contre moi. Et pourquoi donc?

— Général, ce n'est pas contre vous personnellement, lui répondis-je ; mais c'est un principe chez moi de ne jamais voter, en matière politique, pour les militaires.

— Et pourquoi donc?

— Cher collègue, parce que les militaires ne sont jamais pour la liberté.

— Et vous avez bien raison, me répondit-il.

Lafayette et Cavaignac m'avaient fait la même réponse.

Quelques jours après, le général se chargeait lui-même de me donner raison. Il avait écrit dans sa proclamation cette belle parole : « *Je ne vois en vous que des frères égarés ;*

que mon nom reste maudit, si jamais vous devez être des victimes ! »

La transportation sans jugement venait lamentablement donner un triste démenti à cette grande promesse.

————

SUITE DE 1848

Une secousse aussi formidable ne pouvait ébranler notre
pauvre société malade, sans rendre à chacun des éléments
qui la composent sa physionomie propre. Les prétendants
dressèrent l'oreille, en voyant revenir la possibilité d'un
nouveau gouvernement personnel. Les conservateurs, tran-
sis de peur, firent de la République le bouc émissaire de
toutes les infortunes publiques et privées. Les travailleurs,
qui sentaient que la défaite de l'insurrection était leur propre défaite, prirent plus que jamais en haine la bourgeoisie,
l'assemblée et les chefs du gouvernement nouveau. La
France ressemblait à un volcan qui vient de s'ouvrir par
une large éruption, mais qui garde, en refermant son cra-
tère, autant de laves qu'auparavant.

Comme on pouvait s'y attendre, la réaction se faisait jour
de tous côtés, et la réaction de la peur, la pire de toutes,
trouvait malheureusement à sa portée une sorte de point
d'appui dans les menées bonapartistes que le prince Louis

Napoléon s'efforçait de répandre à Paris et dans les départements. Cet héritier de l'Empire avait sans doute tout fait pour dégoûter le pays de sa personne. Les folies de Strasbourg et de Boulogne avaient fait rire la France à ses dépens. Mais les populations des campagnes n'avaient pas la même clairvoyance que celles des villes, et l'on put bientôt s'apercevoir, à la marée montante du bonapartisme dans les villages, que la légende napoléonienne n'était pas morte.

La réaction prit donc bien vite un corps, et si l'on voulait enraciner la République en France, il y avait urgence à prendre des mesures efficaces contre le retour d'une nouvelle aventure des Bonaparte.

Sur ce point, la proposition Grévy, qui avait pour but de confier à l'assemblée le soin d'élire le président de la République, eût suffi, si elle avait été adoptée, pour préserver le pays des équipées du césarisme. Malheureusement, l'élection du président, après un discours de Lamartine, aussi éloquent que dépourvu de sens politique, fut abandonnée au pays, et ce jour-là on put se dire que la République aurait à compter avec un nouveau Dix-huit Brumaire.

Malheureusement, la réaction est aussi aveugle que paresseuse. Les conservateurs ne crurent même pas au péril. La rue de Poitiers continua à médire de la République, à faire ses petits livres, et à s'imaginer que le salut de la France s'accomplirait par miracle, sans aucun sacrifice, sans aucun acte de la part des capitalistes en faveur du travail. Elle crut avoir mis une digue suffisante contre tous les flots de la démocratie qui l'envahissait, en faisant la loi du 31 mai, et quand, après avoir accompli ce grand travail, on lui parlait des conciliabules de l'Elysée, le général Changarnier, son bras droit, venait avec emphase rassurer le pays en

disant du haut de la tribune : « Mandataires du pays, déli-
bérez en paix. »

Autant de mesures, autant de paroles inconsidérées ! La
loi du 31 mai, en mutilant le suffrage universel, n'avait fait
que donner une arme aux meneurs du complot bonapartiste. La parole du général Changarnier n'était qu'un acte
de jactance, digne d'un officier tout plein de lui-même, mais
dépourvu de tout esprit politique. L'Elysée s'applaudissait
de voir le parti conservateur lui forger ainsi des armes. Le
prince laissait marcher les événements qui favorisaient les
plans et les projets d'un parti qui n'a jamais vu dans la
politique que le triomphe de la force, et il arriva bientôt
une heure où le plus habile et le plus perspicace des chefs
de la réaction put venir déclarer à l'assemblée, avant le
jour du coup d'Etat : « L'Empire est fait. »

M. Thiers dut, ce jour-là, se repentir de la direction qu'il
avait si puissamment contribué à donner au parti conservateur, pour écraser « la vile multitude ! ».

La cause de « cette vile multitude » était donc reléguée,
après les journées de juin, complétement dans l'ombre. Les
revendications de la démocratie conservaient sans aucun
doute, pour les esprits sincères, leur justice et leurs droits.
Mais l'opinion, dominée par les idées rétrogrades du parti
conservateur, se montrait pour le moment rebelle et même
hostile à toute discussion sur ces questions brûlantes.

Un homme alors, un homme, tout seul, fit, malgré tout
et en dépit des violences de la réaction, pencher la balance
et se retourner les sympathies du côté de ceux qui souffrent
et qui supportent, dans de mauvaises conditions, le poids du

travail et des injustices sociales. La révolution de 1848 s'é-
tait assurément accomplie au cri de: Vive la République!
et ce cri semblait, pour tout le monde, répondre à tout ce
que la démocratie pouvait demander. Mais les vainqueurs,
qui occupaient toutes les avenues du pouvoir, étaient principalement sortis de l'école formaliste du *National*, et l'on
sait que l'étude des problèmes posés par les rapports du
travail et du capital était laissée par ces puritains de la
République à l'arrière-plan des questions gouvernemen-
tales.

C'est au milieu de toutes ces résistances monarchiques,
bourgeoises, républicaines, que se fit entendre la voix formidable de P.-J. Proudhon. Ses livres, ses brochures et ses
journaux avaient le retentissement du tonnerre. Jamais la
propriété n'avait été pressée par les étreintes d'une logique
plus serrée, jamais le capital n'avait vu tomber sur lui plus
d'accusations.

Le parti conservateur essayait bien de grimacer un sourire et de se sauver par le dédain; mais la fuite n'était
guère possible avec le terrible dialectitien. L'opinion, prise
au collet, était bien forcée de prêter l'oreille et de discuter
les graves problèmes que le politique philosophe posait
comme la condition indispensable du salut social.

Sans l'intervention, l'influence et la plume de Proudhon,
on peut dire que la Révolution de 1848 n'aurait pas laissé
dans l'histoire sa véritable empreinte. C'est lui qui força les
républicains formalistes du *National* à s'occuper de discussions économiques; c'est lui qui reprit en mains, avec une
vigueur indomptable, la cause du travail et du prolétariat;
c'est lui qui força la réaction à compter encore avec la démocratie vaincue; c'est lui, enfin, qui fit éclater comme un

éclair cet aphorisme, qui est comme la condamnation définitive du vieux monde fondé sur le capital :

« Qu'est-ce que le capitaliste?

» Tout.

» Que doit-il être?

» Rien.

» Qu'est-ce que le travailleur?

» Rien.

» Que doit-il être?

» Tout. »

C'est ainsi qu'à l'heure où le parti conservateur croyait
avoir réduit à néant le problème social, il était forcé, par
l'ascendant d'un génie, de subir ses éloquentes revendications, de sorte que, grâce à l'apparition de Proudhon sur la
scène politique, la situation de la démocratie pouvait se
résumer ainsi : Jamais la cause des travailleurs n'avait été
plus écrasée, et jamais elle ne s'était, bon gré, mal gré, plus
imposée à l'opinion.

Je ne connaissais pas, je n'avais jamais vu Proudhon
avant son arrivée à l'assemblée constituante, et je suis devenu l'un de ses amis intimes. Les détails dans lesquels je
vais entrer montreront combien ont été cordiales, confiantes,
affectueuses, nos relations, et la manière dont nous entrâmes
en rapport prouvera que ce n'est certes pas en nous flat-
tant. Nous nous disions mutuellement la vérité. Notre premier entretien est assurément des plus curieux et mérite
d'être mentionné.

En sortant un jour du ministère des finances, par une
pluie battante, j'aperçois M. Proudhon, qui attendait à la

porte la fin de l'averse. Il n'avait pas de parapluie et j'avais le mien. C'était l'heure de l'ouverture de la chambre.

Pensant qu'il se rendait à l'assemblée, je vais à lui :

— Mon cher collègue, lui dis-je, voulez-vous me permettre de vous offrir mon parapluie pour aller à l'assemblée ?

— Vous êtes représentant, me demanda-t-il, avec son accent franc-comtois ?

— Oui, mon cher collègue, et si vous voulez accepter mon bras, nous allons profiter de mon parapluie pour traverser la place de la Concorde.

— J'accepte et je vous remercie, me dit-il de sa voix lente et accentuée.

Nous voilà bras dessus, bras dessous, tous deux collègues d'une même assemblée, mais tous deux inconnus l'un à l'autre. C'était à l'époque où Proudhon venait d'annoncer l'organisation de la Banque du peuple. Nous n'avions pas fait dix pas que cette question devenait le sujet de notre conversation.

— Vous ne vous occupez probablement pas de questions de banques de crédit? me dit Proudhon. Ces questions-là sont si négligées chez nous.

— Au contraire, ce sont celles qui m'intéressent le plus. J'ai passé ma vie dans les affaires, et les questions de finance, de crédit et de banque m'ont toujours sérieusement préoccupé.

Proudhon fit le mouvement d'un homme satisfait de trouver un collègue qui s'était occupé des mêmes études que lui.

— Oh bien ! me dit-il vivement, que pensez-vous de ma Banque du peuple ?

— Vous me permettez, mon cher collègue, d'être sincère?
Je suis Breton, et je ne dis que ce que je pense.

— Comment donc? mais je ne demande et je ne cherche
jamais que la vérité.

— Eh bien! j'ai lu bien attentivement les statuts de votre
Banque du peuple, et, pour moi, elle n'est pas née viable.

— Vous êtes bien affirmatif.

— C'est que mon affirmation repose sur une analyse rai-
sonnée et approfondie de votre Banque.

— Tous les hommes spéciaux qui m'entourent me prédi-
sent pourtant un succès certain.

— Vous me permettrez de vous dire alors que ces appréciations proviennent de flatteurs ou de gens qui ne connaissent pas le premier mot de la question.

— Oh! Mais je tiens à connaître les critiques que vous
pouvez faire contre mon entreprise.

— Je ne demande pas mieux.

Arrivés au palais de l'assemblée, il insiste pour continuer
notre entretien et me dit :

— Entrons dans un bureau, et nous allons tout de suite
couler à fond notre différend.

— Impossible en ce moment, car je fais partie d'une
commission qui se réunit à l'instant même; mais venez dîner
avec moi, et nous aurons toute la soirée pour discuter les
statuts de votre banque.

— Je ne vais dîner chez personne, me dit-il.

— Eh bien, nous nous retrouverons ici demain.

Puis se ravisant, et comme pour hâter l'heure de la discussion :

— Au fait, me dit-il, j'irai dîner avec vous. Ce sera plus
tôt fait.

Au moment même où il acceptait ma proposition, je me rappelai que j'étais moi-même invité à dîner chez M. Audiffred, juge au tribunal de commerce, avec plusieurs de ses collègues, et je dis à Proudhon :

— Ce n'est pas chez moi que nous dînerons, car je suis invité chez un de mes amis, juge au tribunal de commerce; mais je le connais assez pour vous présenter à lui, et nous dînerons ensemble chez lui, avec des invités qui vous diront la vérité.

— C'est entendu, me dit Proudhon.

Je le conduisis, en effet, chez Audiffred, et la présence fort inattendue de Proudhon fit que la banque du peuple fut le sujet de bien des observations. Mais il est clair que le va-et-vient du service et le cliquetis des fourchettes empêchèrent cette conversation à bâtons rompus de prendre corps et d'arriver à un examen sérieux de l'affaire.

En général, par politesse, sans aucun doute, on reconnut que l'idée pouvait être excellente et qu'elle pouvait conduire à de bons résultats; mais dès qu'il s'agissait d'aborder le côté pratique de l'opération, il était facile de s'apercevoir que tous les assistants n'entendaient rien à la solution du problème.

Les juges du tribunal de commerce sont élus parmi les notables commerçants, et ces honorables négociants, d'une intégrité parfaite, sont très-capables de juger et de tirer au clair les questions contentieuses qui se présentent devant le tribunal de commerce; mais dès que l'on pose une question de théorie, de réforme et d'opérations nouvelles, ils se montrent hésitants, incertains et aussi inexpérimentés que si on les plaçait devant un monde inconnu.

Quant aux invités, ils se bornèrent à répéter ce que di-

saient déjà les journaux réactionnaires. Le journalisme a
le mérite de badigeonner à frais les esprits qui n'aiment ni
à réfléchir, ni à étudier; mais les statuts de la Banque, je
suis convaincu que pas un seul des convives ne les avait
lus.

En sortant, je dis à Proudhon : — Nous n'avons fait qu'ef-
fleurer la discussion. Un diner prié n'est pas favorable à
l'examen d'une aussi grave innovation. Nous reprendrons
seul à seul la critique que je vous ai promise.

— J'y compte bien, me dit-il, et j'y tiens. Il est impossible que ce qui est juste en théorie ne se trouve pas juste
en pratique.

— Mon cher collègue, en principe, vous avez raison de
dire que les idées justes de la théorie doivent trouver dans
la pratique des applications justes, et je crois, comme vous,
que le crédit des travailleurs doit et peut être organisé. Mais
dès que vous abordez cette pratique, dès que vous voulez
fonder une banque, vous devez vous appliquer à faire fonctionner cet instrument dans les conditions qui lui sont propres. Qu'elle soit appliquée au profit des capitalistes, ou
qu'elle soit appliquée au profit des travailleurs, une banque
est foncièrement soumise à des conditions invariables, auxquelles votre Banque du peuple n'obéit pas, et c'est là
précisément ce qui me fait vous dire qu'elle n'est pas née
viable.

— J'attends votre démonstration.

— Demain vous l'aurez.

———————

Le lendemain, Proudhon vint me voir, attiré par nos
pourparlers de la veille. Il tenait à connaître, comme il me

l'a dit plus tard, *le fond de mon sac*. Sans abandonner rien des appréciations que m'avait inspirées l'étude attentive des statuts de la Banque du Peuple, je fis mon possible pour lui démontrer que, d'un bout à l'autre de son organisation, il confondait la théorie avec la pratique.

Voici le résumé de la démonstration que je lui soumis.

En premier lieu, comme fonctionnement ordinaire de nos établissements de crédit, la Banque du Peuple n'avait aucune des garanties qu'exige le public. Elle avait bien la moralité, disons mieux, la vertu de son fondateur ; mais elle n'avait pas le capital de fondation. Je sais tout ce qu'on peut dire sur l'inutilité de ce capital, qui se trouve toujours insuffisant en temps de crise, et qui ne permet jamais à la banque de rembourser *à vue* ses billets, dans ces temps d'épreuve, ce qui la met dans l'obligation de recourir invariablement au cours forcé. Tout ce qu'on dit à ce sujet est aujourd'hui surabondamment démontré, et la révolution de 1848 en avait donné, une fois de plus, la preuve indéniable.

Mais il n'en est pas moins vrai qu'une banque sans capital de fondation, pour un pays imbu de préjugés comme la France, était sûre de n'obtenir aucune confiance, et les questions de crédit ont ceci de particulier qu'elles ont autant de puissance par le côté moral que par le côté monétaire. Le mot *crédit* vient du mot latin *credere, croire, confier*, et quand il est constitué de manière à ne pas inspirer la confiance, le public ne vient pas à lui. Ainsi la banque du peuple n'avait pas de capital qui lui fût propre; elle ne remboursait pas ses billets *à vue;* c'était assez pour qu'elle fût traitée, au milieu des autres banques, comme une brebis galeuse.

En second lieu, la banque du peuple n'avait aucune attache gouvernementale, dans un pays où le gouvernement,
pour les quatre cinquièmes de la population, est absolument tout. L'appui et le contrôle de l'Etat lui manquaient.
Sans être trop sévère, on pouvait même affirmer que toute
la bourgeoisie, qui se rattachait au gouvernement, la voyait
de mauvais œil. Ce n'est pas, à coup sûr, la faveur du pouvoir qui fait les bonnes ou les mauvaises affaires des banques ; mais le courant de leurs opérations a besoin d'atteindre
à un certain chiffre, et cet isolement de la banque du peuple, au milieu d'une société fondée sur la toute-puissance
du capital et sous un gouvernement presque hostile à sa
création, ne pouvait manquer de détourner de ses guichets
le monde même des travailleurs, pour lequel elle était particulièrement fondée.

Ces premières critiques ne s'attaquaient qu'au fonctionnement de la banque du peuple, considérée comme banque
ordinaire et comparée aux banques auxquelles le public accorde sa confiance ; mais en descendant dans l'examen même
des opérations particulières que voulait inaugurer la banque du peuple, on trouvait encore une inexpérience plus
grande et vraiment extraordinaire de la part d'un homme
aussi puissant par le savoir et la dialectique.

Ainsi, le but principal que voulait obtenir la banque du
peuple était *l'échange des produits contre des produits,* et
c'était là le côté qui avait séduit les travailleurs. « A la
bonne heure ! se disaient-ils, nos produits s'échangeant contre des produits, nous n'aurons plus besoin de capitalistes
et nous serons bientôt libres ! »

Illusion vraiment étrange et presque naïve ! Les produits ne peuvent s'échanger contre des produits, qu'à la

condition que la valeur de ces produits sera fixée d'une manière absolue, c'est-à-dire de manière qu'elle ne soit pas contestée par la personne qui se proposera pour l'échange. Or, il suffit de poser cette fixation de la valeur des produits pour voir qu'elle échappe à toute mesure, à toute affirmation immuable, parce que la valeur des produits change à toute minute, en dépit de toute volonté humaine.

Les nécessités sociales ont depuis longtemps tranché cette question, en donnant pour l'échange des produits un étalon fixe, invariable, frappé d'un timbre national, *la monnaie*.

Mes critiques, et surtout la dernière, frappèrent Proudhon, qui regarda comme des préjugés inspirés par la routine ce que je disais des banques, mais qui ne put échapper à la pointe de l'objection que je lui opposais pour l'échange des produits.

— La pratique décidera, me dit-il.

Et la pratique fit, en effet, justice de cette opération chimérique; mais Proudhon était, en ce moment, comme un général qui a bien ou mal engagé son armée : il ne pouvait plus reculer. Il lui fallait la victoire. En lui montrant la défaite, je ne me flattais pas de le faire revenir sur ses pas. Je tenais toutefois à bien lui démontrer que le problème de l'organisation du crédit pour les travailleurs, auquel je m'intéressais autant que lui, ne serait pas résolu par la banque du peuple.

Cette organisation démocratique du crédit était une des questions qui m'occupait et qui m'occupe encore le plus aujourd'hui. Cela est si vrai que plus tard j'ai organisé, moi aussi, *une banque d'escompte et d'échange* en faveur de la population ouvrière.

La banque que j'avais fondée et qui a fonctionné, avait

pour titre : *Comptoir d'Echange et de Commission*. Son but était :

1º D'abaisser le taux de l'escompte et par conséquent de diminuer l'influence du capital;

2º De faciliter l'échange des produits, ce qui était le but poursuivi par la banque du peuple.

L'établissement que j'avais créé a marché, et il marcherait certainement encore, si la Banque de France ne m'avait pas fait interdire de continuer mes opérations, sous le prétexte que mon comptoir commettait *une infraction grave à la législation sur les monnaies et au privilége de la Banque de France*. J'essayai de lutter et de maintenir mon établissement, qui se développait à vue d'œil, et j'adressai plusieurs lettres au ministre de la police, à cette époque. Mais on se contenta de me rendre tout mon matériel saisi, en me défendant d'aller plus loin. Je donnerai, dans le livre que je me propose de publier sur les réformes sociales, toutes les explications nécessaires au mécanisme de mon comptoir, mécanisme qu'un des principaux hommes de la Banque appréciait très-favorablement, à mon avis, quand il me disait : « Ah! cher collègue, comment voulez-vous qu'on vous laisse marcher; si on laissait aller votre banque, et si elle était appliquée partout, on n'aurait bientôt plus besoin de capitaux, et vous comprenez que les choses ne peuvent aller ainsi! »

C'était bien le cas de lui répondre : « Vous êtes orfèvre, M. Josse. » Plût au ciel que l'intérêt de l'argent fût réduit à zéro : le travail serait alors le souverain maitre de toutes choses.

Espérons que son heure viendra.

Je reviens à Proudhon, et je dois avouer que cette rude attaque contre l'organisation de sa banque l'attira plus vers moi, lui, ce modèle de droiture et de sincérité, que toutes les flatteries dont j'aurais pu caresser son esprit. Il m'a souvent répété plus tard que ma franchise bretonne avait, du premier coup, établi un lien entre lui et moi.

A partir de ce jour, une chaude et vivace amitié s'établit entre nous, et je confesse ici hautement que cette amitié a été une des plus grandes joies de ma vie et l'une des meilleures consolations dans mes jours d'amertume. Il avait pour mes avis une déférence qui m'honorait et me touchait à la fois. Le 18 mars 1853, il m'écrivait : « Je vais préparer une » étude de toutes les innovations économiques auxquelles » nous assistons depuis un an. C'est un travail d'honneur » pour moi et d'utilité pour la Révolution. J'aurai à vous » consulter à cet égard. »

Et ce n'est pas seulement au sujet de ses travaux qu'il aimait à chercher avec moi le point vrai et juste des choses. Les questions de conduite et de dignité personnelle n'étaient point en dehors de nos relations. Devenus amis intimes, nous ne nous cachions rien de ce qui pouvait nous toucher mutuellement ; aussi m'appelait-il dans une de ses lettres, *son confesseur* (24 juillet 1858).

On m'apprend qu'il a écrit à l'empereur. A l'instant même je lui fais savoir ce que je pense de cette démarche, et il me répond par une parole que je regarde comme un titre d'honneur pour ma vie.

« Cher ami, me dit-il, je vous adjure de ne parler de moi » ni en bien, ni en mal. Vous avez approuvé l'attitude que j'ai » prise après mon amnistie ; croyez que je saurai également » prendre une attitude convenable devant le chaos qui se

» prépare. Je ne ferai rien que vous puissiez blâmer. *Vous*
» *êtes ma conscience*, et soyez sûr que je ne ferai rien
» qu'elle désapprouve. » (15 avril 1860.) Et il ajoute : « Vous
» verrez qu'après avoir soutenu pendant dix ans le rôle
» d'insurgé, je serai amené à celui de conciliateur : eh bien,
» si la situation l'exige, je ne reculerai pas. »

Cette lettre montre le degré d'intimité qui s'établit entre
nous. Je suis le seul de ses amis auquel il ait donné sa pro-
curation. J'ai présenté avec lui ses enfants à l'état civil, et
il avait donné mon prénom à l'un de ses enfants, qui est
mort. Ce démolisseur révolutionnaire du vieux monde, dont
la réaction avait fait le destructeur de la famille et de la
propriété, était le plus doux des hommes, le meilleur des
pères et le modèle des maris ! Lisez cette lettre qu'il m'écrit
sur son intérieur : « Catherine (sa fille aînée) est en va-
» cances. Elle a obtenu un *accessit* et me charge de vous
» en faire part. Il est juste de dire à sa décharge qu'elle a
» manqué deux mois à l'école. Stéphanie (sa seconde fille)
» et la mère vont assez bien. La marche du temps nous
» apporte un petit bénéfice. Catherine commence à rendre
» quelques petits services, si bien que nous nous passons de
» tous secours étrangers. Encore un peu, et nous n'aurons
» plus besoin même de la blanchisseuse et de la couturière.»
Où trouver une simplicité plus attrayante, des mœurs plus
pures, une paternité plus digne ?

L'amitié de Proudhon, je suis heureux de pouvoir le dire
ici dans toute l'effusion de mon cœur, a été pour moi comme
un cordial. Elle a réjoui et réconforté mon existence, et
sa fin prématurée m'a causé une douleur qui attriste encore ma vieillesse. La démocratie peut regretter amèrement
la perte de ce grand vulgarisateur des idées économiques, et

sa parole serait aujourd'hui une lumière qui nous montrerait la voie à suivre dans bien des questions obscures.

Notre correspondance a été des plus suivies ; j'ai de lui plus de deux cents lettres sur tous les sujets, sur tous les problèmes qui intéressent la France, l'Europe, la démocratie et l'avenir du monde. On trouvera à la fin de ce livre quelques-unes de ces lettres où se montre toujours, çà et là, la griffe du lion. Mais je ne puis résister à la tentation de mettre ici, sous les yeux du lecteur, une lettre prophétique où son regard, pénétrant dans l'avenir comme un éclair, nous prédit, dès l'année 1860, la chute de l'Empire, l'invasion, l'Empire d'Allemagne, et jusqu'au chiffre de notre rançon de guerre. Qu'on lise cette lettre, qui a tout le rayonnement du génie !

« Bruxelles, 26 août 1860.

« Que dirait votre père, lui qui jadis épluchait les budgets » de la Restauration, s'il pouvait aujourd'hui jeter les yeux » sur l'état de nos finances !

» Savez-vous que notre dette publique, consolidée, flot-
» tante, viagère, jointe au découvert prévu pour 1863, se
» monte aujourd'hui au capital nominal de *14 milliards?*

» Vantez donc après cela les bâtisses, les monuments, les
» victoires, les fêtes ! *Quatorze milliards !*

» Que diriez-vous si votre fils, dont la fortune sera grande
» un jour, au lieu de travailler sérieusement à honorer son
» nom et sa profession, entretenait une danseuse à 4,000 fr.
» d'appointements par mois, une écurie qui lui coûterait
» deux cent mille francs. Si de temps en temps il vous mon-
» trait un diamant du prix de 500 louis, un camée, un
» bronze, un tableau de mille, deux mille, trois mille écus ;
» s'il donnait des repas de trente couverts à deux cents

» francs par tête ; s'il perdait en paris, à toutes les courses ,
» deux ou trois mille louis ? Que diriez-vous si à chacune de
» vos observations il répondait : Mais ma maîtresse est la
» plus belle femme de Paris, mais j'ai la plus belle galerie
» de la capitale, mais mes chevaux valent ceux de l'empe-
» reur, mais, mais . . . .

   » Voilà comme on nous mène !

   » La ville de Paris, disent les voyageurs qui en revien-
» nent, est la plus belle capitale du globe, mais elle ne peut
» faire son emprunt ; la France est la première puissance
» militaire ; mais sa plèbe est au pain sec et à l'eau ; mais
» le cinquième du produit national s'en va en dépenses im-
» productives ; mais le peuple français est endetté de 14 mil-
» liards !

   » Il ne nous manque plus, après avoir répétaillé le pre-
» mier Empire, que de conclure à son exemple par quelque
» nouveau Leipzig, une bonne petite invasion : Hommes,
» 800 mille ; capitaux, trois milliards ; indemnité aux en-
» vahisseurs, deux milliards, total : *cinq milliards*, qui,
» joints aux 14 déjà établis, feraient dix-neuf milliards, juste
» la dette anglaise !

   » Grande nation !

   » Tout cela me rend frénétique et féroce. »

APRÈS LES JOURNÉES DE JUIN

Ce qu'il fallait faire après les journées de Juin. — La part que j'ai prise aux travaux de l'Assemblée constituante. — Jugement sur l'Assemblée de 1848 et l'Assemblée constituante. — L'Assemblée législative. — Je ne suis pas réélu. — Mes affaires privées. — Ma faillite. — Témoignage de sympathie et d'affection que je reçois. — Une lettre de l'abbé Danielo, une conversation avec Dupin aîné.

Les journées de Juin ont été le grand drame de la Révolution de 1848, comme elles ont été l'une des étapes les plus importantes de l'idée égalitaire dans notre siècle. En voyant la démocrate les envahir ainsi, comme une marée montante, que devaient faire les capitalistes en faveur des travailleurs? Is devaient aborder fermement les problèmes à résoudre et prévenir, par de promptes réformes, le retour d'une pareille conflagration. Ils devaient répandre l'instruction, développer les associations entre travailleurs, entre travailleurs et patrons; faire bon accueil aux institutions favorables au peuple, et vulgariser le crédit, de manière à rendre accessible à l'ouvrier le capital qui lui fait défaut. Toute crise violente est suivie d'une accalmie, et il fallait profiter de cette accalmie pour rapprocher les deux camps divisés, le capital et le travail. C'est quand les eaux sont basses, dit le proverbe, qu'il faut travailler aux digues.

Voilà ce qu'il fallait faire; mais on s'acharna malheureusement à faire précisément le contraire. Au lieu des réformes et des évolutions bienveillantes que je signale, on n'entendit parler que de haines et de vengeances. Le général Cavaignac décréta la transportation sans jugement, justifiant ainsi du premier coup le mot que je lui avais adressé, après avoir été *seul* à voter contre lui à la chambre. Les soldats n'ont jamais rien compris à la liberté humaine, et la France n'est que trop portée à jouer au soldat.

Ce ne fut pas tout. Etant donné le courant de réaction violente que je rappelle, tout s'ensuivit. On ne parla que de compression, que d'appels à la force et de mesures propres à creuser plus profondément encore l'abîme qui sépare la bourgeoisie du peuple. L'instruction fut renvoyée aux commissions, les associations furent abandonnées à elles-mêmes, et le crédit resta ce qu'il était, ce qu'il est encore aujourd'hui: le patrimoine exclusif d'une classe privilégiée; car la situation, après cinq lustres de plus, n'a pas changé.

Devons-nous donc tourner éternellement dans le même cercle? N'aurons-nous jamais d'autre politique que celle des révolutions? Ne connaîtrons-nous jamais la politique des réformes et des améliorations progressives? La bourgeoisie ne pouvant vivre sans le peuple, et le peuple ne pouvant faire abstraction de la bourgeoisie; en d'autres termes, le capital ayant besoin du travail, et le travail ayant besoin du capital, tout le secret de la politique consiste à trouver, par des institutions nouvelles, des traits d'union entre ces deux mondes divisés. Tout est là!

C'est là, pour mon propre compte, la grande leçon que j'ai tirée de la Révolution de 1848. On a pu voir par l'analyse de la Banque du peuple de Proudhon que je n'étais en rien grisé par la fumée des innovations de toutes sortes que l'on proposait de tous côtés. Mais il était clair, pour moi, à cette époque, comme il est encore manifeste aujourd'hui, que nous n'avons plus autre chose à faire qu'à unir le travail et le capital. Dès cette époque, j'ai sans arrière-pensée tourné mes idées de ce côté, et tous les événements qui se sont accomplis dès lors n'ont fait, à mon avis, que justifier mes appréciations. Bien mieux, ces événements, avec une logique inexorable, ont si bien démontré, par des arguments sans réplique, la justesse de ce jugement, qu'à l'heure où j'écris, il n'y a plus, dans la grande famille européenne, que ces deux partis, les capitalistes et les travailleurs.

Que les capitalistes tendent donc la main aux travailleurs, et que les travailleurs s'unissent aux capitalistes, si l'on ne veut pas que la civilisation périsse dans des convulsions sans fin.

———

Je dois résumer ici, pour compléter mes *Souvenirs*, la part que j'ai prise aux travaux de l'assemblée constituante. N'ayant pas le don de la parole, je n'ai abordé la tribune qu'une seule fois, pour rendre compte à l'assemblée de la mission qui m'avait été confiée par le général Cavaignac. Le dirai-je ici? Je suis presque heureux d'avouer que je n'avais pas le don de la parole, car, si l'on faisait la part du bien et du mal, je ne sais si l'on ne trouverait pas que l'éloquence a été plus funeste qu'utile à la France. C'est un discours de Lamartine qui nous a valu l'échec de la proposition Grévy et l'élection du président de la République par le suffrage universel. On sait aujourd'hui ce que nous a donné ce discours.

Notre pays a cinq fautes capitales à se reprocher :
Il a trop écouté les rois,
Trop écouté les prêtres,
Trop écouté les militaires,
Trop écouté les capitalistes,
Trop écouté les avocats.

Et voilà comment, après tant de révolutions, de secousses et de revirements, il en est toujours réduit à une politique qui n'est, suivant un mot connu, que piétinement sur place.

N'ayant pas à me préoccuper de discours en vue d'alimenter la curiosité de mes électeurs, je m'appliquai à rechercher les travaux qui pouvaient se rapporter au courant d'idées que je viens d'exposer, et c'est dans ce but que je fus heureux d'être nommé membre des commissions suivantes :

Commission pour le développement du commerce et de l'industrie ;

Commission des colonies agricoles de l'Algérie ;

Commission du travail ;

Commission des valeurs de douanes.

Un mot sur chacune de ces commissions.

La commission pour le développement du commerce et de l'industrie représentait à coup sûr un vaste champ d'élaborations et de mesures efficaces à prendre. Mais il en est de cette question comme de toutes celles que l'on veut résoudre en France. On se trouve en présence de cent projets en sens contraire, qui se heurtent et s'annihilent les uns les autres. Comment, par exemple, songer au développement du commerce et de l'industrie, sans avoir résolu à l'avance ces questions capitales : protection ou libre échange, initiative par l'Etat ou par l'industrie privée, organisation du crédit, etc.

Pour se représenter exactement à quelles propositions confuses et contradictoires on s'arrêtait forcément, on n'a qu'à se rappeler l'historique de la plus grosse question d'affaires de notre temps, celle des chemins de fer. Nos économistes et nos hommes politiques ne purent se décider ni dans le sens de l'initative privée, ni dans le sens de l'initiative de l'Etat, et l'on s'arrêta à un système bâtard qui laissa, en définitive, le gouvernement assez maître de la question pour qu'il ait pu faire ce qu'il a voulu. Or, comme la France retomba bien vite sous le gouvernement absolutiste de l'homme de Strasbourg et de Boulogne, il arriva que ce gouvernement personnel, par des décrets insensés, porta à quatre-vingt dix-neuf ans les concessions faites pour une moyenne de cinquante ans, et l'on est ainsi parvenu à doubler et à tripler la propriété de nos millionnaires, et à retarder d'un demi-siècle le retour à l'Etat de la première de nos propriétés publiques. On peut juger, par la situation financière actuelle, de la folie du régime impérial. Voilà comment vont de l'impuissance à la ruine les grandes questions d'affaires en France !

La commission des colonies agricoles de l'Algérie était arrêtée par un autre obstacle. Le gouvernement et l'opinion demandaient à favoriser le développement de notre colonie, qui n'était encore, hélas ! qu'une succession onéreuse pour nos finances. On répétait de tous côtés que le grenier d'abondance de l'Empire romain devait être pour nous une seconde France. Mais, pour attirer les populations en Afrique, il fallait leur distribuer ce qui attire et attache le plus le colon, je veux dire le sol. Or, nos bourgeois millionnaires

ont trouvé plus intéressant pour eux de se réserver dans
notre première colonie d'immenses concessions de terre, de
sorte que le colon n'a plus pour lui que le rebut des terres
distribuées à la colonie, et devant une telle perspective, la
population aime mieux rester en France. C'est en sacrifiant
ainsi, en tout et pour tout, l'intérêt du travailleur à l'intérêt
du capitaliste, qu'on laisse perpétuellement en suspens tous
les problèmes à résoudre.

C'est comme membre de cette commission que je présidais à l'embarquement des colons qui remontaient la Seine
et prenaient les canaux pour atteindre le Rhône, qui les
menait à Marseille, où se faisait le transbordement pour
l'Algérie. Je présidais, le jour où Mgr Sibour, arrivé de la
veille à Paris, vint donner sa bénédiction, comme archevêque, aux colons. Je n'ai jamais approuvé, je l'avoue, cette
intervention du clergé dans les affaires politiques. C'est ainsi
que les républicains eurent le tort, suivant moi, d'invoquer,
le lendemain du 24 février, les prières et les bénédictions
de l'Eglise en faveur des arbres de la liberté. Le clergé bénit
les arbres, mais il est clair qu'il aurait encore mieux aimé
bénir la hache du préfet de police Carlier, qui les abattit
plus tard. Les prêtres obéissent comme d'humbles serviteurs, jusqu'au jour où ils peuvent parler en maîtres. Il n'y
a aucun trait d'union possible entre le monde de la Révolution et le monde du *Syllabus*. Laissons donc les prêtres
à leurs autels, et ne portons jamais aucune atteinte à leur
liberté, tant qu'ils restent dans leurs temples ; mais décré-
tons, de notre côté, la séparation de l'Eglise et de l'Etat ;
répandons l'instruction comme la lumière du jour, et la
Révolution aura bientôt raison de ses plus mortels ennemis.

Passons à la commission du travail. C'était assurément

la commission la plus importante et la plus capable de jeter pour l'avenir les meilleures semences. Mais ici encore, on se trouvait en présence de systèmes qui s'excluaient impitoyablement : propositions inspirées par les idées les plus réactionnaires, propositions qui avaient en vue l'amélioration du sort des travailleurs, mais qui n'arrivaient pas à obtenir la majorité de la commission et de la chambre.

L'antagonisme des projets était si tranché, que, même à propos de la dissolution des ateliers nationaux, question brûlante s'il en fut, on vit se produire les opinions les plus contraires. J'ai rappelé plus haut que MM. de Falloux et Goudchaux se firent remarquer par l'opiniâtreté avec laquelle ils réclamèrent la dissolution immédiate, même en présence des informations les plus graves, qui nous faisaient voir dans cette mesure un danger de guerre civile. Pourquoi donc la bourgeoisie s'obstine-t-elle à mettre si souvent ainsi l'allumette à côté de la poudrière?

C'est dans cette commission que je pus voir de près et juger M. Rouher, qui parlait à cette époque comme un ardent républicain et qui n'a trouvé rien de mieux à faire que de se mettre à la merci du plus méprisable des prétendants. C'était un travailleur infatigable, et qui montrait dans l'exposé des questions des capacités de premier ordre. Cette facilité d'assimilation le portait à faire des rapports sur toutes les questions discutées dans la commission ; mais il était facile de voir à travers ce flux intarissable de paroles, une versatilité affligeante. Quant le vote du 10 Décembre le mit devant l'homme de l'Elysée, il se hâta de lui sacrifier son républicanisme de parade. Les ministères, le pouvoir, les honneurs, les titres, les applaudissements de créatures serviles comme lui, ont rempli sa vie. Pauvre homme ! Se-

rait-il assez dénué de bon sens pour s'imaginer qu'il a été
un homme d'Etat ? Il a servi les Bonaparte, comme il aurait
servi les d'Orléans, comme il aurait servi Henri V, comme
il aurait servi le premier venu qui l'aurait mis en évidence.
En réalité, ces hableurs ne servent qu'eux-mêmes et n'o-
béissent qu'à leur misérable vanité. Qu'on ne parle pas de
leur talent; leur éloquence n'est qu'une faconde qu'ils dé-
ploient pour dorer leurs mensonges, et un beau jour le
pays finit par s'apercevoir qu'on lui a fait jouer, encore
une fois de plus, la fable du *Renard et du corbeau;* mais
il est trop tard, le fromage est avalé. Assez de duperies
comme cela ! Ces hommes sans conscience et sans foi ont
toujours été le fléau de la France !

Je m'arrête, en dernier lieu, sur la commission des valeurs de douanes, parce que c'est à cette commission que
je suis resté attaché le plus longtemps. Comme on pouvait
y rester sans prêter serment, j'en ai fait partie jusqu'en
1865, et j'y ai travaillé de mon mieux. Ma participation aux
travaux de la commission des douanes a souvent fait naître
chez moi des observations que je consigne ici. J'avais à déterminer la valeur moyenne unique des prix de chaque
qualité de métaux, minerais, etc., mais avec les quantités
données par les bureaux, sans distinction de provenance;
travail doublement difficile et désagréable, parce que la
moyenne ne pouvait satisfaire aucun des centres métallurgi-
ques, ensorte que les renseignements dont on peut avoir
besoin au ministère ne sont jamais obtenus qu'avec difficulté ou d'une manière incomplète, ainsi que les renseignements demandés aux chambres de commerce.

A cet égard, les pratiques de notre administration diffè-
rent complétement de celles de l'administration anglaise.

Chez nos voisins, tous les documents, toutes les informations qui intéressent le public sont donnés avec une libéralité qui ne se dément jamais. Là, l'administration est la servante du public. Chez nous, au contraire, l'administration parle et agit comme si elle avait un autre intérêt que celui du pays, et tous nos travaux administratifs se ressentent de cette fausse idée.

Et puis on sait que, par suite de la déplorable manie que nous avons de courir après les places, le gouvernement, pour caser ses créatures, distribue à tort et à travers les fonctions si importantes des consulats. On y installe des fils de famille ruinés par les filles ; et les intérêts de notre commerce extérieur se trouvent ainsi placés entre les mains de représentants qui ne voient dans leurs fonctions qu'un pis-aller et ne s'occupent que de leur avancement pour améliorer leur position. Au moment où nous écrivons ces lignes, M. Victor LeFranc, ancien ministre, plaidant pour le ministre de France à New-York dans l'affaire du *Transcontinental Pacific*, n'a-t-il pas dit ces paroles vraiment surprenantes : « Vous savez bien, Messieurs, qu'un ministre de » France à l'étranger n'entend absolument rien aux opéra- » tions du commerce et de l'industrie ! »

Eh bien, nous estimons, pour notre part, que les consulats sont plus importants et plus utiles que les ambassades, qui ne servent qu'à alimenter les intrigues entre les puissances. Mais il importerait de ne les confier qu'à des hommes expérimentés et connaissant à fond le commerce et les affaires. Comment, dans les conditions actuelles, arriver à connaître, à défendre et à favoriser notre commerce extérieur ? Tout va et tout ira à la diable, tant qu'on n'aura pas changé les pratiques condamnables que je signale ici.

En résumé, la Révolution de 1848 avait été pour moi comme une initiation et comme le gage d'une politique nouvelle, en me posant tous les problèmes du capital et du travail.

En haut, pour entreprendre cette grande œuvre de pacification sociale, elle nous donnait le gouvernement idéal, la République.

En bas, pour consolider à tout jamais la souveraineté du pays, elle nous donnait le suffrage universel.

Mais ces deux moteurs de la politique future ont été faussés et brisés par la réaction, et l'œuvre capitale de cette révolution, la réconciliation du peuple et de la bourgeoisie, a été renvoyée par les journées de Juin aux calendes grecques.

Voici comment le président de la Constituante, M. Armand Marrast, parlait de cette grande question sociale, le dernier jour de l'Assemblée, le 26 mai 1849, dans l'allocution qui a clôturé les séances de la Chambre :

« Si le suffrage universel devait ramener la France au » point où il l'a trouvée, et, pour prix de ses agitations, s'il » ne devait nous donner qu'une société pétrifiée, un ordre » précaire, des iniquités permanentes sans progrès, sans » améliorations générales, sans concorde au dedans, sans » grandeur au dehors (que Dieu me pardonne ce mot im- » pie!), mieux vaudrait pour un peuple l'abrutissement du » despotisme. Tel n'est pas le sort que l'Assemblée natio- » nale a préparé aux générations. Indépendamment des » propositions qui n'ont pu aboutir, vous trouverez dans le » relevé de ses travaux un nombre considérable de décrets » et de lois qui attestent sa préoccupation constante des in- » térêts, des besoins, des souffrances de la portion du peu-

» ple la plus déshéritée. Je sais que le bien paraît peu sen-
» sible ; et la douleur qui se prolonge parce qu'elle est pro-
» fonde, accuse toujours la lenteur du temps. Mais il n'y a
» pourtant de réformes sérieuses, étendues et durables,
» qu'à l'aide de rénovations mesurées, progressives. Il faut
» entrer, marcher résolûment dans cette voie, n'y point flé-
» chir et ne rien précipiter, au risque de tout compromettre
» et de tout jeter dans l'abîme. »

N'est-ce pas dérisoire? On pourra parler éternellement
ainsi de la question sociale, sans la faire avancer d'un pas.
Il n'est pas un économiste, il n'est pas un philosophe qui
n'ait parlé de cette question en meilleurs termes. Si nous
n'avons pas de plus énergiques résolutions à prendre pour
résoudre ces problèmes, nous ne sommes pas au bout de
nos déchirements. Proudhon avait bien raison de dire :
« Travailleurs, n'attendez rien des rhéteurs qui vous gou-
» vernent, ni des prêtres qui vous sermonnent : leur cer-
» veau est moulé, leurs idées sont irréformables. »

Il faut donc que le suffrage universel fasse arriver aux
assemblées et au pouvoir les hommes nouveaux qui seuls
étudient et comprennent les nécessités de la politique présente, et qui, seuls aussi, sont résolus à les faire pénétrer
dans les institutions sociales.

Je ne fus pas réélu à l'Assemblée législative. Le département du Morbihan restait soumis à la toute-puissante influence du clergé, tandis que moi, de mon côté, j'entrais
plus fermement que jamais dans les voies ouvertes par la
Révolution. La séparation entre nous était inévitable.

En rentrant dans la vie privée je n'abandonnais pas,

comme on le verra, mes devoirs politiques, mais j'avais
l'avantage de retrouver ma liberté pour consacrer à mes
propres affaires le temps et le soin qu'elles réclamaient,
après les terribles commotions des journées de Février et
de Juin. Les révolutions sont en effet plus lourdes à supporter par les grandes usines que par le petit commerce,
qui vit au jour le jour. Les difficultés d'argent restent les
mêmes pour tout le monde, mais un grand établissement
industriel doit de plus faire face aux engagements qu'il a
pris et aux obligations qu'impose un nombreux personnel.

J'étais parvenu à fonder à Paris une maison importante;
mes travaux s'étaient développés d'année en année, et voici
quelle était, au moment de la Révolution de Février, ma
situation. Mon usine occupait de 150 à 200 ouvriers et je
faisais de sept à huit cent mille francs d'affaires par an.

C'était un résultat des plus satisfaisants. Le succès était
d'autant plus favorable, que la supériorité de mes produits
contribuait à l'extension de mes affaires. J'avais inventé
une nouvelle chaudière à vapeur, qui a été copiée par
MM. Hermann et Lachapelle, que la publicité a fait connaître dans tous les pays, et qui ressemblait beaucoup à la
chaudière qui sert aujourd'hui en Suisse sur le chemin de
fer du Righi.

Les qualités nouvelles de ma chaudière m'avaient fait
obtenir du ministère de la marine des commandes considérables. J'étais donc en pleine voie de prospérité et j'en avais
profité, comme on l'a vu, pour intéresser mes ouvriers dans
mes bénéfices, quand la révolution de Février vint m'imposer brusquement les plus grands sacrifices.

En un tour de main, ma situation changea de face. Plus
de commandes, plus de rentrées, plus de crédit; et, coûte

que coûte, obligation de parer à tout, de payer et de donner du travail à des ouvriers sans pain.

Mon devoir était tout tracé, et, en 1848 à Paris, comme en 1830 à Glomel, je n'hésitai pas à payer de ma personne; je pourvus aux besoins de mon usine, je continuai mes opérations pour donner du travail, Dieu sait à quelles conditions! Mais les journées de juin vinrent encore peser à leur tour sur ma situation déjà fortement entamée.

Ce furent, en effet, mes ateliers bien connus dans le quartier Popincourt, qui servirent de quartier-général à l'insurrection de ce côté. On prit le plomb et le zinc des toitures pour fondre des balles; on alésa des canons; des machines toutes prêtes à être embarquées pour la Martinique, et d'autres qui devaient être livrées au ministère de la marine, furent brisées pour avoir des projectiles; mon établissement était complétement saccagé, et quand la troupe fut maîtresse du quartier, on trouva, dans mes ateliers, quarante-sept fusils et deux canons abandonnés.

C'était pour moi comme un second désastre. Je voulus lutter quand même, et pour moi la certitude de triompher de ces difficultés aiguës ne faisait pas l'ombre d'un doute. Le passé me disait assez ce que serait l'avenir. Le temps est le grand maître et l'infaillible réparateur; mais le temps lui-même on ne peut pas toujours l'obtenir. Au milieu d'une crise, chacun est pressé, tourmenté, forcé d'utiliser toutes ses ressources, et cette nécessité d'agir, au lieu d'atténuer et de diminuer, précipite et multiplie les catastrophes.

J'étais pris dans cet engrenage, qui nous fait laisser à tous quelque lambeau de notre patrimoine; à chacune des secousses qu'éprouve le pays, vienne un bouleversement, nous en souffrons tous, capitalistes et travailleurs, comme les membres différents d'un même corps malade. Cela est si vrai que l'institution qui résume en quelque sorte le travail social, la Banque de France, ne peut résister elle-même à la commotion générale qu'en recourant au cours forcé de ses billets.

En présence d'obligations accablantes, je me conformai rigoureusement à tous mes devoirs, qui me commandaient, comme au capitaine d'un navire en détresse, d'aller jusqu'au bout et de ne jamais abandonner mon équipage. Tout mon avoir fut sans hésitation sacrifié pour maintenir debout l'établissement que j'avais fondé et pour assurer du travail à mes ouvriers. Mais quand vint l'heure de la dernière épreuve, quand je me trouvai sans ressources réalisables ou réalisées, devant des obligations immédiatement exigibles, il me fallut bien prendre un parti, et mon parti fut vite pris.

La plupart de mes créances étaient entre les mains de ma famille, et les obligations commerciales que j'avais à remplir étaient relativement peu importantes. Je réunis donc mes créanciers, et je n'eus aucune peine à leur démontrer qu'avec un peu de temps, j'arriverais facilement à les désintéresser complétement. Les cinq sixièmes de mes créanciers acceptèrent sans opposition mes propositions ; mais les porteurs de titres, qui se trouvaient comme moi entre l'enclume et le marteau, ne purent me donner leur consentement, et leur refus me plaça devant l'extrémité la plus poignante qui puisse se dresser pour un chef d'établissement : la faillite !

Quand je fis part à mes amis du coup qui allait me frapper, il n'y eut dans leur bouche qu'un seul cri, qui me fut répété cent fois : « Allons donc ! vous, Beslay, en faillite ! Invoquez donc le bénéfice de la liquidation judiciaire offerte

pour régler les affaires devenues impossibles par suite d'é-
vénements imprévus! Allons! pas de faillite et vite une
liquidation judiciaire. »

On me connaissait mal. Je répondis à tous invariablement : « J'ai fait mon devoir jusqu'au bout, mais précisément parce que le décret du 22 août 1848 a été promulgué
pendant que j'étais représentant du peuple, je suis bien décidé à ne pas invoquer sa protection. Je ne veux que le
droit commun, et je m'y conformerai. »

Je m'y conformai, en effet. Dans l'impossibilité de donner
satisfaction à quelques créanciers intraitables, je déposai
mon bilan et je fus déclaré en faillite.

Voilà vingt-trois ans que j'ai accompli, vis-à-vis de moi-
même, cet acte d'immolation impitoyable que je pouvais
facilement éviter, et, en écrivant ce mot douloureux, le
saisissement que j'éprouve encore me prouve jusqu'à quel
point j'ai été rigoureux envers moi-même. Et si je parle
de mon émotion persistante au souvenir de cette épreuve,
mes lecteurs, je pense, ne se méprendront pas sur mon
sentiment intime. Je suis habitué, de longue date, à peser
les pouvoirs, les institutions et les actes, et je sais ce qu'il
faut équitablement dire et penser de ce mot faillite. Cette
loi défectueuse de mon pays, je la jugerai donc, comme
toutes les autres lois, et je lui donnerai sa mesure exacte.

Mais le saisissement qui arrête encore ma plume, tout
cœur bien placé le comprend et le devine. Il m'est arrivé
une fois dans ma vie d'être obligé de déclarer, devant la
loi, que je ne pouvais remplir mes engagements, et ce
manquement à la morale du tien et du mien a laissé en
moi une blessure dont j'ai toute ma vie porté la cicatrice.
Avec les idées que je développe dans ce livre, il est clair

que la question de la propriété est une de celles que j'ai
étudiées le plus sérieusement : eh bien ! de tout ce que j'ai
lu, de tout ce que j'ai entendu, de tout ce que je sais sur
le droit de propriété, je ne connais rien pour moi qui vaille,
pour la défense de cette institution, ce témoignage invincible de ma propre conscience en faveur de l'avoir d'autrui.

Une fois cet aveu consigné dans mes *Souvenirs*, on ne
peut me contester le droit, non de plaider les circonstances
atténuantes, — le refus de recourir à la liquidation judiciaire prouve que je n'ai pas voulu les invoquer — mais de
consigner purement et simplement les faits qui concernent
cette suspension de paiements. Ces faits sont bien clairs et
caractéristiques.

1º Mon concordat fut accordé à l'unanimité, moins une
voix ;

2º Je me suis acquitté des dividendes que j'avais à payer ;

3º La presque totalité de mes créances était entre les
mains de mes parents ;

4º Un grand nombre de ces créances est aujourd'hui in-
tégralement payée et j'espère bien rembourser le reste.

Voici d'ailleurs ce que pensait de mes affaires le syndic
de ma faillite. Je ne puis invoquer un document plus péremptoire, et mes lecteurs y trouveront, comme on va le
voir, la justification de ma conduite.

« Comme on le voit, en 1847, ses affaires étaient prospè-
» res, et tout lui faisait croire qu'elles ne feraient que s'a-
» méliorer, lorsque est venue la Révolution de 1848, qui a
» détruit ses espérances et ruiné son industrie, en même
» temps que la plupart de ses débiteurs.

» Le sieur Beslay n'a pas cherché à user du bénéfice du

» décret du 22 août 1848 sur les liquidations judiciaires,
» avant sa révocation, parce qu'il a eu jusqu'à l'époque du
» dépôt de son bilan l'espérance de continuer les affaires et
» d'attermoyer avec ses créanciers, dont le plus grand nom-
» bre se compose des membres de sa famille.

» Il a tenté un arrangement amiable, qui a reçu l'adhé-
» sion d'un assez grand nombre de ses créanciers ; mais,
» faute d'avoir obtenu l'unanimité, il a été dans la position
» fâcheuse de déposer son bilan, pour arrêter les poursuites
» que l'on commençait à diriger contre lui.

» Ses livres sont tenus avec une régularité remarquable ;
» toutes ses opérations, ses recettes et dépenses, même per-
» sonnelles, y sont indiquées. Il faisait chaque mois une
» balance, et, à la fin de l'année, une balance générale.

» Les renseignements que j'ai obtenus lui sont très-
» favorables. »

Devant le langage tenu par le représentant de la loi, je
n'ai plus rien à dire pour mon propre compte ; mais je tiens
à montrer combien la France est encore arriérée et barbare,
au point de vue de l'entente, de la pratique et de la législation des affaires.

La loi française sur la faillite est un dernier reste du
code cruel que nous avons rédigé en obéissant aux traditions
romaines et au droit impitoyable que s'arrogeaient les hommes d'argent. On disait autrefois : *Solvere aut in ære aut
in cute.* L'argent se croyait tout permis. Au besoin, à défaut
de numéraire, il fallait lui donner sa peau !

Cette tyrannie des Scylocks a duré des siècles, et en
France, il y a quelques années à peine, il fallait encore
donner sa liberté au créancier que l'on ne pouvait satisfaire.
La Bastille politique était tombée sous les coups de la Révo-

lution, mais la Bastille de l'argent, la prison de Clichy, était
encore debout!

Elle est tombée aujourd'hui, comme la lettre de cachet,
comme la torture, comme tant d'autres institutions iniques;
mais il ne faut pas croire que nous soyons au bout des
réformes que nous avons à faire en matière de suspension
de payement. Nous sommes bien en arrière des peuples qui
se rattachent à la même civilisation que nous. En théorie,
nous allons assurément plus loin que les autres peuples, et
la Révolution française est toujours le drapeau que regardent les opprimés de tous les continents; mais dans la pratique, dans le maniement des affaires courantes, nous nous
laissons distancer par les autres nations. En Amérique, en
Angleterre, en Suisse, il y a longtemps que la loi des fail-
lites est réduite à ses proportions véritables.

La règle qui doit juger les opérations de tout commerçant
en faillite est bien simple. De deux choses l'une : ou le
commerçant justifie les actes qui ont amené son impossibilité de payer, ou il ne peut les justifier. Dans le premier
cas, il n'est pas plus coupable que la Banque de France,
qui invoque, dans une crise, le cours forcé, pour continuer
ses payements, et alors la loi doit lui laisser pleine et entière liberté d'agir, après avoir réglé, d'un commun accord,
entre ses créanciers et lui, les conditions de son concordat.
Toute idée déshonorante doit être écartée de ce règlement,
et toute diminution de ses droits civils et politiques doit
être sévèrement supprimée. L'intégrité de l'homme reste
entière.

Dans le cas contraire, c'est-à-dire dans le cas où les opérations du commerçant sont injustifiables, il tombe sous le
coup du droit commun, et il est appelé à rendre compte de
sa conduite devant la police correctionnelle.

Encore une fois, l'alternative est serrée et rigoureuse : régularité ou irrégularité. Pour le commerçant qui a travaillé régulièrement, liberté pleine et entière ; pour le commerçant dont les opérations sont irrégulières, la police correctionnelle !

L'opinion est fixée sur ce point ; mais, s'il y a loin de la coupe aux lèvres, il y a loin aussi, en France, de l'idée à l'application. Dans les réformes de l'avenir, je crois néanmoins que celle-ci sera l'une des premières à figurer à l'ordre du jour des assemblées françaises. Il est impossible que le commerce français reste plus longtemps à la remorque des autres pays.

Qu'on le sache bien, en effet, l'Angleterre, l'Amérique et la Suisse, qui entendent et pratiquent aussi bien que nous les affaires, ont fait de la faillite, depuis longtemps, un simple règlement, à la suite duquel le commerçant est déclaré excusable ou non. S'il y a fraude, dol ou irrégularité quelconque, le tribunal est là pour le condamner ; mais s'il a loyalement travaillé, il reste debout avec sa liberté d'agir, avec tous ses droits, avec son intégrité parfaite. Tel est le principe, et j'espère que la France ne tardera pas à le suivre !

————————

Pour ce qui me concerne, j'ai dû certainement me conformer à la loi de mon pays ; mais je suis heureux de pouvoir attester ici — et j'en remercie du fond de mon cœur tous mes amis ! — je puis attester, dis-je, que cette dure épreuve ne fit en quelque sorte que resserrer entre eux et moi les liens qui nous unissaient. Non-seulement les rapports que l'avais avec tout le monde ne changèrent pas de caractère, mais, avec la sensibilité extrême de mon tempérament, je m'aperçus bien vite que chacun tenait à me témoigner plus vivement qu'autrefois la sympathie qu'il pouvait avoir pour moi ; c'était à qui me montrerait le plus d'amitié.

Je pourrais en citer ici mille traits plus touchants les uns que les autres ; je me contente d'en rappeler deux, que je prends dans les relations que j'avais avec des amis qui combattaient mes idées politiques. Si mes adversaires me traitaient ainsi, on peut juger de la cordialité que me montraient mes amis.

Quelque temps après le règlement de mes affaires, voici la charmante invitation que m'envoyait de Bretagne l'excellent abbé Danielo :

« Mon bon ami, je n'ai pas besoin de vous répéter que la
» bienveillance et l'attachement que vous m'avez témoignés
» sont entre nous un lien que je ne veux jamais briser.
» Votre souvenir me sera toujours bien cher, et je me ferai
» toujours un plaisir et un devoir de vous le prouver.

» Si vous venez dans notre Morbihan, prenez la route de
» Rennes à Vannes, par Guer, vous trouverez maintenant
» voiture tous les jours, et disposez de votre temps de ma-
» nière à me donner au moins un jour ; le presbytère et le
» curé de Guer sont à votre disposition, ne l'oubliez pas ;
» j'ai pris note de la quasi-promesse que j'ai reçue ce matin,
» et parole de Breton vaut parole de roi, même sous la Ré-
» publique.

                                    » DANIELO, curé de Guer. »

Un autre fait assez curieux.

Le 9 août 1850, je rencontrai M. Dupin, président de l'assemblée législative, qui n'aimait pas à causer avec moi,

parce qu'il me reprochait de *mettre les pieds dans le plat*.
Il sortait de la rue du Bouloi, et, en m'apercevant, il vint
droit à moi, et se montra plus causeur et plus démonstratif
que je ne l'avais jamais vu.

C'était à l'époque de la réaction la plus véhémente et des
hauts faits de la rue de Poitiers. La question politique du
moment était relative aux changements que l'on voulait
apporter à la constitution.

— Qu'en pensez-vous, lui dis-je?

— Baroche m'a consulté au sujet de cette révision, me
répondit-il; mais mon opinion a dû le faire réfléchir. Si
vous consultez les conseils généraux, lui ai-je dit, et que
la réponse ne soit pas favorable, c'est un échec grave; et si
on la demande dans un endroit, et qu'on la refuse dans
l'autre, c'est la guerre civile.

— Vous avez tout-à-fait raison. Mais pourquoi refuser
cette constitution qui vient de naître?

— C'est ce que j'ai dit à Baroche. Plus on y regarde, et
plus on est forcé de convenir qu'il n'y a que la République
de possible. J'étais orléaniste, ajouta-t-il; j'ai été pour eux
comme le chien du pauvre, attaché jusqu'au corbillard;
mais je leur ai dit: « Le peuple vous a appelés; le peuple
vous a chassés; vous n'êtes plus prétendants. » — Quant à
l'Empire, son droit? l'oncle lui-même n'y croyait pas. Pour
la Légitimité, qu'elle essaye, et elle verra!

Il finit en me disant:

— Tous les anciens partis sont usés. M. Thiers lui-même
ne peut rien, avec tout son verbiage. J'espère que, dans les
partis extrêmes, il se trouvera des hommes vigoureux qui
feront marcher le pays vers les idées neuves.

Ce langage était si vrai, si caractéristique, mais en même

temps tellement inattendu dans la bouche de M. Dupin, que
je crus devoir en prendre note en rentrant. J'étais, en effet,
frappé de deux choses: l'une qui m'était personnelle, et
l'autre qui concernait la situation politique du moment.

Pour ce qui était relatif à nos rapports, jusqu'alors peu
fréquents, il était clair que M. Dupin venait de m'ouvrir sa
pensée intime, comme à un ami de vieille date, et ces aveux
me furent donnés avec une cordialité de si bon aloi, que
l'homme aux souliers ferrés avait évidemment tenu, suivant moi, à me montrer que j'étais toujours pour lui l'ancien collègue d'autrefois.

Quant à sa confidence politique, elle montre, par un
exemple frappant, ce qu'il y a au fond de cette bourgeoisie
égoïste et réactionnaire, qui passe son temps à chercher et
à bâtir des gouvernements forts. Au fond, il n'y a aucune
confiance, elle n'a aucune foi en son œuvre, et son idéal,
suivant le mot de Montalembert, est de bâcler un pouvoir
qui dure dix-huit ans. Politique insensée qui ne peut mener
à rien, comme on peut le voir par les quatre monarchies
reconstituées avec tant de peine depuis la Révolution. Ce
souvenir m'a paru d'autant plus intéressant et curieux,
qu'il s'applique avec une étonnante vérité à la situation
présente, et cette situation, je la juge comme l'a jugée encore M. Dupin lui-même dans une autre circonstance. « Il
n'y a, disait-il, en France, que deux opinions, celle d'avant
89 et celle d'après. » C'est aussi mon avis, et c'est pour rester
dans l'opinion d'après 89, que je défends et que je défendrai,
jusqu'à mon dernier jour, les principes de la Révolution.

LE SECOND EMPIRE

Après l'écrasement du parti populaire aux journées de Juin, la réaction, toute puissante, devait récolter ce qu'elle semait à pleines mains. Jamais on ne vit une telle coalition de haines, de colères et de vengeances. « Faisons une campagne de Rome à l'intérieur », disait M. de Montalembert. « On ne discute pas avec l'ivraie, on la fauche », disait un journal réactionnaire. » « Le sabre doit faire notre salut, dut-il venir de Russie ! » s'écriait un monarchiste, et par dessus ces provocations incessantes à la guerre civile, M. Romieu faisait grimacer, comme un épouvantail, une ignoble brochure qu'il appelait le *Spectre rouge*. Le spectre rouge, c'était, bien entendu, la République.

Le bonapartisme s'en donnait à cœur joie, au milieu de ce déchaînement de fureurs. Tous les coups que l'on portait à la République consolidaient le pouvoir de l'élu du 12 décembre. La réaction, en favorisant ainsi par ses excitations les menées ténébreuses de l'Elysée, commettait un acte de véritable démence. Car elle poussait en avant un homme qui avait montré, par les aventures de Strasbourg et de Boulogne, ce qu'on devait attendre de lui. Les encouragements ainsi donnés par la réaction au prince conspirateur produisirent une situation si extrême, si tendue, que l'opinion n'était plus alimentée que de bruits de complots et de coups d'Etat, et M. Thiers, qui y avait poussé, ne fit que traduire le sentiment unanime de Paris et de la France, le jour où il s'écria du haut de la tribune : « L'Empire est fait. »

Et, en effet, cette journée funèbre ne tarda pas à venir. L'homme qui avait prêté serment à la République et qui avait juré *de tenir sa parole en homme d'honneur*, cet homme ne songeait qu'à donner un pendant au 18 brumaire, et le coup d'Etat du 2 décembre fut résolu.

J'habitais alors près de la Bastille, rue de la Cerisaie, 33. Dès que j'eus connaissance de ce qui s'était passé pendant la nuit et des proclamations affichées partout, je me hâtai d'aller prendre langue sur les boulevards.

Les premiers rassemblements que je rencontrai stationnaient aux deux portes Saint-Martin et Saint-Denis ; mais les groupes étaient plus nombreux et plus animés aux environs de la rue Drouot ; je trouvai là Jérôme Napoléon, le cousin du président, qui s'exprimait avec la plus grande violence *contre son scélérat de cousin*. Auguste Avond vint bientôt se joindre à lui, et leurs paroles produisaient une véritable émotion sur la foule; mais ce n'étaient là que des discours, et je cherchais des actes.

Aux halles, je vais tout droit aux affiches, et je les commente à haute voix devant les groupes qui les assiégent; mais le public reste froid. J'essaie d'exciter des ouvriers, mais quelques-uns me répondent :

— C'est à vous autres bourgeois à vous montrer. Qu'avez-vous fait pour nous depuis dix-huit mois? Vous avez essayé de nous enlever le suffrage universel.

— Mais vous ne voyez donc pas que c'est la République qu'on va vous enlever?

Et j'arrachai une affiche. On me laisse faire; mais sans appuyer en rien ma résistance. Espérant être plus heureux du côté de l'assemblée nationale, je me rends chez Durand-Savoyat, mon ancien collègue à la constituante, qui demeurait près de la rue Belle-Chasse, et qui m'apprend que les représentants du peuple se réunissent à la mairie du 10e arrondissement.

Je m'y rends en toute hâte; c'est M. Hovyn-Tranchère qui se tient à la porte cochère et qui ne laisse entrer que les députés.

— Mon cher ancien collègue, me dit-il, entrez donc, vous serez là à votre vraie place.

J'entre; je trouve à l'intérieur un faible piquet de soldats et une soixantaine de députés qui tiennent séance. D'autres représentants arrivent; on délibère, au lieu d'agir. Bien des représentants prennent la parole pour déclarer énergiquement « qu'il ne faut pas sortir de la légalité ».

N'est-ce pas dérisoire? Vous avez contre vous la fusillade et le canon, et vous répondez par un article de loi! Et vous vous étonnez de voir ressusciter le despotisme!

On finit pourtant par nommer un général chargé du commandement des forces de l'assemblée, et l'on prend Oudinot.

— Allons donc, m'écriai-je, vous allez présenter au peuple le commandant de l'expédition de Rome! Nommez au moins un général républicain! Vous avez le général Leydet.

— Il est arrêté, répond M. de Falloux.

Ce n'était pas exact, puisque le général se trouvait plus tard, à trois heures, à une réunion chez moi.

J'indique alors Tamisier, auprès de qui je me trouvais, et qui refuse. Le général Oudinot vient alors à lui, et lui demande de vouloir bien être son chef d'état-major.

— Mais, répond Tamisier, je ne sais si mes opinions sont d'accord avec les vôtres; car je dois vous dire que je suis un ferme républicain.

— Vive la République! réplique le général Oudinot, et les deux généraux sortent, accompagnés de M. Berryer, qui était vraiment le seul homme d'action de la réunion.

Tous trois se portent au haut de l'escalier, qui s'était rempli de troupes, et le général veut donner des ordres. Le sous-lieutenant à qui il commande, se dispose à obéir; mais un sergent répond que les troupes n'obéiront pas, et que personne ne sortira de la mairie.

Un instant après arrive le général Forey, avec un commissaire de police chargé d'arrêter les représentants du peuple et de les conduire à Mazas ou au Mont-Valérien. Les représentants sont pris comme dans une souricière, et le foyer de la résistance constitutionnelle disparaît sous la main des souteneurs du prince parjure.

Sur ma déclaration que je ne suis pas représentant du peuple, on me laisse sortir, et je rentre à mon domicile, en donnant sur ma route rendez-vous pour trois heures, chez moi, à tous les républicains que je connais.

La réunion eut lieu; elle était même assez nombreuse. Le général Leydet y vint. Mais chez moi, comme partout, on délibérait sans rien décider. Aucune résolution ne fut prise. Et cela pour une raison décisive : ma maison fut cernée par les limiers de la police pendant que nous discutions, et les assistants se dispersèrent au plus vite. Nous allâmes chez un député, Lafond, je crois, qui habitait place de la Bastille.

Le soir venu, je me rends chez Landrin, rue des Moulins, où les chefs du parti républicain s'étaient donné rendez-vous. J'arrive, et je trouve dans l'antichambre Mme Landrin, qui se tenait là pour reconnaître les visiteurs avant de les introduire.

Surviennent presqu'en même temps que moi Jérôme Napoléon et M. Emile de Girardin. A la vue du parent du prince criminel et de l'homme qui avait le plus attaqué le général Cavaignac, Mme Landrin resta stupéfaite. Mais le fils du prince Jérôme, qui tenait, on le comprend, à remplir son triste rôle jusqu'au bout, prit les deux mains de Madame Landrin, lui fit mille protestations, et pénétra dans le salon.

A sa vue, je ne pus retenir le soulèvement de mon cœur indigné, je m'avançai vers lui :

— Vous ici, Napoléon, lui dis-je.

Sans lui donner le temps de répondre, Jules Favre répliqua :

— Il est aussi républicain que moi.

Je n'ai jamais oublié cette caution donnée par J. Favre au parent de l'assassin de la République. C'était un témoignage de confiance bien légèrement donné. L'assistance, d'ailleurs, ne partagea pas l'opinion de l'ancien secrétaire de Ledru-Rollin au ministère de l'intérieur. La froideur de l'accueil et la méfiance de la réunion furent telles à l'égard des deux personnages, qu'ils ne tardèrent pas à se retirer.

La discussion n'aboutit à rien de sérieux. De là je me rendis rue Richelieu, chez Mme J. Grévy, dont le mari avait été arrêté. L'appartement de Mme Grévy avait une double entrée, l'une rue Richelieu, et l'autre rue Fontaine Molière. Cette disposition rendait l'appartement commode pour échapper aux argousins de Bonaparte. C'est dans cette maison que Michel de Bourges et plusieurs autres représentants passèrent la nuit; c'est aussi là qu'arrivaient tous les rapports qui signalaient le progrès de la résistance.

Il y eut pendant la nuit une certaine recrudescence dans les soulèvements de l'opinion. Dans le quartier de la porte Saint-Denis, rue du Caire, rue du Petit-Carreau, rue Saint-Antoine, et dans beaucoup d'autres quartiers, des barricades s'élevèrent, les républicains commencèrent à relever la tête. C'était le moment de s'unir aux combattants. Je partis avec Carlos Forel, député des Vosges, et nous nous rendîmes à la barricade du Petit-Carreau. Elle était commandée par un jeune employé, d'une grande énergie. Parmi les combattants se trouvait une femme, qui ne voulut jamais me céder son fusil.

— Il faut que les brigands me le payent! répétait-elle d'une voix résolue.

Et quand la troupe déboucha du côté de la porte Saint-Denis, ce fut elle qui blessa le lieutenant-colonel qui commandait l'attaque

Malheureusement, il n'y avait ni armes, ni munitions en quantités suffisantes, et la barricade ne put tenir. Nous nous repliâmes vers la place des Victoires, où il y eut un combat sanglant. Mais là, comme partout, la résistance n'avait pas les moyens de combattre sérieusement, et tous ces combats partiels n'obtinrent sur aucun point un avantage marqué; la troupe en profita pour montrer un acharnement sans exemple et pour tirer à tort et à travers. Emporté par les promesses du pouvoir, excitée par de fortes rations et par une haute-paye extraordinaire, l'armée se montra impitoyable, et c'est ainsi que s'expliquent les fusillades et canonnades, bien inutiles, qui firent couler le sang à flots, pour imposer à la grande cité révolutionnaire un régime de terreur.

Je retournai chez Mᵐᵉ Grévy, mais il n'y avait plus personne; je rentrai chez moi en me disant que la partie était certainement perdue à Paris, et en me demandant ce qu'il y avait à faire pour les hommes d'action.

––––––––––

Le lendemain, les nouvelles des départements commençaient à circuler dans Paris, et l'on affirmait que dans beaucoup de villes la défense de la République avait le dessus! « Eh bien, me dis-je, il faut appuyer le mouvement de la province, et, sur-le-champ, je me rendis rue de Berry, chez M. de la Rochejaquelein. »

Le marquis déjeunait avec un certain nombre de convives. Je me fis annoncer, en priant d'ajouter qu'il y avait urgence.

Mon ancien collègue, représentant comme moi du Morbihan, vint aussitôt me recevoir.

— Mon cher ancien collègue, lui dis-je sans préliminaire, Paris est vaincu, mais les départements résistent, et je viens vous demander de partir avec moi pour la Bretagne. Vous parlerez au nom des légitimistes ; je parlerai, moi, au nom de la République, et nous parviendrons peut-être à faire échec au misérable qui vient de refaire le 18 brumaire.

La figure du marquis se décomposa, il était tout bouleversé. J'attendais sa réponse en me demandant l'explication de son silence.

— Mon cher Beslay, finit-il par me dire, vous vous adressez bien mal ; je vois que vous ne connaissez pas ma situation dans mon parti. Je suis brouillé avec tous les *ultra* de la Bretagne, et Frohsdorf me boude. On ne m'écouterait plus.

Au même moment, la porte de la salle à manger s'entrouvrit, et je reconnus très-distinctement, parmi les convives, des hommes bien connus pour leurs attaches avec le parti bonapartiste.

Je mettais évidemment la main dans un buisson d'orties, et voyant qu'il n'y avait rien à faire, je pris brusquement congé du gentilhomme qui avait été, sous Louis-Philippe, un drapeau pour la légitimité en Bretagne. Il entra plus tard au Sénat, et quand Berryer le lui reprocha, il essaya d'expliquer sa conduite, en disant *qu'il faisait le lit du prince*. « Dans ce cas, marquis, lui répondit Berryer, vous pouvez dire que c'est un lit qui ne manquera pas de paillasse. »

Le 5 décembre, je reçus une lettre du ministre de l'intérieur, M. de Morny, m'invitant à me présenter, le lendemain, au cabinet du ministre. J'hésitai à me rendre à l'invitation : mais pourquoi craindre un guet-apens, me dis-je, puisque je n'ai pas quitté mon domicile et qu'il est si facile de me prendre chez moi.

J'allai donc au ministère, vers midi. La salle d'attente était déjà remplie de solliciteurs. C'est la plaie de tous les régimes. Devant cette cohue, j'allais me retirer, mais je crus auparavant devoir remettre ma lettre d'avis à l'huissier, pour attester que je m'étais présenté.

— Oh ! M. Beslay, me dit l'huissier, j'ai ordre de vous faire entrer dès que vous vous présenterez. Cette réponse ne me parut pas rassurante. L'huissier porta ma lettre d'audience et j'entrai. Je n'avais jamais vu M. de Morny : il était entouré de plusieurs jeunes gens qui paraissaient avoir bien déjeuné. L'audience ne fut pas longue.

— Vous êtes M. Beslay, me dit le ministre.

— Oui, citoyen, répondis-je.

Ce mot de citoyen fit dresser la tête à tout le monde comme un coup de tam-tam.

— Nous avons des amis communs, poursuivit M. de Morny.

— Je l'ignore.

— Ils m'ont dit que vous êtes une mauvaise tête.

— Ne suis-je venu que pour recevoir de tels compliments ?

— J'ai voulu vous avertir. Qu'avez-vous fait ces jours-ci ?

— Suis-je devant un tribunal ?

— Allez, M. Beslay, et tenez-vous tranquille. Je vois qu'on m'a dit la vérité.

— Je connais tous mes devoirs.

Et je sortis. J'essayai, pendant quelques jours encore, de

me mettre en rapport avec les hommes d'action du parti républicain. Peine inutile. Le coup d'Etat restait triomphant, et voici ce qu'il donnait à la France :

Comme gouvernement, l'absolutisme ;

Comme répression, une persécution effroyable, qui atteignait plus ou moins plus de quarante mille familles ;

Comme idéal politique, le triomphe de la force ;

Comme régime, une administration corrompue et dissolvante, qui a conduit la France aux plus grandes catastrophes qu'elle ait jamais subies.

N'est-ce pas le terme inévitable de toutes nos restaurations ?

—————

En voyant mon pays courber la tête sous le couvercle de plomb du gouvernement du 2 Décembre, je me remis avec la plus grande ardeur à l'œuvre, et je m'occupai de donner la plus grande extension aux opérations d'un comptoir de commission que j'avais fondé depuis quelque temps et qui était appelé à rendre au peuple les plus grands services.

Ce comptoir de commission avait pour but de réaliser, au profit du petit commerce et des travailleurs, cinq améliorations importantes, que je me contente de signaler ici :

1o Faciliter l'échange de tous les produits et de tous les services ;

2o Diminuer le taux de l'intérêt de l'argent ;

3o Habituer les travailleurs au crédit et à la monnaie de papier ;

4o Faire arriver l'escompte dans les régions où il ne pénètre pas ;

5o Faire comprendre le bienfait de l'économie dans toutes les opérations sociales.

Mon comptoir de banque et de commission, qui fonctionnait déjà convenablement, ne tarda pas à acquérir une assez grande importance. Je donnerai dans mon livre des *Réformes sociales* les explications les plus complètes sur les statuts, l'organisation, la pratique et les avantages de ce comptoir, qui est appelé — je le crois encore fermement aujourd'hui — à réaliser une véritable transformation dans les opérations de banque, d'échange et de crédit, le jour où le gouvernement, auquel je ne demande aucun privilége, et l'autocratie du capital voudront bien le laisser fonctionner paisiblement.

Mais le gouvernement et la Banque eurent bientôt l'œil sur mes opérations. L'instrument principal qui faisait fonctionner mon comptoir de banque et de commission était la création de mon billet de comptoir. J'en avais depuis 1 franc jusqu'à 500 francs; tous étaient conçus de la manière suivante :

La souche du billet portait mon nom : Ch. Beslay.

En tête, deux cartouches, portant un numéro de série et un numéro d'ordre.

La première ligne donnait le titre de l'établissement du *Comptoir d'Echange et de Commission*, et au-dessus l'adresse, 33, rue de la Cerisaie, près l'Arsenal.

Le sous-titre indiquait l'ordre de livraison.

Au-dessous, en lettres capitales, le chiffre de la livraison à faire : 20, 100, 500 francs.

Sous cette indication essentielle, venait une mention indispensable :

A *tous les Clients du Comptoir.*

Venait ensuite naturellement l'ordre de livraison, ainsi formulé :

A présentation, veuillez livrer au porteur, en marchandises, produits ou services de votre industrie ou de votre profession, une valeur de 20, 100, 500 francs, suivant la valeur du billet.

En dernier lieu venait la date de la création, avec ma signature et celle du président du conseil de surveillance, et, bien entendu, le timbre de la somme inscrite sur le billet.

Encore une fois, je démontrerai dans un autre ouvrage l'excellence de cette création et la certitude que j'avais de réaliser, par mon établissement, tous les avantages que j'ai énumérés plus haut; mais j'avais compté sans le gouvernement, et sans le gouvernement de la Banque.

Au fur et à mesure que se développaient mes opérations, j'entendais circuler autour de moi des bruits qui m'exprimaient la résistance et l'hostilité de la Banque. Plus mes billets étaient appréciés par toutes les maisons et toutes les personnes en rapport avec le comptoir, plus la Banque prétendait que j'empiétais sur le privilége dont elle fait son droit. Mon billet était pour elle un billet de banque et elle ne pouvait supporter l'idée d'une concurrence. Je répondais que mes bons n'étaient pas des billets de banque, et qu'ils ressemblaient plutôt aux chèques que toute maison de banque distribuait à ses clients et qui peuvent servir à payer partout où ils sont reçus avant leur remboursement.

Qu'importe! La banque et le gouvernement s'entendirent, et un beau jour mon domicile fut envahi par la police : mes papiers, mes billets, ma correspondance, tout le matériel de mon comptoir, furent brutalement enlevés , et l'on me signifia l'interdiction absolue de continuer mes opérations.

Ce fut un acte de véritable vandalisme. La sauvagerie déployée contre ma maison montre comment étaient traités les citoyens qui restaient fidèles à la cause de la République. Mais je n'étais pas homme à supporter sans mot dire ces spoliations policières. J'écrivis immédiatement à M. de Maupas, ministre de la police, la lettre suivante :

« *Monsieur de Maupas, ministre de la Police.*

» Paris, 25 mai 1852.

» Monsieur le ministre,

» Le 8 de ce mois a eu lieu une visite domiciliaire chez
» moi, à l'effet de rechercher et saisir les divers papiers re-
» latifs au comptoir d'échange dont j'ai eu l'honneur de
» vous entretenir par ma lettre du 14 mars dernier.

» Avant-hier, j'ai appris à la Préfecture de police, où j'é-
» tais allé réclamer lesdits papiers, que cette visite avait été
» provoquée par des dénonciations dont je ne puis que
» soupçonner l'origine, mais que, sur la connaissance qui
» m'a été donnée de leur contenu, je puis en toute fran-
» chise déclarer *fausses*.

» On vous a rapporté, en effet, Monsieur le ministre, que
» depuis ma lettre du 14 mars, dont la copie m'a été enle-
» vée avec mes papiers de commerce, de famille et d'amitié,
» et nonobstant l'avertissement qui m'avait été donné par
» l'administration, j'avais continué les opérations de mon
» comptoir, opérations que dans leur ignorance de la ma-
» tière et leur animadversion pour ma personne, les dénon-
» ciateurs travestissent en délit contre les priviléges de la
» Banque, et je crois même en réunions politiques et so-
» ciété secrète.

» Rien de tout cela n'est vrai, Monsieur le ministre.

» J'ai cru devoir protester contre la défense qui m'avait

» été faite de m'occuper d'affaires d'escompte, dans l'inté-
» rêt des sociétés ouvrières ; j'ai eu l'honneur de vous pré-
» venir, en conséquence, que mon intention était de passer
» outre à cette défense, et de suivre, s'il y avait lieu, une
» procédure à cet effet devant le Conseil d'Etat; mais, Mon-
» sieur le ministre, je sais trop à quoi la politesse oblige,
» surtout envers un chef d'administration, pour me per-
» mettre d'enfreindre ses ordres, même mal fondés, au mo-
» ment où je lui déclare moi-même que j'attends, sur plus
» ample informé, sa décision.

» J'ai donc suspendu, Monsieur le ministre, le travail de
» mes bureaux : j'attends qu'il vous plaise de me notifier
» votre volonté ou de m'appeler près de vous pour entendre
» mes explications.

» Si, malgré l'évidence de mon droit et l'honorabilité de
» mes intentions, vous persistez, Monsieur le ministre, dans
» votre premier avis, alors voici quelle sera ma conduite.
» Je vous déclarerai par lettre, Monsieur le ministre, que je
» décline votre compétence, que j'en appelle aux tribunaux
» compétents, et, s'il y a lieu, au Conseil d'Etat, et, entre
» temps, que je poursuis comme devant le cours de mes
» opérations. Alors, Monsieur le ministre, vous pourrez
» faire constater le délit, si délit il y a, le procès sera régu-
» lièrement instruit, et je n'aurai pas l'air, malgré la noto-
» riété publique et malgré ma conscience, d'un conspira-
» teur dissimulé et endurci.

» Parce que j'ai fait partie jadis de l'opposition constitu-
» tionnelle, parce qu'après le vote de la constitution de
» 1848 je me suis rallié au nouvel ordre légal et aux dé-
» fenseurs de cette constitution; parce que, fatigué des re-
» virements politiques, parvenu à l'âge de 68 ans, je me

» tiens en dehors du gouvernement, je suis un citoyen sus-
» pect et je dois être surveillé comme un brasseur de com-
» plots !

» Je repousse de toute mon énergie la position absurde
» autant qu'injurieuse que l'on veut me faire, je nie la vé-
» rité des dénonciations, je proteste contre le prétexte des
» perquisitions, je récuse l'autorité de la police dans les
» affaires auxquelles je m'intéresse et suis résolu de pren-
» dre part, jusqu'à ce qu'une puissance supérieure et que je
» puisse reconnaître en ait jugé définitivement.

» Pour la dernière fois, Monsieur le ministre, puis-je
» obtenir de vous une réponse ou une audience? »

Quelques jours après, la police me fit rendre tous mes
papiers avec tout ce qu'on m'avait pris, mais en maintenant
comme irrévocable la décision qui m'interdisait de donner
suite aux opérations de ma banque. Je fus donc obligé de
liquider, au moment où mes opérations, très-goûtées de
tous mes clients, ne demandaient plus que mes billets, parce
que dans l'organisation de mon comptoir il y avait un certain avantage à se servir de mon papier et à laisser les espèces.

Cette combinaison est celle que les hommes spéciaux de
la banque ont le plus remarquée. Je causais un jour, avec
un représentant de la haute banque, du tort qu'on m'avait
fait et surtout qu'on avait fait au peuple, en le privant de
l'institution que j'avais fondée.

— Oh ! me dit-il, vous savez bien que la banque ne pouvait vous laisser faire des billets à côté d'elle. Et puis,
ajouta-t-il, avec votre système, le capital est trop déprécié.
Dans dix ans on ne voudrait plus en entendre parler.

— C'est précisément ce que je veux.

— Bah ! des chimères !

— Si ce sont des chimères, laissez-moi travailler.

— Impossible !

Tout commence ainsi : On s'évertue à jeter la pierre à l'idée nouvelle et à la condamner comme chimérique. Le système que j'ai combiné et que j'exposerai plus tard, prouvera que l'on peut arriver, sans bouleverser les affaires, à introduire dans la pratique des banques des innovations qui atténueront la puissance du capital en favorisant le travail.

C'est après avoir vu briser l'œuvre que j'avais préparée avec tant de soins depuis plusieurs années, que je reçus du préfet du Morbihan une lettre officielle qui m'enjoignait d'envoyer par écrit, comme conseiller général, mon serment au prince Louis-Napoléon, président de la République. La lettre du préfet me déclarait que si, à la date du 15 mai 1852, je n'avais pas envoyé mon serment, je serais réputé démissionnaire et remplacé comme tel.

Mon parti était pris depuis longtemps. Je répondis immédiatement au préfet par la lettre suivante :

« Monsieur le préfet, j'ai reçu la lettre que vous m'avez
» fait l'honneur de m'adresser, à la date du 22 avril, rela-
» tive à la prestation de serment exigée des conseillers gé-
» néraux des départements.

» J'ai l'honneur, Monsieur le préfet, de vous faire con-
» naître que le serment, dans mon opinion, est devenu,
» après tant d'abus, complétement étranger à nos mœurs
» et incompatible avec la dignité de l'homme : Le gouverne-
» ment provisoire et la constitution de 1848 l'avaient com-

» pris. Il n'y a pas, pour une conscience honnête, deux
» manières d'affirmer et de promettre; il n'y en a qu'une :
» *oui* ou *non*.

» Si, à une autre époque, j'ai prêté serment comme dé-
» puté à Louis-Philippe, c'est que, d'une part, j'agissais
» comme mandataire des électeurs et non comme simple
» particulier; de l'autre, c'est que le serment prêté par moi
» était réciproque et répondait à celui du roi, double cir-
» constance et qui ne se rencontre pas aujourd'hui dans
» ma position de conseiller général vis-à-vis du prince
» président.

» Mon élection, antérieure au 2 décembre, ne me donne
» pas le droit de supposer que les électeurs exigent de moi
» cet acte d'hommage. D'un autre côté, M. le président
» Louis-Napoléon ne s'est nullement engagé envers le pays.

» En admettant même que ces différences eussent dis-
» paru, je préférerais encore ma destitution à un engage-
» ment qui, soumis nécessairement à une foule de restric-
» tions et de réserves, donne toujours à celui qui le contracte
» l'air d'un fourbe ou d'un courtisan.

» En conséquence de ce qui précède, M. le préfet, j'ai
» l'honneur de vous déclarer que je refuse le serment qui
» m'est demandé comme membre du conseil général du
» département du Morbihan.

» Agréez, etc.   Ch. BESLAY. »

Ma lettre, je l'ai su depuis, mit le préfet du Morbihan
hors de lui. En voyant le pays s'aplatir, comme lui, sous
la botte d'un misérable, il avait espéré qu'il n'aurait à présenter à son ministre qu'un ensemble louangeux d'adhésions et de prestations de serments. Le préfet fit appeler le
procureur de la République — car nous avions encore la

menteuse enseigne de la République — et lui demanda de commencer sans retard des poursuites contre moi. L'arsenal de nos lois est si bien rempli qu'on peut toujours, quand on le veut, prendre et poursuivre un citoyen. Les poursuites furent donc commencées, sur l'ordre du proconsul de Bonaparte.

Mais, cette fois encore, j'eus la bonne fortune de voir le dossier de mon procès arriver au procureur-général de Rennes, M. Dubodan, qui me connaissait bien, et qui s'empressa de mettre au carton des oublis l'action judiciaire dirigée contre moi au sujet d'une lettre qui n'avait qu'un tort, celui de dire la vérité.

En mentionnant le refus de serment qui me mit en dehors du conseil général du Morbihan, je dois rappeler quelques souvenirs qui ont leur importance et leur intérêt.

C'est dans l'avant-dernière session de ce conseil général que je fis la connaissance du général Trochu, qui n'était encore à cette époque que colonel. Il avait remplacé son père, qui était munitionnaire à Lyon et qui, comme fonctionnaire, votait constamment avec le gouvernement. Le colonel Trochu était alors considéré comme un officier supérieur de grand mérite. J'aurai l'occasion plus tard de donner à ce mérite sa juste valeur.

Mais l'acte le plus important que j'aie à noter ici, en attendant que je le développe longuement dans mon livre des *Réformes sociales*, c'est le projet relatif au nouveau contrat de fermages, auquel je n'hésitai pas à donner cette apostille significative : *droit du travail*. Quelques mots suffiront pour bien faire comprendre la différence de mon contrat avec celui qui se pratique aujourd'hui.

Comment se passent maintenant les contrats entre les

propriétaires et les fermiers? Le fermier signe son bail, de trois, six, neuf ans, sans avoir aucun droit, aucune répétition à faire valoir, dans le cas où il a donné une plus-value à la ferme qu'il a mise en valeur.

Dans le cas même où il a amélioré sa ferme, le propriétaire, à la fin de son bail, exige de lui une augmentation de prix, qu'il est obligé d'accepter sous peine d'être mis à la porte. N'est-ce pas là une iniquité révoltante?

A cette injustice sociale, il y a une réparation bien simple, que je proposais dans mon projet nouveau. Je demandais qu'à la fin de chaque bail, une expertise, très-facile à organiser, pût fixer le prix de la plus-value donnée à la ferme par le paysan. Je demandais que cette plus-value fût partagée en deux parts égales, l'une pour le propriétaire, l'autre pour le fermier.

Trois améliorations immenses découlent de ce nouveau projet, et je me contenterai ici de les énumérer:

1º L'intérêt du fermier est évident, puisque la moitié de la plus-value donnée par lui devient sa propriété et lui apporte le stimulant dont il a besoin pour sortir de la routine.

2º L'intérêt du propriétaire ne peut non plus être contesté, puisqu'il voit s'accroître la valeur de sa propriété et qu'il a droit à la moitié de cette plus-value.

3º L'intérêt national, enfin, frappe tous les yeux, puisque la production du pays s'accroît, et que notre richesse agricole, la première de toutes, est appelée à recueillir les meilleurs résultats de cette simple et facile modification à introduire dans la loi des fermages.

Le conseil général du Morbihan resta frappé de la simplicité de mon projet et des grands avantages qu'il présentait.

A l'unanimité, le projet fut approuvé et recommandé à toute l'attention du ministère de l'intérieur. Il dort encore dans les cartons de ce ministère, qui n'est qu'une manivelle dans la main du gouvernement pour conduire sa politique au jour le jour.

Je n'ajoute ici que deux mots : 1° C'est que l'idée émise par moi a été regardée comme si profitable pour tous, qu'elle a été mise en pratique par un certain nombre de propriétaires, qui s'en sont bien trouvés. 2° C'est que mon projet représente en plein l'une des idées que les conservateurs proscrivent comme l'expression du *socialisme,* et que cette idée se recommande à première vue par un caractère de justice irréprochable.

Cette idée de justice se retrouve, pleine et entière, dans toutes les réformes sociales, et je me charge de le prouver surabondamment !

SUITE DU SECOND EMPIRE

La conduite de la bourgeoisie sous le second empire. — La conduite du parti républicain. — L'opposition démocratique et les réunions républicaines à Paris. — L'émigration. — Offre faite au général Bedeau. — Réponse du général. — La part que je prends à l'opposition démocratique. — Le concours que je donne aux associations ouvrières. — Ma destitution d'inspecteur des enfants dans les manufactures. — Les chemins de fer suisses. — La part que j'y prends.

~~~~~~~~~

Le parti conservateur aspire toujours à représenter seul en France ce qu'il appelle avec orgueil « les classes dirigeantes ». Or, quand une classe veut s'arroger le gouvernement d'une société, elle doit se montrer à la hauteur de ce grand rôle par les qualités maîtresses du commandement. Malheureusement, l'histoire de la bourgeoisie française est loin de nous montrer cette hauteur de caractère, cette persévérance de volonté, cette intelligence des besoins sociaux, cette fermeté de main qui imposent l'autorité et le respect et font les gouvernements durables.

Nous l'avons vue, sans doute, conquérir avec énergie les droits de la Révolution ; mais, sans l'appui du peuple, sa victoire ne se serait-elle pas transformée en défaite ? Il est permis de poser cette question, quand on voit le misérable abandon et toutes les faiblesses qu'elle n'a cessé de montrer sous les régimes qui se sont succédé depuis le siècle dernier.

Elle s'est humiliée servilement sous le règne du sabre, et
l'absolutisme du premier Empire l'a pétrie, comme une cire
molle, dans ses mains de fer.

Elle a laissé restaurer, sans mot dire, la monarchie qu'elle
avait détruite, et elle ne s'est réveillée de sa torpeur que le
jour où elle a compris qu'elle allait perdre les bienfaits que
la Révolution lui avait assurés.

Elle s'est associée platement à toutes les ambitions vulgaires qui se sont fait jour en 1830, prenant tout pour elle
et ne comprenant même pas que le triomphe de la Révolution lui impose le devoir d'étendre à la nation entière les
avantages qu'elle possédait depuis 1789.

Elle s'est mise, enfin, après avoir acclamé 1848, à la remorque de la réaction la plus effrénée, sans se demander
où la conduirait la coalition des partis monarchiques.

Mais jamais elle n'a montré plus d'abattement, plus de
servilité, plus de basses complaisances qu'après le coup
d'Etat du 2 décembre. Comme la tourbe romaine sous les
Césars, elle battit des mains et cria : *Ave Imperator!* Elle
était d'autant plus coupable, en le faisant, que, par son instruction et ses lumières, elle avait assez de discernement
pour savoir, par l'histoire du césarisme et par la première
expérience de l'Empire, que ces gouvernements tout d'une
pièce n'ont jamais servi qu'à nous conduire aux abîmes.

N'est-il pas honteux pour un pays de voir des hommes,
comme M. de Montalembert, l'un des chefs du parti conservateur, l'un des soutiens du parti clérical, écrire, après la
soldatesque du 2 décembre : « Il n'y a de légitime que ce
qui est possible » ? Une telle parole peut être applaudie par

les adorateurs du succès et par les partis religieux, qui ne font eux-mêmes que défendre les gouvernements favorables à la suprématie de l'Eglise. Pour moi, j'ai toujours regardé ce mot comme une insulte à mon pays, comme une lâche adulation de la force victorieuse, et comme un mensonge contre lequel protestait l'histoire entière du genre humain. C'est par de telles paroles et de tels actes que les classes prépondérantes deviennent, dans les plus grands pays, la proie et la risée des faiseurs de coups d'Etat. Le second Empire ne parla à la bourgeoisie que d'affaires, en lui fermant la politique. La bourgeoisie se montra contente, et mania ses écus en donnant carte blanche au gouvernement. On sait où cela nous a conduits!

———

Le parti républicain, — ce sera son éternel honneur! — frappé, persécuté, comprimé, bâillonné, se raidit contre la politique de violence et de police qui est l'accompagnement de tout pouvoir créé par la force. Sous aucun régime, le vrai parti républicain n'a abdiqué, et c'est là ce qui fait sa puissance indestructible.

Sous le premier Empire, sous la Restauration, sous le Gouvernement de 1830, sous le second Empire, il a conservé pure et sans tache la tradition de l'idée impérissable qui doit sauver les sociétés modernes de la banqueroute, que leur préparent, par leurs folies, les monarchies de l'Europe.

Mais, sous le second Empire, cette attitude du parti républicain et l'opposition qu'il fit au despotisme impérial eurent un singulier caractère d'opiniâtreté et de haine implacable. On sentait, des deux côtés, qu'il y avait un duel à mort entre les hommes de l'idée pure — les républicains — et l'exploiteur de la légende napoléonienne, — l'homme de Strasbourg, de Boulogne et du 2 Décembre, que les faubourgs, par abréviation, appelaient *Bou-Stra-Pa*.

Aussi l'opposition au gouvernement revêtait-elle toutes les formes et employait-elle tous les moyens. Et je dois le dire ici, la bourgeoisie que je viens de condamner à cause de ses misérables faiblesses, était la première à sourire et à prêter les mains pour colporter dans tout Paris les nouvelles qui pouvaient donner une égratignure à ce pouvoir qu'elle méprisait, en courbant le front devant lui.

Jamais l'opposition au souverain, aux ministres, à la cour, à la chambre, au sénat, à toute la machine impériale, ne fut plus subtile, plus ingénieuse, plus générale, plus acharnée. Un jour, c'était une chanson que l'on colportait manuscrite, de main en main. Le lendemain, c'était un épigramme qui courait les rues et qui mettait en quelques heures tout Paris en liesse. J'en cite ici un curieux exemple. Le lendemain du jour où parurent les décrets du 22 janvier contre les biens de la famille d'Orléans, Paris se réveille en quelque sorte avec ce mot sur les lèvres :

— Vous connaissez les décrets ?

— Oui.

— C'est le premier *vol* de l'Aigle !

Le mot était sanglant. Il était de M. Dupin, qui avait exprimé là, comme il me l'avait exprimé à moi-même, les sentiments que lui inspirait l'Empire, et qui s'oubliait plus tard lui-même au point d'accepter sa nomination comme procureur-général à la cour de cassation ; un véritable bourgeois !

Je crois bien ne pas mentir à l'histoire, en affirmant qu'il ne s'est pas écoulé un jour sans que l'Empire ait ainsi reçu, de tous les points de l'horizon, son tribut de flèches, de bons mots, de quatrains, de sarcasmes, de paroles vengeresses. Ici un article de journal, qu'on se passait de mains en mains ; là, des pamphlets manuscrits ; c'étaient des nouvelles étrangères dont on faisait une menace pour l'hôte des Tuileries : toute arme était bonne pour attaquer.

J'ajoute que les centres d'opposition ne manquaient pas. Il y avait des réunions particulières chez des républicains de Paris, chez des dames, chez des journalistes, et là, sans même songer à fonder des sociétés secrètes, on s'entendait du moins à merveille pour perpétuer, contre un pouvoir dont les républicains comprenaient la fragilité, une hostilité à outrance qui ne finirait que par la chute du régime. Les républicains étaient fiers de la conduite que tenait, sans broncher, tout le parti. On sentait dans cette fermeté invincible, contre laquelle venaient s'émousser toutes les limes de la persécution impériale, on sentait, dis-je, quelque chose de cette témérité imperturbable qui faisait dire, un jour, à Marc Dufraisse à la tribune nationale, pour combattre les restaurations royales : « A l'éternité des prétentions monarchiques, nous opposons l'éternité des revendications républicaines ! »

A toutes les causes d'irritation de l'intérieur venaient se joindre les nouvelles de l'extérieur. Nouvelles des transportés, nouvelles des prisonniers, nouvelles de l'émigration. Le cabinet noir de la direction des postes avait beau intercepter les lettres, les journaux étrangers avaient beau être arrêtés au passage, les nouvelles, les journaux, les brochures et les livres arrivaient quand même à destination, dans les bagages des voyageurs, dans les ballots de marchandises, par tous les moyens.

C'est ainsi que la voix de Victor Hugo, à Jersey, était, pour ce pouvoir qui ne voulait que le silence, comme un tonnerre qui le faisait trembler au milieu de ses baïonnettes. Comment ne pas croire à une foi politique qui s'affirme avec tant de conviction, avec tant d'énergie, avec tant de génie ?

Les discours et les livres de Victor Hugo ont rendu, pendant ces temps d'épreuve, d'éminents services à la cause démocratique. Ils ont puissamment contribué à démontrer la fragilité de l'édifice impérial qui, ne reposant que sur la force, n'avait par conséquent aucune base; car, dans une société civilisée, la force ne peut servir de fondement aux institutions sociales. Ils ont en même temps servi à maintenir cette conviction que la République pouvait encore subir une éclipse, mais que son retour était inévitable.

Les deux livres : *Napoléon-le-Petit* et *les Châtiments*, ont certainement fait plus de mal à notre Augustule que les Satires de Juvénal aux Césars romains.

Les hommes du pouvoir, qui connaissaient, comme le public, tout ce qui se passait, sentaient entrer ces pamphlets sanglants comme des fers rouges dans leurs poitrines, et ils faisaient le possible et l'impossible pour essayer de déverser l'odieux sur leurs adversaires.

C'est dans ces circonstances que le général Trézel, qui commandait à Nantes, publia contre le général Bedeau, réfugié en Belgique, une lettre pleine d'injures imméritées et dont la lecture me fit bondir d'indignation. Connaissant le général Bedeau, je ne voulus pas le laisser sous le coup de ces imputations odieuses.

Je lui écrivis immédiatement pour lui faire connaître la lettre et lui demander l'autorisation d'aller à sa place trouver le général Trezel pour le prier de mettre fin à cette polémique et exiger satisfaction s'il la continuait; mais le général refusa mon offre, en me répondant par la lettre suivante :

« Mon cher compatriote et ancien collègue,

» Je vous remercie sincèrement de votre vive et cordiale » sympathie. Je n'accepte pas la proposition que vous me » faites; mais je garderai fidèlement le souvenir de ce témoi- » gnage de votre estime et de votre dévouement.

» Le général Trézel a plus de soixante-douze ans; cet âge » commande une réserve que j'ai cru pouvoir accepter, sans » nuire à la constatation de la vérité. C'est dans ce but que » j'ai écrit ma dernière lettre. J'aviserai ultérieurement, » suivant ce qui se produira.

» Croyez toujours à ma bien vive reconnaissance et à » mon sincère attachement.

» Votre bien dévoué.

» Général BEDEAU. »

» *P.-S.* Un de mes amis de Paris, qui ignore d'ailleurs » les termes de votre lettre, ira sans doute vous remercier » de ma part avant peut-être que cette lettre ne vous par- » vienne, si j'éprouve quelque difficulté à vous l'envoyer. »

N'était-il pas criant de voir les généraux du coup d'Etat essayer de calomnier les chefs de l'armée qui préféraient briser leur épée plutôt que de servir un traître, et qui étaient restés l'honneur de leur corps et l'honneur du pays?

Au milieu de ces hostilités persistantes, je puis dire que je ne manquai jamais d'assister aux soirées et aux convocations républicaines, où j'étais toujours invité; mais, plus que jamais, sous l'Empire, je m'appliquai à consacrer à la cause populaire l'influence dont je pouvais disposer.

Les sociétés ouvrières fondées en 1848 étaient naturellement vues de très-mauvais œil par un gouvernement qui regardait ces associations comme des foyers de démocratie et de socialisme. Plus on leur suscitait d'embarras, plus je m'efforçais de leur venir en aide par tous les moyens en mon pouvoir. Un jour, c'était une difficulté administrative qu'il fallait surmonter. Le lendemain, c'était une question contentieuse qu'il fallait résoudre. Une autre fois, c'était une ouverture de crédit qu'il fallait trouver. J'éprouvais à l'accomplissement de ce devoir patriotique absolument négligé par tous nos républicains formalistes, la satisfaction la plus vive. Car la question de l'organisation du travail est pour moi celle qui prime toutes les autres ; elle est aujourd'hui la seule question véritable, et c'est de ce côté que les hommes politiques doivent porter leur attention.

Parmi ces associations ouvrières, il en est une qui parvint non-seulement à triompher de toutes les difficultés de la situation, mais à conquérir le premier rang parmi les entreprises similaires. Je veux parler de l'*Association des Maçons*. J'étais, par exception, reçu comme membre du comité de direction, à cause des services continuels que je ne cessais de rendre à la cause des sociétés ouvrières. J'ai pu voir là de près, et à l'œuvre, les hommes de conviction que la démocratie compte par milliers dans les rangs des travailleurs, et je demeure profondément convaincu que le peuple est digne des grandes réformes qu'il revendique si légitimement.

Là, je le répète, se trouve non-seulement pour la France, mais pour l'Europe, toute la politique de l'avenir.

En m'occupant ainsi des intérêts des associations ouvrières, j'agissais au grand jour, et j'avais, par suite de la ré-
glementation méticuleuse de nos sociétés, trop de rapports
avec l'administration pour qu'elle pût ignorer aucun de mes
actes. Mais la police n'en avait pas moins l'œil ouvert sur
chacune de mes démarches; mes allées et venues étaient
surveillées, et, ne pouvant s'attaquer à moi pour ma conduite, qui était hostile, mais irréprochable, l'administration
finit par trouver le moyen de me témoigner tout le mécontentement que je lui faisais éprouver.

J'étais encore inspecteur du travail des enfants dans les
manufactures. J'ai eu occasion de rapporter plus haut comment m'avait été confiée cette fonction et comment j'en
comprenais l'exercice. Mais la stricte observation de la loi
n'était pas du goût du pouvoir, qui tenait à ménager la
grande industrie et ne se souciait que médiocrement du
peuple, dont il affectait de prendre la défense, en paroles,
mais qu'au fond il tenait à maintenir dans l'ignorance et la
subordination.

L'administration, à qui j'avais signifié que je ne donne-
rais jamais ma démission de cette fonction gratuite, m'envoya ma destitution. Elle me faisait ainsi connaître combien
ma personne, ma conduite, mes opinions et mes rapports
lui étaient désagréables.

Au fond, la mesure n'avait pour moi que des avantages.
Elle rompait toute relation officielle avec des hommes qui
n'étaient pour moi que des ennemis, et elle me donnait plus
de temps pour me consacrer à mes propres affaires et suivre les opérations des associations ouvrières.

J'étais loin, au milieu de ces crises politiques, de négliger mes affaires personnelles. L'interdiction de ma banque m'avait causé le plus grave préjudice ; car j'avais fondé un établissement de crédit qui, tout en profitant aux travailleurs et au public, me donnait à moi une situation avantageuse et complétement en rapport avec mon expérience des affaires et mes opinions politiques.

Il fallait trouver d'autres opérations. Sur ce point, je suis heureux de pouvoir dire que les persécutions du pouvoir ne sont jamais parvenues à me prendre sans vert. Ne pouvant donner suite à mon comptoir de commission, je me tournai sans retard du côté des chemins de fer.

J'avoue ici, en toute sincérité, qu'un des regrets de ma vie est celui de ne m'être pas mêlé aux affaires de chemins de fer de mon temps. J'en comprenais toute la portée financière, industrielle et commerciale ; j'avais l'habitude des opérations de travaux publics ; je connaissais, comme constructeur, toute la partie industrielle, j'étais donc dans les meilleures conditions possibles pour mener à bonne fin l'entreprise d'une concession et rendre aux compagnies des chemins de fer des services profitables.

Si j'exprime ici ce regret, ce n'est pas, je dois le dire, au point de vue de la grande fortune que j'aurais pu retirer de ma coopération active dans les compagnies françaises et étrangères. C'est surtout au point de vue de l'influence que j'aurais pu exercer au profit des travailleurs des compagnies. Les grandes sociétés françaises ont, Dieu merci ! usé et abusé du privilége de leurs concessions ; mais qu'ont-elles fait, jusqu'à présent, pour venir en aide aux légions de travailleurs sans les bras desquels rien n'aurait été fait ? N'est-il pas triste, par exemple, de voir la réunion des mécaniciens et des chauffeurs trouver, dans les compagnies mêmes, des obstacles à la constitution d'une société philanthropique qui n'est fondée que pour améliorer leur sort par le principe de la solidarité. Voilà des hommes qui supportent, sans interruption, un travail de quatorze heures par jour, qui ont entre leurs mains l'existence de milliers de voyageurs, et vous leur refusez le droit de s'occuper de l'amélioration de leur sort! Ces hommes sont donc pour vous moins précieux que vos machines que vous vous empressez de passer en revue, d'huiler et de réparer après chaque tournée? Disons-le hautement comme nous le pensons : la bourgeoisie a inventé le mot philanthropie, mais elle en comprend singulièrement les devoirs.

On a vu précédemment qu'à peine étais-je arrivé à Paris comme député du Morbihan, après 1830, je m'étais mis en mesure de soumissionner, avec M. Frimot, ingénieur des ponts et chaussées, le chemin de fer de Saint-Germain ; mais l'entreprise était convoitée par M. Emile Péreire, alors protégé par M. de Rothschild, et une telle concurrence ne me permettait aucune espérance.

A la suite des événements de 1848, je fus invité par un ami que j'avais en Suisse à venir étudier la configuration du sol dans la République helvétique, et à lui donner mon avis sur l'établissement d'un réseau de voies ferrées dans les différents cantons. La Suisse n'avait encore, à cette époque, qu'une seule petite ligne de chemin de fer : celle de Zurich à Baden, que l'on avait établie dans une plaine, le long de la Limmat, et que l'on parcourait en quarante minutes : c'était un vrai joujou.

L'invitation de mon ami était donc tentante, car la Suisse représentait un terrain vierge et qu'on pouvait utiliser pour le nouveau système de locomotion. Mais j'avoue qu'à première vue l'entreprise était loin d'attirer les fortes têtes des compagnies déjà constituées. Quand on leur parlait des chemins de fer de la Suisse, les potentats de nos compagnies hochaient la tête et répondaient en riant : « Des chemins de fer en Suisse? Pourquoi pas dans la lune? »

Je ne suis pas homme à me rebuter d'un préjugé : je me rendis en Suisse, et j'explorai consciencieusement tous les cantons. Ma conclusion fut complétement favorable, et je présentai à mon ami un projet de chemin de fer de Morges à Yverdon, dans le canton de Vaud, avec embranchement sur Lausanne. La concession de la ligne fut demandée et obtenue sans difficulté. Cette concession fut cédée par nous à MM. Fox et Anderson, les constructeurs du palais de Cristal, en Angleterre, avec réserve à notre profit de la fourniture des rails et du matériel roulant. Tel a été le début de l'exploitation connue sous le nom de l'Ouest-Suisse, et c'est dans la fourniture du matériel roulant de cette compagnie que fut inaugurée, pour la première fois, l'innovation des wagons de fumeurs.

J'obtins ensuite avec mon ami la concession du chemin de fer de la frontière française près Pontarlier, jusqu'à Neuchâtel, avec embranchement d'un côté vers Bienne et de l'autre vers le canton de Vaud. C'est le réseau que l'on exploite aujourd'hui sous le nom de chemin de fer Franco-Suisse. Je cédai ma concession à une compagnie, en me réservant, comme pour le réseau de l'Ouest-Suisse, la fourniture des rails et accessoires.

Je prenais ces fournitures en Belgique, à Seraing ; mais au sujet du transport de mes produits, je dois consigner ici une particularité qui ne manque pas d'intérêt. La Suisse se

servait, pour le transport des marchandises qu'elle prenait
en Belgique, du parcours suivant. Elle leur faisait descendre la Meuse et remonter le Rhin jusqu'à Bâle : contrairement à cette pratique, je fis, pour mes expéditions, remonter
la Meuse et prendre les canaux français à Givet, et, par le
canal de la Marne au Rhin, je les fis arriver à Huningue,
à deux kilomètres de Bâle.

J'avais ainsi 20,000 tonnes de rails à transporter. Je trai-
tai avec les commissionnaires de Charleville pour 2,000 tonnes seulement, avec faculté de pouvoir faire transporter le
tout aux mêmes conditions ; mais quand je revins à Paris et
que je parlai aux administrateurs des compagnies de chemins de fer de la route économique que j'avais choisie pour
le transport des rails, ils m'offrirent avec empressement de
transporter le reste de mes fournitures aux mêmes conditions que les canaux, c'est-à-dire à 50 pour cent de réduction sur leurs tarifs. L'arrangement fut bien vite conclu
avec les chemins de fer belges et français, et l'expédition se
fit à ces conditions, tant les compagnies avaient peur de voir
les marchandises prendre la voie du transport à bon marché que je venais de leur montrer ! La batellerie peut créer
aux chemins de fer une concurrence redoutable : mais l'industrie n'a pas l'air de le comprendre, et le gouvernement
a tout sacrifié aux compagnies de chemins de fer. C'est là
encore une des questions importantes qui s'imposeront plus
tard à l'attention d'un gouvernement véritablement soucieux
de l'intérêt public.

Cette dernière concession avait été cédée par moi, je viens
de le dire, à une compagnie qui organisa l'exploitation actuelle et qui n'oublia qu'une chose, de remplir les engagements qu'elle avait contractés avec moi. Ces engagements

étaient si précis, si bien stipulés, que je m'étonnai tout
d'abord du retard qu'éprouvait vis-à-vis de moi l'exécution
du contrat. Mais à cet étonnement succéda bientôt la conviction que la compagnie n'entendait pas satisfaire à mon
égard aux obligations qu'elle avait reconnues dans notre
traité. Je me vis dans la nécessité de lui intenter un procès
que mon séjour à Paris fit durer de longues années. En
1871 rien n'était encore terminé.

C'est le désir de donner suite à cette procédure qui m'a
fait choisir la Suisse comme séjour, quand j'ai quitté la
France. Depuis mon installation à Neuchâtel, j'ai pu donner tous mes soins à cette affaire, et la compagnie, qui se
prétendait libre vis-à-vis de moi, apprendra, comme on le
verra à la fin de ce livre, que s'il y a des juges à Berlin, il
y en a aussi à Berne.

SUITE DU SECOND EMPIRE

La démocratie impériale. — La démocratie socialiste. — Mes relations restent les mêmes. — Le cercle des Ganaches. — M. de
Pourtalès à Neuchâtel (Suisse). — L'opposition républicaine. —
Le comité des vingt-cinq chez M. Carnot. — La part que je
prends à ces réunions. — Les élections de 1863. — M. Jules Simon. — L'internationale. — Son origine et ses progrès. — Ma
nomination comme membre du comité d'initiative. — Le manifeste de la ligue internationale du désarmement. — La guerre.

～～～～～～

J'éprouve, je l'avoue, une répugnance insurmontable à
écrire ces deux mots : *démocratie impériale,* qui hurlent
de se trouver ensemble. Mais en tout et pour tout ce régime n'est qu'un tissu de contradictions et de mensonges.
Il invoque, en les accouplant en tête de ses actes, la *grâce
de Dieu* et la *volonté nationale ;* il reconnaît la souveraineté
de la nation en la confisquant au profit d'un conspirateur
triomphant ; il ne parle que du peuple et de son bien-être,
et il ne gouverne qu'avec des sinécures, des places, des
honneurs, des favoris, toutes les excroissances morbides du
pouvoir absolu et du parasitisme. On dirait que ce régime
ne peut ouvrir la bouche que pour mentir !
Ces deux mots : *démocratie impériale,* ne représentent
donc, comme toutes les grandes phrases mises en avant par

le bonapartisme, qu'une grossière amorce destinée à provo
quer les votes et les applaudissements des populations ; mais
il faut bien en faire justice, puisque ce thème est un de
ceux que les thuriféraires de l'Empire étalent et développent
avec le plus de complaisance.

L'Empire, pour moi, n'a jamais compris le bien du peuple qu'à la façon des Césars romains, qui jetaient à poignées,
aux affranchis et aux esclaves, des corbeilles de sesterces,
pour entretenir leur popularité, et qui regardaient le peuple
romain comme le peuple-roi, le jour où l'on pouvait lui
déclarer que le pain et les jeux du cirque étaient assurés.
Les procédés de notre césarisme n'étaient guère plus
avancés. Et, en effet, voyez ce que nous a laissé ce qu'on
appelle la *démocratie impériale.*

Tout ce que l'Empire a pu faire, c'est de provoquer, avec
l'intervention de la Société de Saint-Vincent de Paul, un
grand nombre de *sociétés de secours mutuels,* qui prati-
quaient l'amélioration du sort du peuple à la façon des
catholiques qui n'ont jamais compris et appliqué que la doctrine de la charité. Quant à l'ignorance, on l'entretenait
avec habileté, parce que l'ignorance est un des pivots de
l'asservissement des peuples. Je ne parle pas du crédit, que
le gouvernement eût été peiné de voir pénétrer dans les
régions du travail. La création dérisoire du *prêt au travail,*
placé sous le patronage du prince impérial, montra bien,
sous ce rapport, le procédé gouvernemental de l'Empire. Il
fallait avoir l'air de faire quelque chose, tout en ne faisant
rien, et cette miette de la double puissance du capital et du
crédit, il fallait encore qu'elle descendît de la main du
prince, pour bien démontrer que tout vient d'en haut. Un
vrai gouvernement de jongleurs !

Je le dis hautement, parce que je le pense et parce que c'est vrai; comprendre ainsi la démocratie, améliorer ainsi le sort du peuple, c'est insulter à ses misères et à sa pauvreté, et, sur ce point, l'Empire n'a rien fait, n'a rien laissé, et le problème des réformes sociales reste tout entier à résoudre.

Le peuple, je le dis à sa louange, ne s'est jamais laissé prendre à ces simulacres d'institutions populaires. Il a trop conscience de l'infériorité de sa condition sociale pour se montrer satisfait d'une aumône qui n'est pour lui qu'une injure. Il sait que son instruction est à faire, que le capital et le crédit lui font défaut pour travailler, qu'il est séparé de la propriété par un abîme, que certains articles du code n'ont été faits que pour le maintenir dans cet état d'infériorité, et, comme le lion enfermé dans une cage, il use son temps à ronger les freins qui l'empêchent de participer, lui aussi, aux bienfaits de la Révolution.

Dans les réunions d'ouvriers et dans les associations, l'Empire était jugé comme il le méritait, et l'on ne s'en occupait même pas. Toute discussion sur la politique était considérée comme du temps perdu, et l'on ne s'appliquait qu'à chercher les moyens de réaliser par le peuple lui-même les réformes dont le programme était bien connu de tous. Le peuple n'attendait rien du gouvernement, rien de la bourgeoisie, et il ne comptait que sur lui! Le *fara da se* des Italiens était devenu sa devise.

Plus je m'occupais de ces questions, et plus j'arrivais à me convaincre qu'en dehors de la politique socialiste, il n'y avait que chimère, égoïsme et vanités ambitieuses.

Dans toutes mes relations, on connaissait mes opinions; mais ces convictions, que je défendais à haute voix et avec énergie, ne m'ont jamais fait rompre avec mes amis d'autrefois. La raideur impitoyable avec laquelle je jugeais tout, aurait dû éloigner de moi mes vieilles connaissances. Il n'en était rien, et j'ai pu constater par moi-même que la franchise et la droiture sont les meilleures règles à suivre dans la pratique de la vie!

J'étais, par exemple, membre de l'ancien cercle dit *Cercle des ganaches,* qui comptait un grand nombre de notabilités connues du parti conservateur. J'y voyais MM. le maréchal Baraguay-d'Hilliers, le général Lebreton, Molin, ancien député, de Fermont, le marquis de Boissy, le colonel Cerfbeer, etc., et jamais, je puis le dire, mes opinions n'ont amené, entre les membres du cercle et moi, le moindre froissement.

J'avais assurément bien des discussions à soutenir; mais je n'étais pas homme à rompre d'une semelle, et j'avais sur ces conservateurs bons enfants l'avantage d'un homme qui maniait tous les jours, dans la vie pratique, les questions dont je parlais. En général, le conservateur représente un homme dont le siége est tout fait. Retiré dans sa fortune, comme le rat dans son fromage, il ne demande aux lois et aux institutions que la protection pour vivre à son aise et en repos. De tout le reste, il s'en soucie comme de sa première pantoufle. C'est l'égoïsme élevé à la centième puissance.

Nous avons eu ainsi, au cercle, d'interminables débats, et je vais en retracer ici le caractère et la physionomie habituelle. L'argument que mes adversaires commençaient toujours par m'adresser, comme une pointe qu'ils croyaient bien aiguë, était relatif aux différentes modifications que présentent, dans ma carrière politique, mes opinions personnelles.

— Oh! vous-même, mon cher Beslay, vous n'avez pas toujours professé les idées que vous voulez faire prévaloir aujourd'hui, me disait-on d'un air caustique.

— Mais, répliquais-je à l'instant, je suis le premier à le reconnaître. En 1830, j'étais tout simplement libéral. Tenez, disais-je, je vais vous faire beau jeu : en 1815, j'étais même impérialiste, contre le drapeau blanc de la Restauration. Ainsi, vous le voyez, je ne marchande pas mes étapes; j'étais impérialiste en 1815, libéral en 1830, républicain en 1848, et sous le second Empire, je suis franchement socialiste!

— Ah! nous y voilà! Socialiste! Et pourquoi socialiste? qu'entendez-vous par ce diable de mot qui fait peur à tout le monde? Est-ce que la liberté, comme le soleil, ne luit pas pour tout le monde? Dites à vos socialistes de gagner de l'argent, et vous les verrez tout aussi conservateurs que nous.

— Ta, ta, ta, si vous embrouillez toutes les questions, et s'il n'y a que vous à parler, vous êtes bien sûr d'avoir raison. Laissez-moi répliquer, je vous prie. Vous demandez pourquoi il y a des socialistes; mais pour une raison bien simple : parce que nous n'avons plus à résoudre que des questions sociales. Pour le peuple, pour les travailleurs, c'est-à-dire pour l'immense majorité du pays, la question politique et gouvernementale est aujourd'hui une question jugée. On sait que la République a pu être étranglée, mais qu'elle est indestructible, parce qu'elle représente le seul gouvernement logique et possible en France. Le retour de la République est donc inévitable; mais la République elle-même ne tranche que la question de gouvernement, et le peuple trouve devant lui une foule de réformes sociales auxquelles il s'intéresse autant qu'à la République et qu'il veut pousser à l'ordre du jour de la politique, parce qu'il en souffre dans sa vie de chaque jour.

— Quelles sont donc ces réformes?

— Faut-il vous mettre les points sur les i? Est-ce que la justice est égale pour tous? Est-ce que la statistique de la conscription ne vous fait pas rougir de voir le tiers de nos conscrits illettrés? Est-ce que le capital et le crédit, constitués comme ils le sont, ne sont pas entre les mains de la bourgeoisie de véritables priviléges? Est-ce que notre organisation sociale ne vous montre pas que toutes les forces de nos institutions sont entre les mains du capital, tandis que le travail, qui a conscience du rôle qu'il remplit dans l'œuvre commune, vit toujours dans une subordination complète.

— Eh bien! admettons qu'il y ait des améliorations à réaliser, laissez faire le gouvernement, il les fera quand le moment sera venu.

— Ah! *le bon billet qu'a La Châtre!* Laissez faire le gouvernement! Mais vous ne voyez donc pas que les gouvernements n'ont qu'un but : étouffer toutes les questions. Aucun gouvernement, ni le Directoire, ni l'Empire, ni la Restauration, ni le Gouvernement de 1830, ni la République de 1848, ni le second Empire, aucun, entendez-vous, aucun n'a voulu prendre en mains ces problèmes, parce qu'ils sont tous, plus ou moins, conservateurs, c'est-à-dire défenseurs du capital, et qu'ils ne veulent rien faire pour le travail. Le plus clair de leur politique à l'égard des travailleurs, c'est la fusillade. Eh! bien, j'aime mieux, moi, les réformes que les coups de canon.

— Les réformes! les réformes! Vous en parlez bien à votre aise. Et lesquelles, mon cher Beslay, puisqu'il est impossible de trouver deux socialistes d'accord?

— Allons donc! Encore une de ces opinions toutes faites qui circulent dans les journaux de la réaction, pour repousser sans examen toutes les revendications qui arrivent d'en bas. Sans doute, il y a des opinions différentes et des systèmes opposés. Est-ce qu'il n'y en avait pas, en 1789, pour les revendications présentées par le tiers-état? C'était une confusion bien plus épaisse que de nos jours, et la bourgeoisie est bien parvenue à voir clair dans ce fatras et à mettre au net les réformes qui sont aujourd'hui sanctionnées par le code. Examinons, discutons, mais ne proscrivons pas, et surtout n'ayons plus recours à la force, qui est le pire des moyens, car il peut un jour se retourner contre ceux qui l'emploient. Encore une fois, examinons: nous ne prendrons que le froment, et nous écarterons l'ivraie. C'est la seule politique à suivre; car rien n'étouffe l'idée juste et vraie. On a cru l'anéantir en juin 1848, et elle est aujourd'hui plus puissante que jamais. Est-ce que l'histoire n'est pas là pour nous prouver que toute persécution contre le juste et le vrai est insensée?

Tel était à peu près le tour ordinaire de nos discussions, et j'avoue que presque tous mes contradicteurs, mis au pied du mur, finissaient par reconnaître, comme tous les conservateurs, *qu'il y avait quelque chose à faire*.

Eh bien! *ce quelque chose*, faisons-le donc et mettons-nous à l'œuvre! Ouvrons l'écluse pour donner passage, peu à peu, au torrent, si nous ne voulons pas que l'inondation nous emporte!

Mes relations restaient également les mêmes à l'étranger ; mes concessions de chemins de fer en Suisse et mes fournitures de matériel me mettaient en rapports suivis avec les banquiers, les industriels et les bourgeois notables de la Belgique et de la Suisse. C'est dans un des voyages que ces différentes affaires nécessitaient pour moi, que je pus rendre à M. de Pourtalès-Gorgier un service qui lui épargna un désagrément des plus pénibles.

C'était en 1856, au milieu d'une insurrection tentée par le parti monarchique de Neuchâtel et de la Sagne, en Suisse, pour saisir le pouvoir au profit de la Prusse. M. Pourtalès fut arrêté, bien qu'il n'eût pris aucune part à l'échauffourée. Je contribuai à lui faire rendre la liberté, en prouvant aux magistrats chargés de poursuivre les fauteurs de la révolte, que, le jour même de l'équipée royaliste, j'avais avec lui, à Bienne, chez moi, un rendez-vous d'affaires très-important.

Mon témoignage fut pris en considération, et M. de Pourtalès ne fut pas compris dans les poursuites. Dans toutes les affaires politiques, il y a toujours des gens qui font du zèle, et j'épargnais à M. de Pourtalès les effets désagréables du zèle du parti vainqueur à Neuchâtel.

L'opposition contre l'Empire allait grandissant, et au fur et à mesure que le pays découvrait les moyens honteux employés par le gouvernement pour montrer que *tout était pour le mieux dans le meilleur des mondes possibles*, il se détournait avec dégoût et du régime et des hommes qui le servaient. Les crimes du coup d'Etat étaient connus et universellement condamnés. Les gros traitements dont le maitre avait gorgé ses valets, étaient le point de mire de mille critiques. L'administration était considérée comme une mécanique organisée pour célébrer la gloire du César éternel. Dans un procès célèbre, où M. Jules Favre eut à révéler au grand jour les odieuses pratiques de ces administrateurs *à poigne*, le grand orateur disait: « Ce procès peut être re- » gardé comme le fragment d'un miroir brisé, où le pays » peut se voir tout entier. »

Et plus apparaissaient les méfaits du régime césarien, plus aussi s'accroissaient les résistances du pays à cette oppression dégradante. Les allures de la presse devenaient plus vives; les réunions de l'opposition démocratique se multipliaient; des comités se formaient de tous côtés, et l'on voyait que le parti républicain, qui s'était tout d'abord abstenu sous le coup des persécutions du 2 Décembre, allait reprendre la lutte et combattre l'Empire avec l'arme du suffrage universel. Les ministres de Napoléon III avaient bien tout fait pour réduire le suffrage universel à l'état de manivelle dans la main du pouvoir : candidatures officielles, circonscriptions électorales fantaisistes pour noyer le vote des villes dans le suffrage des campagnes, pression administrative, entraves pour les candidatures de l'opposition, promesses, argent, places, faveurs, tout était mis en œuvre pour étouffer toute libre manifestation. Pour l'Empire, le suffrage universel était le chœur antique chargé de répéter la pièce qu'on jouait devant lui.

N'importe! La machine commençait à craquer de toutes parts et l'opposition était résolue à descendre dans l'arène. C'est dans ces circonstances intéressantes et au milieu de ce réveil de l'esprit public qu'arrivèrent les élections de 1863.

Il y avait pour les républicains un empêchement grave

qui leur barrait l'entrée du Corps législatif : c'était le serment. Le colonel Charras, à qui l'on avait offert une candidature, avait répondu par ces simples paroles : « La porte
du serment est trop basse, je n'y passerai jamais. »

C'est à propos de la prestation de ce serment que je me
séparai de mon compatriote et ami Jules Simon, qui se
montra à cette occasion d'une versatilité déplorable. Il avait
écrit au colonel Charras une lettre catégorique, dans laquelle il déclarait qu'il ne prêterait jamais serment et qu'il
ne consentirait jamais à être *un sous Darimon*.

Il était sur ce point intraitable et me dit un jour dans la
la rue : « Comprends-tu que Freslon prête serment ! » J'étais
complétement de son avis et je l'encourageais à persister
dans cette résolution, qui paraissait arrêtée chez lui.

Quelques jours après, les journaux démocratiques annon-
cèrent pourtant qu'il était compris parmi les candidats. A
la lecture de son nom, je lui écrivis une lettre très-vive
dans laquelle je lui signifiais qu'à l'avenir il pouvait compter que je serais son adversaire déclaré.

Sa femme me répondit qu'elle avait ouvert ma lettre
comme secrétaire de son mari, mais qu'elle ne la lui montrerait pas, pour ne pas lui faire de la peine dans un moment
où il avait besoin de tout son courage. Cette volte-face
m'indigna. J'avais avec Jules Simon, comme compatriote,
comme ami et comme démocrate, les relations les plus cordiales et les plus suivies. Mais les devoirs de la politique
sont pour moi des devoirs sérieux avec lesquels je ne comprends pas que l'on transige. M. Jules Simon, depuis ministre de l'instruction publique sous le gouvernement du
4 septembre, possède un grand talent de parole et un grand
talent d'écrivain ; mais chez les hommes politiques de la

France, c'est moins le talent que le caractère qui fait défaut. Mon ancien collègue et ami a pu faire étalage de son républicanisme; il a pu, dans une réunion tenue plus tard chez M. Budaille, se déclarer également socialiste. Il n'en reste pas moins vrai qu'aux élections de 1863 il eut, du jour au lendemain, deux paroles et deux visages, et avec de pareils hommes, la politique de mon pays ne peut que retomber dans les anciennes ornières. Depuis un demi-siècle, la France ne fait que passer d'une expérience à l'autre avec les hommes de concessions. Quand viendra donc le jour des hommes de principes pour faire triompher la politique qui fera cesser les antagonismes sociaux?

Le moment des élections de 1863 n'en était pas moins des plus intéressants à suivre et à étudier dans ses manifestations. D'un côté, le parti républicain, qui voyait arriver le moment de l'action, voulait, le cas échéant, être préparé. Les hommes d'initiative s'entendaient à ce sujet et décidèrent qu'il serait nommé une commission de vingt-cinq membres chargés de diriger le mouvement.

Plusieurs réunions préparatoires eurent lieu chez Carnot. Bien que convoqué chaque fois, je refusai de me rendre à ces premières invitations. Mes amis me demandèrent le motif de mon abstention.

— Eh bien! répondis-je, puisque vous tenez à le connaître, j'irai vous le dire.

J'assistai, en effet, à la réunion suivante, et je vis aux noms proposés pour la formation du comité directeur que nos républicains bourgeois en étaient restés à l'étape de 1848. On me demanda mon opinion et je répondis:

— Je vois que vous n'avez pas fait un pas depuis 1848.
Le gouvernement provisoire était même plus avancé que
vous ; car, en ajoutant sur la liste du gouvernement le
nom d'Albert, ouvrier, il montrait au moins au pays que le
pouvoir politique devait aujourd'hui faire place au travailleur. Dans votre comité, au contraire, je m'aperçois,
malgré les leçons du passé, qu'il n'est pas même question
de consulter les ouvriers. Je ne comprends rien à une pareille organisation, et, pour moi, je ne m'occuperai de votre œuvre qu'à la condition d'ouvrir vos rangs aux délégués
des sociétés ouvrières.

Mon observation, j'en suis convaincu, dut souverainement déplaire à plus d'un membre. Elle portait la condamnation de tout ce qui avait été fait jusqu'alors ; mais elle
était si juste et si vraie, que personne ne prit la parole
pour combattre la proposition. On s'empressa, au contraire,
pour effacer la faute commise, d'accueillir le projet que
l'on trouva excellent de tous points, et il fut décidé, séance
tenante, que l'on formerait des réunions ouvrières, qui en-
verraient leurs délégués, comme les autres réunions, au comité central.

Le jour de la réunion générale arrivé, il s'éleva d'assez
vives discussions sur l'admission de certains noms dont
on contestait le républicanisme. Pour mettre fin au débat,
Jules Simon fit la proposition suivante, dont je possède encore la rédaction originale :

« La réunion, considérant qu'elle n'a entendu porter sur
» ses listes que des républicains, entendant d'ailleurs que
» quiconque votera dans la réunion, pour la nomination
» d'un comité, se déclarera républicain par le seul fait de
» son vote, passe à l'ordre du jour. »

La réunion nomma six scrutateurs chargés du dépouillement du scrutin. Je fus nommé scrutateur avec MM. Lefort, Carnot, Herold, Fornet et un autre citoyen dont le nom m'échappe. Nous nous donnâmes rendez-vous chez M. Hérold pour le dimanche suivant.

Le lendemain de cette réunion, le gouvernement, qui faisait surveiller nos démarches, fit publier dans le *Moniteur* une note déclarant que divers comités, quoique composés de moins de vingt personnes, mais se réunissant à d'autres comités, tombaient sous le coup de la loi contre les réunions illicites et seraient poursuivis comme telles.

Grand émoi dans le camp républicain. Le jour venu, nous nous réunissons, comme il était convenu, chez M. Hérold, et là, MM. Carnot et Hérold apprennent aux autres scrutateurs qu'après avoir lu l'avertissement comminatoire du *Moniteur*, ils avaient cru devoir consulter Me Marie sur la conduite à tenir et qu'ils l'avaient invité à venir donner son avis de vive voix aux commissaires du scrutin.

Me Marie ne vint pas et nous écrivit qu'il était indisposé. Il envoya en même temps une longue consultation aux termes de laquelle nous avions le droit de nous réunir dans les conditions précédentes, mais qui se terminait par le conseil de nous abstenir.

C'était la reculade en plein, et la reculade sans danger. Je blâmai énergiquement la conduite de Me Marie, qui n'était pas malade pour écrire et qui n'écrivait que pour nous conseiller de manquer à tous nos devoirs. Je m'emparai des votes en rappelant aux scrutateurs qu'ayant été nommés pour dépouiller le scrutin, nous devions, avant tout, remplir notre mandat, dont il nous fallait rendre compte à tout le parti démocratique. Nous fûmes, tous les

six, du même avis, et pour ne pas tomber sous la main de
la police, nous nous décidâmes à nous rendre chez un citoyen dévoué de la rue Pigalle où nous restâmes, sans dé-
semparer, dix-sept heures, pour dépouiller entièrement le
vote de toutes les réunions républicaines.

Mais, à la fin du dépouillement, MM. Carnot et Hérold,
voyant que le vote n'appelait au comité directeur ni Me Marie, ni Garnier-Pagès, ni la plupart des hommes du gouvernement de 1848, renoncèrent à leur tâche, et s'en allè-
rent porter aux chefs de la République bourgeoise la
nouvelle de leur échec devant le scrutin. C'était une dure
leçon. Le peuple montrait par son vote qu'il ne voulait plus
des hommes de 1848. Mais il faut bien le confesser à notre
confusion, cette leçon fut, pour les républicains formalistes,
absolument sans profit. Nous les avons vu revenir, le
4 septembre, au pouvoir, et recommencer les mêmes fautes
que vingt ans auparavant.

C'est qu'en effet l'idée des revendications populaires
avait fait parmi les travailleurs des pas de géant. La vérité
arrive lentement, mais elle arrive. En politique, il ne faut
que de la patience, car le lendemain détruit infailliblement
l'erreur de la veille. La civilisation n'a jamais marché autrement.

Cette idée des revendications du travail était si enracinée
dans tous les centres ouvriers, qu'il était impossible de causer politique dans leurs réunions sans voir immédiatement
apparaître le programme des réformes sociales.

Et remarquez que cette nécessité s'imposait impérieusement, non-seulement en France, mais en Angleterre, en

Allemagne, en Suisse, en Russie, en Belgique, en Italie, en Espagne, c'est partout la même irrésistible impulsion, parce que c'est partout la même organisation sociale, consacrant la suprématie du capital et l'infériorité du travail.

Or, avec la propagande de la presse, avec le va-et-vient des chemins de fer, avec l'exemple des grèves, avec le spectacle sans cesse renouvelé des expositions universelles, avec le développement du principe de l'association en Angleterre, en Allemagne, en France, il était impossible de ne pas voir cette grande idée prendre corps dans tous les pays, et relier, par une pensée commune, par un trait d'union intime, les intérêts de tous les travailleurs du monde.

De cette nécessité est née l'*Internationale.*

C'est avec une émotion profonde que j'écris le nom de cette grande association, si peu connue, si calomniée, et appelée à de si grandes choses. Le parti conservateur de tous les pays en a fait un épouvantail pour tous les gouvernements. Il ferait beaucoup mieux de descendre dans ces régions qui lui font peur, et il trouverait une cause qui ne demande que ce qui est juste, des hommes qui connaissent à fond et qui discutent froidement, sans passion et sans haine, les problèmes qui les intéressent. Il y trouverait, enfin, des exemples de vertu qu'il pourrait proposer à l'admiration du monde ! Que les conservateurs, qui parlent de mettre l'Internationale à feu et à sang, lisent attentivement l'histoire de la grande association anglaise, *les pionniers de Rochdale,* et ils pourront se demander si jamais la bourgeoisie pourrait trouver dans son histoire un récit plus touchant, plus héroïque et plus grand !

On peut dire que, depuis plusieurs années, l'idée de l'Internationale était dans l'air. Il en était question un peu partout. Mais c'est surtout à la suite de l'exposition universelle de Londres, en 1862, que les délégués français et les présidents des associations anglaises se concertèrent pour arriver à rédiger les statuts et à jeter les bases d'une grande association des travailleurs.

Ce fut le 28 septembre 1864 — une grande date dans l'histoire ! — qu'un meeting public organisé dans Saint-Martin's Hall réunit officiellement les représentants ouvriers de plusieurs nations de l'Europe.

Aucun personnage politique d'aucun pays ne participa à la fondation de l'œuvre.

C'est dans ce meeting que fut décidé :

Que l'association porterait le nom de *l'Internationale*;

Qu'un comité, élu le jour même, serait chargé d'élaborer les statuts;

Qu'un congrès ouvrier aurait lieu en 1865;

Enfin, que ce congrès choisirait un comité qui agirait comme conseil central et siégerait à Londres.

Un mois après, le pacte fondamental était conclu, et les ouvriers français ouvraient, rue des Gravilliers, 44, le bureau qui allait représenter l'Internationale en France.

L'installation était des plus modestes : un poêle, une table de bois blanc, des bancs, quelques chaises et ce qu'il faut pour écrire. On peut dire que dans cet humble réduit ont été discutés les plus grands problèmes des questions sociales, et ceux qui doutent peuvent s'en convaincre en lisant le mémoire qui fut présenté au congrès de Genève par les ouvriers français.

Cette création ne tarda pas à être connue dans le monde politique et dans la presse. Cette intervention des ouvriers dans la discussion des questions qui pouvaient les intéresser était loin de provoquer alors l'explosion des colères que nous voyons éclater aujourd'hui, et à propos d'une première réunion des ouvriers à Londres, en 1865, voici comment M. Henri Martin saluait dans le *Siècle* le monde nouveau qui se levait à l'horizon :

« C'est avec une profonde émotion que nous avons lu le
» récit de ce qui vient de se passer à Londres. Nous avons le
» pressentiment que quelque chose de grand vient de se
» lever dans le monde, et que la Salle de Long Acre sera
» célèbre dans l'histoire. L'élévation des sentiments, l'am-
» pleur des vues, et la haute pensée, à la fois morale, éco-
» nomique et politique, qui a présidé au choix composant
» le programme, saisiront d'une commune sympathie tous
» les amis du progrès, de la justice et de la liberté en
» Europe.

» Nous le savions bien que ce froid de mort qui s'étend à
» la surface de nos sociétés n'avait pas gagné les profon-
» deurs, ni glacé l'âme populaire, et que les sources de la
» vie n'étaient pas éteintes.

» Nos oreilles n'étaient plus accoutumées à de telles pa-
» roles ; elles nous ont fait tressaillir jusqu'au fond du
» cœur.

» Henri MARTIN. »

Ce langage ému rendait pleinement justice à la grande et juste idée qui se faisait jour par la création de l'Internationale. C'était assurément un monde nouveau, et le devoir de tout homme de bonne volonté était de travailler à l'avénement de ces réformes, qui se présentaient comme devant fermer l'ère des révolutions.

Pour mon compte, je n'avais pas à faire preuve d'une initiative nouvelle. Les fondateurs de l'Internationale étaient

depuis longtemps mes amis, et nous avions discuté et remué
ensemble, depuis plusieurs années, les questions qui figuraient sur le programme de la nouvelle association. J'ai pris
part, rue des Gravilliers, à l'élaboration de tous les projets
qui ont été soumis à l'examen du comité français; mais bien
qu'un des premiers appelés, j'employai toute mon influence
à éloigner du comité français de l'Internationale les hommes
politiques et les bourgeois. « Restez ouvriers, disais-je à
» chaque instant, car, si vous accueillez les capitalistes et
» les patrons, votre œuvre est dénaturée et perdue. »

On m'avait proposé à plusieurs reprises, eu égard à ma
situation particulière au milieu des sociétés ouvrières, de
me nommer membre du comité fondateur; mais je m'appliquais à moi-même la règle que je conseillais d'appliquer
aux autres bourgeois. « Une exception en amène une autre,
» leur disais-je, et l'Internationale ne sera plus la représen-
» tation des états-généraux de la classe laborieuse. »

J'aurai occasion plus tard d'exposer les travaux de la
société et les discussions qui ont eu lieu dans les différents
congrès convoqués et tenus par ses représentants. Qu'il me
suffise de constater ici, pour le moment, les progrès réalisés
par l'idée des revendications du travail.

L'Internationale n'a pas dix ans d'existence, et elle est
déjà parvenue à étendre son influence dans tous les pays
du monde. Les projets et les systèmes sont différents, sans
aucun doute, et le parti conservateur ne manque jamais de
faire ressortir des divisions qui ont déchiré la société fon-
datrice. D'accord; mais il est un point sur lequel du moins
toutes les sections sont unies, c'est que le travail est loin
d'obtenir les avantages auxquels il a droit, et le parti conservateur devrait prendre acte des revendications unanimement formulées devant lui.

Autant que possible, le comité se tenait complétement en dehors de la politique. La paix et l'organisation du travail étaient les deux bases de son programme et de ses travaux. Toutefois, comme les idées de guerre, à la fin de l'Empire, remplissaient les imaginations, le comité d'initiative crut devoir publier un manifeste qui fut envoyé dans toute l'Europe et traduit dans toutes les langues. On peut voir par ce manifeste, qui exprime le vœu de tous les travailleurs, combien l'Empire trompait les gouvernements, en déclarant qu'il était entraîné par le peuple à la guerre.

Le peuple, les travailleurs, les associations ouvrières, l'Internationale ne voulaient que la paix. Mais l'Empire, qui voyait la France lui échapper, voulut essayer de reconquérir son pouvoir par une nouvelle guerre, et la France fut précipitée aveuglément dans l'abîme.

Malheur, trois fois malheur aux peuples qui s'abandondent au point de faire tout reposer sur la volonté d'un seul homme !

LA GUERRE DE 1870

La déclaration de guerre. — Manifestations des démocrates à Paris et à Berlin. — La première défaite. — Je m'engage à soixante-quinze ans. — Mon odyssée pour rejoindre mon régiment à Metz. — Retour à Paris. — Voyage à Saint-Brieuc pour assister aux derniers moments de ma sœur. — Le désastre de Sedan. — Chute de l'Empire. — Proclamation de la République. — Installation du gouvernement de la défense nationale. — Manifeste de la démocratie socialiste de France à la démocratie socialiste d'Allemagne.

~~~~~~~~

Plus on examine la conduite tenue par le gouvernement du second Empire pendant les vingt années qu'il a fait de la France ce qu'il a voulu, plus on demeure convaincu que tous les actes de sa politique n'ont été inspirés que par cette pensée unique, conserver la dynastie impériale. L'homme qui avait tout fait pour restaurer l'Empire, était capable de tout faire pour le maintenir quand même en France.

Les conseillers privés de l'Empereur sentirent qu'il serait impossible de perpétuer, au milieu de l'Europe de plus en plus libérale et parlementaire, le régime du coup d'Etat, qui avait mis un bâillon sur la bouche du pays et imposé à la France un absolutisme intolérable et universellement abhorré. Ils entrouvrirent donc la porte aux transfuges de

la démocratie, et l'empereur institua le ministère du 19
Janvier, sous la présidence d'Emile Ollivier.

Quelle était la pensée intime de l'Empire en opérant cette
évolution? On voulut sans doute essayer de tendre la main
au pays, dont l'opposition grandissait à vue d'œil dans les
élections. L'opposition au corps législatif ne comptait encore
que trente ou quarante représentants; mais en énumérant
les suffrages obtenus par le gouvernement et ceux qu'avait
obtenus l'opposition aux élections de 1869, on ne trouvait
plus qu'un écart d'un million de votes entre les deux partis,
et l'Empire ne voulait et ne pouvait encourir le risque de
se voir condamné par le suffrage universel.

On prit donc un nouveau ministère, en lui donnant pour
chef un avocat que l'opposition avait autrefois fait entrer au
corps législatif, mais que les républicains avaient renié depuis longtemps, en apprenant qu'il avait des rapports avec
les principaux habitués des Tuileries. La complaisance du
nouveau ministre se révéla dès ses premiers actes, et l'indigne comédie du plébiscite montra tout ce que l'Empire
pouvait attendre de son nouveau *sujet*.

Mais plus le gouvernement déployait d'activité, moins
il était facile de voir quel était le terme final de sa politique
et de ses actes. Ce qu'il voulait, nous venons de le dire,
c'était la consolidation de l'Empire; mais par quel moyen
comptait-il arriver à ce résultat? Il n'en savait rien lui-
même, et l'on sentait, dans tous ses mouvements, une hésitation, une incertitude qui faisaient osciller sa politique
comme le balancier d'une pendule.

Ainsi, il faisait semblant de se tourner du côté de la
liberté, et après la nomination du ministère Ollivier, on
apprenait que M. Rouher restait toujours le ministre du

conseil privé, le plus influent et le plus écouté. — Ainsi, l'on engageait la bataille du plébiscite en vue de ramener à l'Empire les populations qui s'en écartaient, et après avoir obtenu sept millions de suffrages, le gouvernement s'apercevait que cette victoire lui avait plutôt nui que profité, car elle montrait avec la dernière évidence que les *préfets à poigne*, avec M. Ollivier comme avec M. Rouher, faisaient du suffrage universel ce qu'ils voulaient.

Tout ce que faisait l'Empire tournait contre lui. C'était un gouvernement tout d'une pièce, qui ne comprenait, comme il l'avait dit lui-même, qu'une volonté et qu'une action [1], et qui s'effrayait à la vue du réveil de l'opinion en France. Les appréhensions étaient d'autant plus vives, que le gouvernement, dans ces dernières années, avait commis deux fautes irréparables: il avait fait la désastreuse expédition du Mexique, et il avait laissé prendre à la Prusse une position qui disputait à la France la suprématie sur le continent. Impardonnable politique, après laquelle M. Thiers eut raison de s'écrier : « Vous n'avez plus une faute à commettre! »

Le gouvernement mesurait bien tout le terrain qu'il avait perdu, et pour le reconquérir il ne lui restait plus que le sort des armes. Obtenir une victoire de Magenta ou de Solferino, faire subir à la Prusse une seconde journée d'Iéna, telle était la préoccupation secrète de l'Empire, et tout l'entourage, favorable au gouvernement personnel, s'y laissait aller avec une complaisance d'autant plus marquée, qu'une lutte avec la Prusse était regardée comme inévitable. Déjà

---

[1] Lettre de l'empereur à son cousin, après le discours prononcé à Ajaccio par le prince Napoléon.

la guerre avait failli éclater à propos du Luxembourg, et
quand l'arrangement de Londres était venu ordonner aux
deux armées de remettre l'épée dans le fourreau, des deux
côtés du Rhin l'opinion avait répété : ce n'est que partie remise! Voilà pourtant à quelles extrémités sont réduits les
peuples qui commettent la sottise de confier leurs destinées
à un seul homme!

La guerre! Telle était l'impasse où se trouvait réduit le
dernier des Bonaparte pour essayer de rendre un peu de
popularité à son pouvoir disloqué, et je n'ai pas besoin de
démontrer combien il se trompait encore, en plaçant le sort
de la France sur cette carte aventureuse. Non-seulement la
guerre, suivant le mot de M. Guizot, ne représente que *le
jeu de la force et du hasard,* mais il faut avoir fermé les
yeux à la lumière, pour ne pas comprendre que la guerre
est condamnée par toutes les idées et les grands travaux du
siècle. Parler de guerre dans un temps qui ne s'intéresse
qu'aux chemins de fer, au télégraphe électrique, à la mécanique industrielle, aux inventions utiles, aux expositions
universelles, c'est commettre le plus horrible anachronisme.
Mais l'homme de la légende impériale était-il capable de
voir les choses autrement qu'à travers le prisme des gloires
de l'Empire? Aussi, quand on vint brusquement agiter la
question de la candidature du prince de Hohenzollern au
trône d'Espagne, vit-on le gouvernement et le ministère
accumuler fautes sur fautes et se laisser glisser sur la pente
de la guerre, comme s'ils étaient possédés du vertige! Il est
certain que le roi de Prusse avait retiré la candidature du
prince; il est prouvé aujourd'hui que notre ambassadeur
n'avait pas reçu l'injure qui avait poussé le ministère à
montrer des exigences nouvelles; il n'est, hélas! que trop

prouvé également que le gouvernement n'avait fait aucun préparatif en vue de cette guerre. N'importe! L'Empire, qui voyait lui échapper le suffrage universel, avait besoin d'une victoire, coûte que coûte, et il se précipita en aveugle dans une lutte épouvantable, contre un ennemi chauffé à blanc, préparé de longue main, exalté jusqu'au délire et pouvant mettre sur pied un million de soldats! Voilà de quoi sont capables les gouvernements personnels!

L'opposition démocratique, nous devons le constater à sa louange, n'avait jamais partagé cet enthousiasme insensé pour la gloire des armes. Les représentants de l'opposition au Corps législatif avaient toujours montré la plus grande résistance pour tous les projets et tous les crédits présentés par le ministère de la guerre.

Mais cette résistance du parti démocratique n'était rien auprès de la condamnation absolue de la politique guerrière, qu'avait hautement exprimée le parti socialiste. Qu'on lise le *Mémoire des Délégués français au Congrès de Genève*, et l'on verra ce que pensaient des armées permanentes et de la guerre les fondateurs de l'Internationale.

Paris a pu se convaincre de la fermeté des convictions qui inspirent sur ces questions la classe laborieuse. Ainsi, pendant que le gouvernement laissait parcourir les rues aux bandes de désœuvrés qui s'en allaient criant : A Berlin! A Berlin! les ouvriers intelligents et pénétrés des devoirs de leur condition organisaient une démonstration pacifique et parcouraient les rues de Paris en criant : Vive la paix! Vive la paix!

La police coupait la colonne de cette manifestation imposante et significative, les sergents de ville frappaient et dis-
persaient les membres qui composaient le cortége; mais la
protestation des Amis de la Paix n'en avait pas moins été
entendue, et ce sont les chefs du parti socialiste, les pères
de l'Internationale, qui peuvent revendiquer le mérite d'a-
voir ainsi fait entendre, à la dernière heure, le cri de la
justice et de la vérité !

Et pour montrer combien est unanime, universel, sur
ce point, le sentiment des travailleurs, les ouvriers de Berlin, en apprenant la déclaration de guerre, organisaient la
même démonstration et faisaient entendre le même cri de :
Vive la paix ! Vive la paix !

Les peuples, comme on le voit, ne demandent qu'à se
rapprocher, qu'à se tendre la main, qu'à fraterniser, et ce
sont les gouvernements qui perpétuent les haines, les hostilités, les antagonismes qui alimentent la guerre. Et ces
gouvernements se disent conservateurs ! Ils ne conservent,
en réalité, que les divisions et les déchirements des peuples, tandis que l'idée nouvelle qui germe et se développe
dans l'immense famille des travailleurs, ne cherche qu'à
faire tomber toutes les barrières qui séparent encore les nations.

L'avenir montrera de quel côté sont les vrais conservateurs.

————————

Le gouvernement avait voulu la guerre, et l'on sait aujourd'hui comment ! C'était la guerre sans préparatifs, sans
canons, sans plan de campagne, sans général en chef, sans
munitions ! N'ayant à opposer aux Prussiens qu'une armée

peu nombreuse, le bon sens commandait de la concentrer. Elle fut, au contraire, divisée en corps séparés les uns des autres, dans des conditions telles qu'ils ne pouvaient se prêter aucun appui. C'était le comble de l'imbécillité! Que pouvait-on attendre d'une pareille aventure?

C'est à Saint-Brieuc, en Bretagne, le 13 août, que j'appris la nouvelle de notre défaite à Wissembourg. Cette nouvelle fut pour moi comme un coup de foudre. Sans compter absolument sur l'invincibilité du soldat français, je croyais pourtant à une lutte plus avantageusement disputée.

Dès le premier moment, l'anxiété chez moi fut des plus vives. Les grandes crises de ma patrie ont toujours produit sur moi un effet extraordinaire, et j'éprouve immmédiatement le désir irrésistible de me porter sur le point le plus menacé. Mais que faire? J'avais soixante-quinze ans. N'importe, me dis-je, il faut absolument soutenir le moral de l'armée. Il faut le relever par l'exemple, et cet exemple, il ne faut pas hésiter à le montrer.

Sans perdre un seul jour, j'accours à la mairie, et je m'engage comme volontaire pendant la durée de la guerre, dans le 26ᵉ régiment de ligne, l'ancien régiment du Morbihan, qui était en garnison à Metz. Je choisis ce régiment parce que je l'avais vu autrefois dans le Morbihan, et parce que je prévoyais que la frontière étant ouverte, Metz allait devenir le premier boulevard de notre résistance!

S'engager, c'était facile; mais rejoindre son régiment à Metz, c'était là qu'était le difficile; car les dépêches se suivaient en multipliant les mauvaises nouvelles. Après Wissembourg, Reichshoffen, Forbach et l'occupation de notre frontière par l'ennemi.

Mais je ne suis pas homme à me rebuter devant les

obstacles. L'intendant, à Saint-Brieuc, ne peut me donner ma feuille de route que pour le dépôt du régiment, qui est à Cherbourg; mais il ajoute qu'à Paris je pourrai peut-être lever cette difficulté.

Le lendemain 14, j'arrive à Paris et je prie mon ami Glais-Bizoin d'obtenir pour moi, au ministère de la guerre, l'autorisation de rejoindre mon régiment : même refus; mais on me laissa libre de partir à mes frais, en affirmant que je serais reçu au corps.

Je pars et j'arrive à Bar-le-Duc. Le chemin de fer n'allait pas plus loin.

A mon arrivée, la mairie faisait appel aux hommes de bonne volonté. Je me rends à la mairie pour offrir mes services, et je trouve à la municipalité M. Paulin Gillon, mon ancien collègue à l'Assemblée constituante et aujourd'hui encore membre de l'Assemblée nationale de Versailles, qui me met au courant de la situation. Il s'agissait d'organiser un corps pour maintenir l'ordre dans la ville à l'approche de l'ennemi, qui n'est plus qu'à peu de distance.

— Ah! c'est donc pour recevoir les Prussiens! Merci, mon cher collègue, moi je ne viens que pour les recevoir à coups de fusil. Adieu!

Et je prends le chemin de fer pour Châlons, qui n'avait encore que ses bataillons de mobiles et un régiment d'isolés.

Au camp de Châlons, une petite aventure. J'allais prendre le chemin de fer qui va du petit Mourmelon à Verdun, quand un grand gendarme, flairant en moi un espion, m'ordonne de le suivre et me conduit à un général d'artillerie qui présidait au départ d'un train de canons pour Verdun.

Le général Mittresy prend ma feuille de route et se jette

dans mes bras. « Cher Monsieur Beslay, me dit-il, nous sommes compatriotes et je vous connais de nom. Je vais vous recommander au commandant Portes, qui conduit ce train de canons et qui consentira, sans doute, à vous prendre avec lui. »

La demande du général fut cordialement accueillie, et je suis heureux de pouvoir renouveler ici, à ces deux officiers supérieurs, l'expression de ma gratitude et de mes respects. Mais c'est mon grand gendarme qui n'était pas content!

A peine en route pour Verdun, nouvel incident. Ordre à la station de Saint-Hilaire d'attendre le passage du train impérial, qui allait à Reims.

Nous attendîmes cinq heures! Enfin, nous voyons défiler Napoléon III, son fils, et leur nombreux état-major dans des wagons de troisième classe, couverts de poussière, et suivis de deux wagons de marchandises, remplis de valets, de piqueurs et de domestiques. Un bien triste équipage, et qui montrait la déroute!

A Verdun, nouveaux embarras. Généraux et colonels ne peuvent me donner aucune information. Je me décide à prendre une voiture pour Etain à travers les vignes, car les routes étaient coupées. Les habitants me regardent, eux aussi, comme un espion — les Prussiens en avaient tant — mais après avoir montré ma feuille de route au maire, ils me font une ovation des plus chaleureuses.

— Continuons notre route, dis-je au conducteur.

Nous remontons, en effet, en voiture; mais les habitants nous assurent que nous ne pouvons aller bien loin, car les uhlans apparaissent de tous côtés. A peine avions-nous fait une lieue, que le voiturier tourne bride à l'aspect d'un cavalier ennemi, et me laisse seul avec un paysan que nous avions pris à Etain; il me conduit à travers les bois à Exe, où le maire me fait le meilleur accueil et m'offre à déjeuner.

A partir de ce moment, mon odyssée n'est plus qu'un voyage en zigzag à travers les localités occupés par l'ennemi.

Par Audun-Le Roman et Conflans, je gagne Briey. L'armée ennemie environne Metz, comme une marée montante.

Le sous préfet de Briey me reçoit en homme qui a déjà jeté le manche après la cognée. Je lui donne les nouvelles que j'ai pu avoir sur tout mon parcours. M. le sous-préfet, qui allait se mettre à table, les reçoit avec une complète indifférence.

— Pouvez-vous me donner un guide pour me conduire à Metz par les chemins de traverse?

— Je n'en trouverais pas un.

— Y a-t-il un intendant militaire à Briey?

— C'est moi qui en remplis les fonctions; mais il n'y a plus rien à faire; les Prussiens arrivent ce soir.

Impossible de rien obtenir de ce fonctionnaire désorienté. Je redescends dans la basse-ville où je trouve, en effet, des Bavarois déjà installés, sous le commandement du général baron de Rheinbaben, très-simplement logé dans une petite maison, sans aucune sentinelle à sa porte. Quel contraste avec nos généraux français!

Les soldats bavarois arrivaient de Saint-Privat, où ils avaient assisté à la bataille. Tous faisaient le plus grand éloge de nos fantassins. J'ai entendu un officier dire devant moi : « Chacun des Français est comme une citadelle! » Cette bravoure de notre infanterie avait fait à Saint-Privat

des prodiges de valeur jusqu'à quatre heures et demie du
soir; mais à la fin de la journée, elle fut obligée de se replier, faute de munitions! Vous l'entendez : faute de munitions !

Je montai sur les hauteurs de Briey pour voir le village
de Saint-Privat, qui est sur une élévation, et que l'on aperçoit très-distinctement. Le lendemain, je partis pour Auboué, bien résolu à faire le possible et l'impossible pour
pénétrer dans Metz. Mais, à moitié chemin de Briey et
d'Auboué, je m'arrêtai chez un ancien sous-officier de
génie, qui m'accueillit de son mieux et qui, depuis, m'a
écrit pour me faire part de tous les déchirements que cette
guerre lui a fait éprouver. Je changeai chez lui la petite
badine que je portais, contre un bàton solide, que j'ai toujours conservé, car il me servit à me débarrasser d'un
uhlan que je trouvai avant d'arriver à Auboué.

A Auboué, petit village sur la rivière d'Orne, au-dessous
du village plus considérable de Saint-Privat, fourmillière
de Prussiens.

On me conduit à un officier, qui me fait subir un premier interrogatoire :

— Où allez-vous?

— Trouver, si je puis, mon fils, qui est dans le 26e de
ligne.

— Vous verrez le général, qui vous fera connaître sa décision.

En attendant le général, la femme du maire passe près
de moi et me dit à voix basse de fuir au plus vite, car elle
vient d'entendre dire qu'on avait de moi la plus mauvaise
opinion. L'avis était précieux et je n'avais qu'à le suivre.

Toutes les routes étaient barrées, sauf le chemin qui suivait la rivière et qui conduit au village de Moyœuvre. Je m'y engage en me promenant, et au bout de quelques centaines de pas, je m'élance, en courant, pendant une heure, à travers champs. J'arrive ainsi à Moyœuvre, conduit par deux ouvriers qui m'amènent chez le maire, M. Orly, à qui je présente ma feuille de route. On me prenait encore pour un espion !

M. Orly me fit conduire au château de Moyœuvre, chez M. d'Aquin, descendant de la famille de saint Thomas d'Aquin et directeur des forges de Moyœuvre, qui me fit la plus gracieuse réception et me fit servir un bon dîner, dont j'avais, je l'avoue, le plus grand besoin.

M. d'Aquin, comme tous les habitants bien informés que je pouvais interroger, regardaient ma tentative comme chimérique. Je voulus pourtant faire un dernier effort du côté de Thionville, avant de renoncer à mon projet.

Le lendemain, après déjeuner, les uhlans venaient déjà réquisitionner le château de Moyœuvre. Je pris congé de mon hôte, qui me donna un guide pour me conduire par les bois à Hayange, chez M. de Vendel, dont M. d'Aquin n'avait pas de nouvelles depuis quatre jours.

J'étais à Hayange le 22, et M. Robert de Vendel me fit à son château le même accueil que M. d'Aquin. M. de Vendel avait un frère, capitaine de l'artillerie de la garde nationale de Thionville, et tous les journaux ont rendu hommage au courage et au patriotisme qu'il a montrés dans ces circonstances difficiles.

Le lendemain, j'arrivais à Thionville dans la voiture de M. de Vendel, mais, de ce côté comme partout, il était impossible de franchir le cordon de troupes qui environnait la ville de Metz. Il ne me restait plus qu'à reprendre le chemin de Paris par le Luxembourg et la Belgique, et c'est ce que je fis, sans m'attarder une journée de plus dans mon voyage.

Je n'ai donc pu accomplir le devoir que je m'étais imposé devant notre ennemi vainqueur : mais tous les efforts que j'ai tentés pour pénétrer dans Metz et tous les dangers que j'ai courus montrent combien j'avais pris à cœur la tâche que je regardais comme la plus urgente et la plus profitable au milieu de l'effondrement de l'armée française.

A mon retour à Paris, le 25, je trouvai chez moi une lettre qui m'appelait auprès de l'une de mes sœurs, qui était mourante. Je partis aussitôt pour me rendre près d'elle et j'arrivai pour assister à ses derniers moments. C'était pour toute ma famille une perte cruelle, et ce deuil privé venait ajouter pour moi une douleur de plus aux amertumes de tous nos malheurs publics.

Les nouvelles se succédaient comme des coups de foudre, au milieu de ces perplexités croissantes ; je repris le chemin de Paris, où j'arrivai le jour où l'on apprenait la catastrophe de Sedan. Cette nouvelle passa comme un ouragan sur la capitale.

Le lendemain, 4 septembre, c'était un dimanche : le corps législatif était convoqué, et toute la population de Paris, d'un mouvement unanime, se portait vers la place de la Concorde. On peut dire que tout Paris était là, avec le même dégoût pour l'Empire et la même résolution de chasser tous les Bonapartes.

J'entrai au Corps législatif, où je me trouvai avec Etienne Arago et Miot dans la tribune des anciens représentants. Je fus l'un des premiers à crier à mon arrivée sous le péristyle : « La déchéance ! la déchéance ! »

Les projets s'entrecroisaient, et la Chambre eut encore un semblant de séance, tant que la salle ne fut pas envahie par les groupes de la manifestation. Mais dès que la salle fut occupée par la foule, la déchéance de l'Empire fut acclamée, en même temps que la République.

Je me rendis immédiatement à l'Hôtel-de-Ville, avec MM. Ernest Picard et Emmanuel Arago. Les deux premiers postes distribués furent ceux de la préfecture de police, où l'on envoya M. de Kératry, et de la mairie de Paris, qui fut donné à Etienne Arago. Je remarquai que la nomination devait être attendue, car Emmanuel Arago se trouva porteur d'une écharpe municipale, qu'il passa à son oncle pour entrer immédiatement en fonctions.

Pendant ces préliminaires, les députés de Paris bâclaient dans un salon voisin, au nom de la République, un gouvernement de défense nationale. On n'y faisait entrer que la députation de Paris.

— Et le peuple? Qui donc le représentera dans votre gouvernement? Vous l'excluez au moment où vous en avez le plus grand besoin? Ce sera donc la même éternelle comédie!

On me répondit : « Qui voulez-vous prendre? Ce serait se lancer dans l'inconnu et tout compromettre par des lenteurs, au moment où il faut agir et où la France n'a pas un moment à perdre. »

Quand on n'a pas de bonnes raisons on en donne de mauvaises. Pour mon compte, je demeure convaincu qu'une large part accordée au peuple dans le gouvernement eût scellé l'union de la bourgeoisie et du peuple et doublé les forces de la défense. Mais je vis qu'on recommençait absolument les mêmes errements qu'en 1848, et je me retirai navré de l'indéracinable routine qui mène tous les partis.

Le second Empire tombait, en montrant, comme le premier, ce que la France peut attendre d'un gouvernement personnel.

Pour le premier Empire, après le 18 brumaire, Waterloo!
Pour le second Empire, après le 2 décembre, Sedan!

Ajoutons, à la honte du dernier Bonaparte, que Waterloo laissait du moins à notre armée son héroïsme et sa gloire, tandis que Sedan ne lègue à la postérité que la lâcheté du souverain qui représentait le pays.

Mais ce régime, considéré dans son ensemble, a pesé sur la France de tout le poids des événements que nous résumons en quelques lignes.

Un absolutisme sans frein, qui a comprimé pendant trente-cinq ans, en comptant les deux règnes, ce qui fait la puissance de notre pays, la Révolution.

Les deux plus épouvantables défaites que nous ayons subies, Waterloo et Sedan!

Trois invasions, qui ont fait passer sur nos villes et nos campagnes deux millions de soldats impitoyables.

Le démembrement de la patrie, qui a perdu, avec sa frontière, deux de ses provinces les plus chères et les plus étroitement attachées à la France!

Deux indemnités, l'une de un milliard cinq cent millions en 1815, et l'autre de cinq milliards en 1871, qui, réunies aux pertes subies par la France elle-même, lui ont imposé un sacrifice de plus de douze milliards!

L'immolation de la jeunesse française qui ajoute, dans la dernière guerre, une perte de cent mille soldats aux millions d'hommes moissonnés par le premier Empire.

Voilà le régime et ses résultats! Et les partisans de ce pouvoir sinistre ont encore osé demander à Paris pourquoi la capitale n'avait pas pris sa défense? En vérité, c'est cynique! Le 4 septembre, il n'y avait ni à défendre, ni à attaquer l'Empire. Il est tombé, tout seul, dans sa pourriture, et chacun s'est éloigné avec dégoût, comme d'un cadavre!

Quant aux bonapartistes, qui ne craignent pas de redemander l'Empire, nous n'avons qu'un mot à leur répondre: La France ne commettra plus la faute qu'elle a deux fois si cruellement expiée! Il n'y a que le chien qui revienne à son vomissement!

La déchéance de l'Empire proclamée par le Corps législatif, la République est proclamée à l'Hôtel-de-Ville.

Un gouvernement de défense nationale, composé de onze membres, tous députés de Paris, est constitué.

Le général Trochu est maintenu dans son poste de gouverneur de Paris et nommé ministre de la guerre.

L'Hôtel-de-Ville lui accorde même la présidence du gouvernement de la Défense nationale.

Il faut le reconnaître, cette résolution, accomplie sans avoir coûté une goutte de sang à un Français, fut accueillie à Paris et dans les départements comme une compensation des désastres qui accompagnaient la chute de l'Empire.

La France salua avec enthousiasme la révolution du 4 septembre, et en voyant ressusciter la République, elle se prit à espérer.

La première proclamation du gouvernement de la Défense nationale ne disait-elle pas: « C'est la première République qui a vaincu l'invasion de 1792! »

C'était la continuation de la guerre avec la République et le pays debout.

Il est de mode, aujourd'hui, dans le grand parti « résolûment conservateur », de jeter la pierre au gouvernement
du 4 septembre, parce qu'il a continué la guerre. La justice
et la vérité commandent de rappeler que pas un homme de
la réaction ne s'est alors levé pour dire qu'il fallait traiter
avec les vainqueurs. La continuation de la guerre était le
vœu universel, et quiconque eût conseillé une politique
contraire eût soulevé d'unanimes protestations.

C'était le cri de l'opinion. D'ailleurs, le gouvernement du
4 septembre tenta d'arriver à un traité de paix. Mais la visite de M. Jules Favre au château de Ferrières démontra
que les plans de M. de Bismarck étaient depuis longtemps
arrêtés. La Prusse voulait le démembrement de la France,
et Jules Favre répondit à ces prétentions exorbitantes par
un mot qui produisit alors une grande impression : « Ni un
pouce de notre territoire, ni une pierre de nos citadelles ! »

Cette réponse était superbe au point de vue de l'éloquence
et du patriotisme, et, encore une fois, elle n'était que
l'exacte traduction du sentiment unanime qui animait le
pays. Mais il ne suffisait pas de crier : Aux armes ! et de
pousser les populations contre les armées prussiennes. Il
fallait encore, dès le premier jour, faire tout ce qui pouvait
assurer le salut du pays.

Nous touchons ici à la véritable critique qui peut être
faite aux hommes du gouvernement du 4 septembre. Ces
hommes, qui appartenaient au parti républicain formaliste,
n'avaient pas l'énergie que nécessitait le grand rôle qu'ils
étaient appelés à remplir.

L'armée était perdue, l'invasion s'étendait sur nos départements de l'Est ; Paris allait être assiégé ; il fallait réorganiser le pays et lever de nouveaux régiments. Tout était

à refaire, et l'on pouvait se demander si le gouvernement de la Défense nationale était de taille à recommencer l'œuvre du Comité de Salut public en 1793.

C'est, en effet, la question qui fut posée dès les premiers jours, et j'avoue que, dans les comités des travailleurs et dans les réunions des démocrates socialistes, il n'y eut qu'une voix pour reconnaître l'impuissance et la faiblesse de ce gouvernement. Il fallait des hommes de fer pour cette œuvre de géants, et nous n'avions à l'Hôtel-de-Ville que des orateurs. Loin de moi la pensée de m'attaquer aux membres qui firent de vigoureux efforts pour communiquer au gouvernement le feu sacré qui les animait. Mais je ne suis certainement pas injuste, et je ne manque en rien à l'équité en déclarant que le parti radical et le parti socialiste n'eurent jamais foi dans les hommes qui occupaient le pouvoir.

Mais, à cette heure suprême, où l'union était la première nécessité et le premier devoir, que pouvions-nous? Rien qu'obéir aux décrets de la République en stimulant de notre mieux le patriotisme de ses ministres. C'est la politique qui prévalut dans tous les comités. Toutefois, cette entente et ce dévouement n'empêchèrent pas les socialistes d'unir, de leur côté, leurs efforts pour mettre au service de la République toute leur influence. On sait combien sont nombreuses et puissantes de l'autre côté du Rhin les associations ouvrières. Dans une réunion tenue pour discuter le moyen le plus efficace d'agir sur ces associations allemandes, il fut décidé qu'une adresse leur serait envoyée au nom des sociétés ouvrières françaises et des sections françaises de l'Association internationale des Travailleurs. Voici cette adresse :

« AU PEUPLE ALLEMAND

» A LA DÉMOCRATIE SOCIALISTE

de la Nation allemande.

» Tu ne fais la guerre qu'à l'empereur, et point à la Nation française, a dit et répété ton gouvernement.

» L'homme qui a déchaîné cette lutte fratricide, qui n'a pas su mourir, et que tu tiens entre tes mains, n'existe pas pour nous.

» La France républicaine t'invite, au nom de la justice, à retirer tes armées; sinon, il nous faudra combattre jusqu'au dernier homme et verser à flots ton sang et le nôtre.

» Par la voix de 38 millions d'êtres animés du même sentiment patriotique et révolutionnaire, nous te répétons ce que nous déclarions à l'Europe coalisée en 1793 :

« Le Peuple français ne fait point la paix avec un en-
» nemi qui occupe son territoire.

» Le Peuple français est l'ami et l'allié de tous les Peu-
» ples libres. — Il ne s'immisce point dans le gouverne-
» ment des autres nations; il ne souffre pas que les autres
» nations s'immiscent dans le sien. »

» Repasse le Rhin.

» Sur les deux rives du fleuve disputé, Allemagne et France, tendons-nous la main. Oublions les crimes militaires que les despotes nous ont fait commettre les uns contre les autres.

» Proclamons : la Liberté, l'Egalité, la Fraternité des Peuples.

» Par notre alliance, fondons les ETATS-UNIS D'EUROPE.

» *Vive la République universelle!*

» Démocrates socialistes d'Allemagne qui, avant la déclaration de guerre, avez protesté, comme nous, en faveur de la paix, les démocrates socialistes de France sont sûrs que vous travaillerez avec eux à l'extinction des haines internationales, au désarmement général et à l'harmonie économique.

> » *Au nom des Sociétés ouvrières et des Sections françaises de l'Association internationale des Travailleurs,*
>
> » Ch. BESLAY. — BRIOSNE. — BACHRUCH. — CAMÉLINAT. — Ch.-L. CHASSIN. — CHEMALÉ. — DUPAS. — HERVÉ. — LANDECK. — LEVERDAYS. — LONGUET. — MARCHAND. — PERRACHON. — TOLAIN. — VAILLANT. »

Hélas! Cette adresse, comme tant d'autres, se perdit dans la fumée des batailles et dans le tumulte des armées marchant sur Paris. Le peuple allemand était lui-même sous le talon d'un despote qui fait de son pays ce que les Napoléon ont fait du nôtre. Patience! Le monde ne sera pas toujours ce qu'il est et le jour des travailleurs arrivera.

LE SIÉGE DE PARIS

Marche des Prussiens sur Paris. — Tout est à refaire. — Paris investi. — Ressources en hommes, argent, approvisionnements, munitions, canons. — Question partout posée : Paris peut-il se sauver ? — Réponse. — Proposition faite au gouvernement de la défense nationale. — Mon service comme garde national. — Journées des 5 et 8 octobre. — Journée du 31 octobre. — Réponse au général Trochu à propos du 31 octobre. — Le vote du 3 novembre. — Maladie ; lettre à M. Hass, capitaine de ma compagnie. — Le bombardement. — Je demande des commissaires. — Lettre à M. Cresson, préfet de police. — Adresse au général Trochu. — Le 19 janvier. — La convention du 28 janvier. — Refus du mandat qui m'est offert par les délégués des associations ouvrières. — Conseils aux électeurs pour les élections de l'Assemblée nationale.

~~~~~~~~~

Après Sedan, l'objectif des Prussiens, c'était Paris. Sous le coup des émotions et des nouvelles qui se succédaient tous les jours et, pour ainsi dire, toutes les heures, la capitale ressemblait à une fourmilière dans laquelle un passant aurait donné un coup de pied. C'était un mouvement perpétuel pour les hommes et pour les choses, et les esprits, déjà surexcités par les effroyables désastres et par la chute de l'Empire, se demandaient involontairement ce qu'allait être le siége d'une capitale de deux millions d'hommes, investie par une armée innombrable de soldats ravageurs qui s'étaient déjà signalés par des atrocités sans exemple. Le récit des horreurs commises à Bazeilles était dans toutes les bouches.

Les imaginations s'enflammaient d'autant plus que chacun sentait que tout était à refaire. Les forces du régime impérial venaient de s'évanouir comme une fumée, et le gouvernement de la défense nationale avait tout à remettre sur pied. De nouvelles armées à lever, la garde nationale à organiser et à exercer pour la conduire au feu, les remparts et les forts à mettre en état, les débris de l'armée à réorganiser, les approvisionnements de Paris à assurer. Et tout à faire à la fois !

Dans les ministères, il y avait foule pour les propositions, les demandes, les marchés et les mille questions pressantes du moment; à l'hôtel-de-ville, foule également pour les manifestations de toutes sortes qui n'étaient inspirées que par une pensée unique, la guerre à outrance; aux portes de Paris, foule encore, pour les habitants de la banlieue rentrant dans Paris; aux gares de chemins de fer, foule en sens contraire; c'était, en effet, le sauve-qui-peut des riches, que l'approche de l'armée prussienne et la peur du siége mettaient en fuite. Paris ressemblait véritablement à une immense cité qui serait secouée par un tremblement de terre.

De tous les corps d'armée que l'Empire avait mis en ligne dans l'Est, Paris ne reçut que le corps du général Vinoy, qui fut chaleureusement accueilli, et qui fournit un utile et précieux contingent aux forces militaires qui restaient encore dans la capitale. Après l'arrivée de ces régiments, les lignes de chemins de fer commencèrent à se fermer l'une après l'autre, et, le 18 septembre, Paris apprenait qu'il était complétement investi et que le siége commençait.

Sans doute, nous le répétons, tout était à refaire; mais j'ajoute immédiatement que les éléments de résistance surabondaient et que les ressources en toutes choses ne faisaient nullement défaut au gouvernement de la défense nationale.

Les hommes manquaient-ils? Qui pourrait le prétendre, en présence de l'armée régulière, des cent mille mobiles et des quatre cent mille citoyens que la garde nationale donnait à la défense? Paris pouvait opposer aux assiégeants cinq cent mille hommes, et c'était à coup sûr plus qu'il n'en fallait pour rompre le cercle de fer de l'armée prussienne.

Les canons manquaient-ils? Oui, disaient les chefs de la défense; mais Paris leur fermait immédiatement la bouche en coulant des canons par l'industrie privée, et en forçant le comité d'artillerie à reconnaître les qualités de cette artillerie improvisée.

L'argent manquait-il? Personne ne pourrait le contester, car Paris gardait la Banque de France, dont le crédit était intact, et dont les billets, avec le cours forcé, donnaient aux assiégés les ressources financières dont ils pourraient avoir besoin.

Les munitions pour l'armée et les approvisionnements pour la population manquaient-ils? Les quatre mois et demi de siége répondent suffisamment à cette demande.

Il est donc impossible de le contester, la défense de Paris s'est trouvée dans des conditions qui lui permettaient de compter sur le succès, et le peuple n'a rien marchandé à son nouveau gouvernement. Voulez-vous des hommes? En voici. Voulez-vous des canons? En voilà. Voulez-vous de l'argent? Prenez tout; mais sauvez Paris, et sauvez la France! Ce fut l'impression unanime.

Et tel a été, depuis le commencement jusqu'à la fin, je dois le dire, le sentiment profond, irrésistible, universel de Paris. La population n'a jamais cessé de croire à son salut, et la confiance opiniâtre, aveugle, qu'elle avait dans le général Trochu, n'était fondée que sur la conviction indéracinable que le gouverneur de Paris avait, dès les premiers jours, inspirée aux assiégés, en leur faisant croire et en laissant dire jusqu'à la fin *qu'il avait son plan.*

Paris a donc agi, parlé, combattu et souffert avec la certitude que le dénouement du siége serait favorable et que les Prussiens seraient un jour contraints de lever leurs camps. Etait-ce donc illusion, vantardise et, en fin de compte, aveuglement et ineptie de la part d'une population à laquelle on n'a pas l'habitude de refuser l'intelligence?

C'est assurément ici le moment de poser la question qui a été si souvent débattue pendant le siége et qui n'a cessé d'être discutée encore depuis trois ans. On s'est demandé et on se demande encore si Paris pouvait être sauvé, et cette question capitale mérite d'être examinée à fond, car elle a été l'origine et la cause première des terribles événements qui ont suivi.

Eh bien! sur cette question, j'émettrai mon opinion ouvertement et sans crainte, car il importe que les responsabilités ne s'égarent pas, et que l'histoire ne s'attaque pas aux gouvernés quand toutes les fautes remontent aux gouvernants. Je sais que mon compatriote et ancien collègue au conseil général du Morbihan, le général Trochu, repousse tout d'abord les appréciations faites par les écrivains, les avocats et tous les citoyens qui n'appartiennent pas à l'armée. Une simple observation suffit pour faire justice de l'exclusion prononcée par l'ancien gouverneur de Paris. C'est que cette incompétence prononcée si légèrement par lui ne serait pas autre chose que la négation de l'histoire. Est-ce que le jugement de Tacite sur les campagnes des Césars romains serait contestée par le général Trochu? Est-ce que l'*Histoire du Consulat et de l'Empire*, de M. Thiers, serait mise à l'index par l'ancien gouverneur de Paris? — N'allons pas plus loin. Il suffit de signaler une semblable erreur pour que l'opinion en fasse justice.

N'en déplaise au général Trochu, je dirai donc, comme citoyen, ce que je pense de ses actes, de ceux du Gouvernement du 4 Septembre, et de la conduite de Paris, et je n'hésite pas à déclarer que, si l'enthousiasme et la foi d'en-haut avaient répondu à l'enthousiasme et à la foi d'en-bas, les péripéties du drame nous auraient donné un autre dénouement.

Si le général Trochu récuse d'ailleurs le jugement des critiques qui n'appartiennent pas à l'armée, on peut lui opposer l'opinion des plus grands hommes de guerre, dont il ne pourrait contester l'autorité. Le maréchal de Villars n'admettait même pas la pensée d'une capitulation. Le général Beaurepaire se faisait sauter la cervelle plutôt que d'obéir à la municipalité de Verdun, qui lui ordonnait de capituler. L'empereur Napoléon, dont l'opinion au point de vue militaire fait loi, n'admettait pas la pensée d'une capitulation. Le général Trochu lui-même n'a-t-il pas rendu hommage à cet héroïsme commandé par les lois de la guerre, quand il a dit fièrement, dans sa proclamation de la fin du siége : « Le gouverneur de Paris ne capitulera pas ! »

Voilà précisément ce qui a fait le malheur de Paris et du

pays pendant le siége. En apparence, par des proclamations et des actes qui n'avaient en vue que la guerre à outrance, le gouverneur de Paris et les hommes du 4 Septembre paraissaient enflammés du désir de sauver la capitale et la France; mais quiconque a vu de près le général en chef de l'armée de Paris et le gouvernement de l'hôtel-de-ville est demeuré convaincu que pas un de ces hommes ne croyait à la possibilité de la victoire.

Celui-ci se rejetait sur la faiblesse des armées des départements, celui-là sur l'insuffisance des forces de Paris; les généraux, et le gouverneur à leur tête, sur l'impossibilité de mettre en ligne et de conduire au feu les bataillons de la garde nationale. « Paris et la France, disaient-ils, n'ont plus qu'une force désorganisée, et la résistance des populations ne peut arriver à triompher des armées disciplinées qui nous étreignent de toutes parts. »

Autant de mauvaises raisons, qui ne sentent que les palliatifs de la faiblesse et de la peur. Est-ce que la colonie anglaise de l'Amérique n'a pas triomphé de toutes les forces organisées par la métropole? Est-ce que les guérillas du Mexique n'ont pas triomphé des corps d'armée commandés par le général Bazaine? Est-ce que les populations de l'Espagne, abandonnées à leur seul patriotisme, n'ont pas triomphé des armées du plus grand génie militaire de notre siècle? Un peuple qui ne veut pas mourir ne meurt pas! Mais avant tout, il faut ce nerf suprême, la volonté!

Or, cette volonté, je la trouve et je la vois partout dans l'armée et la population, je ne la trouve nulle part dans les conseils du gouvernement. Comment douter de la population qui a souffert quatre mois et demi, sans se plaindre? comment douter de l'armée, des mobiles et de la garde na-

tionale, quand on a vu les combats de Châtillon et du
Bourget, et les batailles d'Avron et de Buzenval? Ce ne sont
donc pas les combattants qui ont manqué à leurs devoirs;
c'est le gouvernement qui a manqué aux siens.

Il ne suffit pas de jouer au soldat, d'organiser des sorties,
et de se replier en bon ordre, suivant l'éternel bulletin sté-
réotypé du gouverneur de Paris. La résistance honorable,
dans une telle extrémité, n'est rien. Le salut est tout, et
pour le salut, il faut avant tout se pénétrer profondément
de cette devise suprême : Vaincre ou mourir!

Après la perte de Mayence, le général Custine, rappelé
pour rendre compte de sa conduite, disait qu'il avait tout
fait pour sauver la ville. Et les républicains de 1793 lui
répondaient avec raison : — Non, tu n'as pas tout fait, puisque tu vis encore! — Et ces républicains disaient vrai. A
cette condition seule, Paris pouvait se sauver; mais cette
inébranlable résolution, nous ne la trouvons malheureusement pas dans ceux que la confiance publique avait chargés
du mandat de nous délivrer; nous ne la voyons surgir que
dans les manifestations de la minorité.

Cette minorité, dont je partageais les opinions, dont les
chefs étaient mes amis, était certainement décidée, elle, à
ne reculer devant rien pour ressusciter la France des grands
jours. Elle comprenait que le salut était à ce prix; mais
on sait que cette minorité fut, dès le premier jour, considérée et traitée comme factieuse et criminelle. C'est ainsi
que le siége fut poursuivi entre deux courants bien tran-
chés : en haut, le gouvernement, qui pouvait tout, mais qui
ne faisait rien de ce qu'il fallait faire; en bas, la minorité,
convaincue de cette impuissance des hommes du 4 Septembre, mais ne pouvant rien sur les résolutions de l'Hôtel-de-
Ville.

Avec ces deux courants hostiles, le dénouement fut ce qu'il devait être. Mais au nom de la minorité dont je parle, au nom de la population de Paris, abusée par les déclarations du gouvernement et les plans du général en chef, je soutiens que le résultat aurait pu être tout différent. Que ne pouvait-on pas obtenir avec l'élan d'une Révolution, avec les ressources de Paris, avec le soulèvement de la capitale assiégée et une armée de trois cent mille combattants?

Cette responsabilité effroyable retombe tout entière sur les hommes du 4 Septembre, et en la faisant peser sur eux, l'histoire ne sera que juste, en disant que ce sont les mensonges des déclarations officielles qui ont rendu inévitable, plus tard, le soulèvement du peuple odieusement trompé.

Au milieu de ces agitations tumultueuses, il importe de remarquer que chacun faisait son devoir. Malgré mon âge, j'ai tenu à faire mon service de garde national, et je fus inscrit dans le 86e bataillon, 6e compagnie. J'ai monté ma faction la nuit sur les remparts, et j'aggravai peut-être ainsi la maladie dont j'étais atteint et qui m'a fait endurer pendant plus d'une année les plus cruelles souffrances. Quand j'étais en proie à ces douleurs, il m'était impossible de me tenir debout : j'étais alors forcé de demander une dispense de service. Mais j'avoue qu'à la seule pensée des malheurs de mon pays, je n'éprouvais qu'un désir, celui de marcher et de me rendre utile.

C'est à la suite de l'une des secousses de ma maladie que j'écrivis à mon capitaine, M. Hass, la lettre suivante, le 22 novembre :

« Cher capitaine,

» J'étais souffrant, mais je suis mieux, et je crois pouvoir » faire une campagne d'une dizaine de jours. Malgré mes

» soixante-quinze ans, j'ai bon pied, bon œil, et grande envie
» de voir un Prussien au bout de mon fusil.

» Si vous êtes appelé dans les bataillons de sortie, veuillez
» penser à moi, je vous le demande comme une faveur.

» Veuillez, etc.

» Ch. BESLAY. »

Dans ces circonstances, d'ailleurs, je me suis conformé à
la règle qui a été le guide de toute ma vie. On pourrait
croire, d'après le jugement que j'ai formulé sur les hommes
du 4 Septembre, que le gouvernement avait en moi un
ennemi irréconciliable. Pas le moins du monde. Les hommes de la minorité, dont je faisais partie, n'ont pas cessé de
stimuler le pouvoir, mais en demandant pour eux les postes
les plus périlleux.

A ce sujet, je fis personnellement, auprès du gouvernement, une démarche que je dois rappeler ici. Dans la première période du siége, la situation de Metz et de Strasbourg
préoccupait beaucoup les hommes du pouvoir. Il importait,
en effet, que les deux grands boulevards de l'Est, assiégés
par l'ennemi, fussent mis au courant des événements de
Paris, afin de donner à la résistance l'unité d'impulsion nécessaire pour écraser toute crainte de déchirements inté-
rieurs.

La plupart des hommes du gouvernement étaient mes
anciens collègues à la constituante de 1848. A mon arrivée
à l'Hôtel-de-Ville, la séance du conseil venait d'être levée,
et plusieurs membres étaient déjà partis. Mon entrevue avec
les membres présents ne fut pas longue. — Vous avez, leur
dis-je, tant de choses à faire à Paris et dans les départements, que vous avez souvent besoin, pour certaines missions difficiles et dangereuses, d'hommes de confiance, con-

nus, résolus. Je viens vous prier de penser à moi pour le mandat le plus périlleux que vous aurez à remplir.

Les membres du gouvernement accueillirent ma proposition avec les démonstrations les plus sympathiques et prirent note de ma demande.

Quelques jours après, j'allai chez E. Pelletan, qui était mon voisin, et qui m'avait écrit au nom du gouvernement pour me remercier. Dans l'entretien que j'eus avec lui, il me demanda ce que je pensais de la garde nationale et ce qu'on disait dans Paris.

— Vous savez, lui dis-je, que je n'ai pas l'habitude de farder la vérité. J'ai fait mon devoir en venant m'offrir à vous comme un homme de bonne volonté; mais je le ferai également en vous disant sans détour ce que l'on dit déjà de vous. Vous saurez donc qu'on trouve partout que rien ne se fait bien. La garde nationale, qui est le nerf de la lutte, ne comprend rien à vos hésitations. Oui ou non, voulez-vous vous battre? La question de l'alimentation elle-même, vous ne la réglez pas, et vous ne paraissez pas en comprendre l'importance. Vous laissez gaspiller les vivres en toute liberté dans les premiers jours, et en calculant que nos journées sont désormais comptées, vous devriez dès maintenant songer au rationnement. Le journal de Blanqui, *La Patrie en danger*, vous l'a dit: Paris ressemble au vaisseau qui figure sur ses armes; le vaisseau est battu par l'ouragan, tout le monde doit travailler à la chaîne et tout le personnel doit être soumis à la même ration.

— Sans doute, me dit-il, tout cela est excellent, nous n'y contredisons pas; mais c'est plus difficile à faire qu'à dire. Il faut du temps.

— Difficile? Oh! si vous vous arrêtez à ce mot-là, nous

sommes perdus. Tout est difficile aujourd'hui, mais il faut vouloir, et Paris se demande déjà ce que vous voulez.

Cette visite me pénétra plus que jamais de sentiments pénibles et de sombres pressentiments. La lutte était placée manifestement pour moi dans des conditions impossibles. Il était clair que le gouvernement faisait semblant de vouloir quelque chose, mais, au fond, ne comptait sur rien. D'un autre côté, il fallait s'attendre à voir la minorité clairvoyante dresser la tête, au fur et à mesure que les désillusions envahiraient la population. C'était une perspective de conflits terribles, et dans quelles conditions? Avec l'ennemi à nos portes, sous le regard des Prussiens, et avec la masse de la population ralliée au gouvernement, dont le langage respirait toujours la lutte et la victoire. C'était semer la tempête et jouer avec la foudre.

Les événements ne tardèrent pas à justifier les craintes qui m'éprouvaient si péniblement. Paris vivait alors, en quelque sorte, sur la place publique. La liberté de la presse, la réunion des bataillons de garde nationale aux remparts, les clubs et les conférences le soir, donnaient à la manifestation des idées des ouvertures aussi larges que nombreuses.

Dès le 5 octobre, les revendications de la démocratie socialiste commencèrent à se faire entendre. L'idée qui se révéla dès les premiers signes d'opposition se porta sur la réunion d'une assemblée communale, appelée à servir de stimulant et d'aiguillon au gouvernement trop faible de la défense nationale. Peu à peu, l'idée gagna du terrain. Les souvenirs de la Commune, pendant notre grande Révolution, vulgarisèrent bien vite ce projet, et, le mécontentement de la population aidant, la pensée de remplacer le Gouvernement du 4 Septembre par la Commune envahit les bataillons des quartiers habités par les ouvriers.

On put voir poindre le vœu populaire le 5 octobre. Mais trois jours après, le 8 octobre, à Montmartre, à Belleville, à Ménilmontant, les bataillons se réunissaient pour descendre à l'hôtel-de-ville et réclamer la constitution de la Commune. L'alerte fut des plus vives dans les conseils du gouvernement. Le rappel fut immédiatement battu dans les quartiers du centre, et l'hôtel-de-ville fut entouré d'un nombre énorme de bataillons fidèles au gouvernement.

Vers la fin de la journée, les membres du gouvernement sortirent et firent le tour de la place. Ils furent accueillis aux cris de : Vive la République! Pas de Commune! Guerre aux Prussiens!

Jules Favre prit la parole, et, après avoir remercié les bataillons qui l'entouraient, il ne manqua pas de dire, suivant le programme habituel : « Restons unis pour combattre et pour vaincre! »

Ces paroles étaient accueillies avec des applaudissements frénétiques, et comment en aurait-il été autrement? « Unis pour combattre et pour vaincre! » Paris, en effet, ne demandait pas autre chose. Mais ce qui faisait le malheur de la situation, c'est qu'en réalité c'étaient les partisans de la Commune qui voulaient combattre pour vaincre, tandis que les hommes du 4 Septembre n'avaient, pour sauver la capitale, que le plan Trochu!

———————

Le désaccord ne pouvait que s'accentuer avec les événements. A la fin du mois d'octobre, Paris ne voyait encore

rien apparaître, et l'on continuait à se débattre au milieu
des incertitudes les plus poignantes.

C'est au milieu de ces incertitudes que, le 31 octobre,
fondirent coup sur coup sur Paris deux nouvelles qui produisirent un saisissement extraordinaire. Le Bourget, vail-
lamment emporté par nos soldats et nos mobiles, avait
été repris par les Prussiens par suite des négligences de
notre commandement, et, dépêche plus douloureuse encore, la capitulation de Metz était affichée sur les murs!
Bien plus, un journal, *le Vengeur*, annonçait que le maréchal Bazaine avait envoyé un général à Chislehurt, pour
traiter avec les Prussiens au nom de l'empereur. Une note
du gouvernement démentit sans doute la nouvelle, qui n'é-
tait malheureusement que trop vraie. Mais sous le coup de
tant de malheurs et d'émotions, une protestation unanime
s'éleva dans tout Paris, et, dès le matin, un mouvement
général de la population se portait vers l'hôtel-de-ville.

Dans la matinée, l'*Internationale*, ou plutôt la fédération
des sociétés ouvrières, se réunissait place de la Corderie,
dans son local ordinaire, et nous nous mettions d'accord
avec les membres de la fédération de la garde nationale,
qui étaient réunis dans une salle du rez-de-chaussée, pour
faire une manifestation énergique à l'hôtel-de-ville.

Il importe de remarquer que ce mouvement vers l'hôtel-
de-ville n'était pas provoqué par les sociétés ouvrières. C'é-
tait une impulsion générale. On parlait déjà d'armistice, et
Paris ne voulait pas d'armistice. Aussi, dans le courant de
la matinée, un grand nombre de députations s'étaient-elles
succédé à l'hôtel-de-ville, dans le but de demander des
explications au gouvernement. Le général Trochu et le
citoyen Etienne Arago, qui étaient présents, répondaient

que la capitulation de Metz n'était parvenue au gouvernement que le 30 octobre! « Quant à l'armistice, disaient-ils,
il n'y a aucune négociation entamée. Mais s'il y avait armistice, nous demanderions comme conditions le ravitaillement de Paris et la liberté entière des correspondances, avec
le vote libre de l'Alsace et de la Lorraine. »

Mais les manifestations accueillent ces réponses par des
cris unanimes de : Pas d'armistice! Vive la Commune!
Guerre à outrance!

Après midi, les manifestations se multiplient, et le général
Trochu se présente et prend la parole pour justifier sa conduite et celle de ses collègues, qui croient avoir fait le possible et rendu Paris imprenable. « Il ne reste plus, dit-il,
» qu'à battre et chasser les Prussiens; mais pour cela, il faut
» le patriotisme et l'union de tous. »

Cette harangue est interrompue par des clameurs et les
protestations les plus énergiques. La place, qui est couverte
de monde, n'est plus qu'un cri : La Commune! Pas d'armistice! Guerre à outrance!

J'étais en ce moment à la porte du Palais avec LeFrançais
et Delacour, ouvrier doreur. LeFrançais força l'entrée, malgré les troupes et les mobiles qui remplissaient les esca-
liers; les manifestants voulaient entrer, et la porte principale était fermée. — Eh bien! dis-je à Delacour, montez
sur mes épaules et entrez par une petite fenêtre qui est près
de la porte; puis vous ferez ouvrir. Et je fis, en effet, la
courte échelle au citoyen Delacour, qui, de l'intérieur, fit
ouvrir les portes du Palais. Ce fut le dernier incident auquel
je pris part. Les douleurs auxquelles j'étais sujet me saisi-
rent avec une telle violence, que je fus obligé de reprendre
avec bien de la peine le chemin de mon domicile.

Quelques instants après, des bulletins tombaient des fenêtres portant la proclamation de la Commune, sous la présidence du citoyen Dorian qui, depuis le commencement du siége, s'était acquis une popularité en montrant, comme ministre des travaux publics, un talent d'administrateur hors ligne.

J'ajoute que, dans le même moment, les vingt maires de Paris décidaient, à l'unanimité moins une voix, que le gouvernement de Paris provoquerait, dès le lendemain, l'élection de quatre citoyens par arrondissement pour constituer la Commune. Les quatre-vingts membres composant la municipalité seraient adjoints au gouvernement pour le renforcer.

Pendant ce temps, les membres du gouvernement provisoire, refusant de donner leur démission, sont arrêtés et gardés à vue par Flourens.

On connaît la fin de cette émouvante journée[1]. Le général Trochu, qui s'était échappé, et M. Ernest Picard firent battre la générale et revinrent avec les mobiles et les bataillons du Centre rétablir le gouvernement de la Défense nationale et remettre Paris dans la même situation qu'auparavant.

Le gouvernement, qui se sentait ébranlé, se donna le facile avantage d'un véritable plébiscite, en provoquant, le 3 novembre, un vote sur cette question : « La population maintient-elle, *oui* ou *non*, les pouvoirs de la Défense nationale? » Le Quatre-Septembre obtint 557,996 *oui*, et l'opposition n'eut que 62,628 *non*. C'était inévitable. Le gou-

[1] Pour plus de détails, voir l'excellent ouvrage publié à Neuchâtel (Suisse), en 1871, par le citoyen LeFrançais, dont je viens de parler.

vernement profita de sa victoire pour tourner contre les
démocrates socialistes la vigueur qu'il aurait dû montrer
contre les Prussiens. De nombreuses arrestations furent
faites. Quatorze chefs de bataillons furent destitués. Le général Trochu fit une proclamation qui appelait le 31 octobre *une journée fatale*. Je répondis au gouverneur de Paris par l'adresse suivante :

« Général,

» Votre dernière proclamation condamne irrévocablement
LE 31 OCTOBRE que vous appelez *une journée fatale*. En
présence d'un jugement irréfléchi et sans justice, j'ai senti,
moi qui l'ai conseillée, cette journée, et qui ai voté NON, le
3 novembre, j'ai senti s'élever au fond de ma conscience
une protestation indignée, et j'ai tenu à vous l'adresser publiquement; car si j'approuve cette manifestation patriotique, j'estime aussi que pas un citoyen ne lui doit, plus que
vous, sa gratitude et son respect.

» Sans LE 31 OCTOBRE, général, vous seriez déjà et nous serions, hélas! avec vous aplatis pour bien longtemps sous le
talon du peuple-brigand qui a juré notre perte. C'est LE
31 OCTOBRE qui a rompu l'armistice désiré, attendu par
vous, et qui vous a ainsi rejeté forcément dans la lutte.
Vous nous conduisiez lamentablement à la paix, c'est-à-dire
à la plus misérable des déchéances, quand la voix *du
31 octobre* est venue vous arracher à l'abîme et vous empêcher de compléter une trilogie sinistre, en ajoutant à la
honte de Metz et de Sedan la honte de Paris, et celle-là irréparable.

» L'opinion le reconnaît déjà, et l'histoire le reconnaîtra
hautement. C'est encore le cri du peuple qui a été le cri du
salut!

» Mais le peuple, qui a vu clair dans vos ténèbres et qui comprend qu'avec la Prusse il n'y a d'autre compromis que la victoire, le peuple se demande déjà, avec anxiété, s'il est parvenu à vous convaincre, vous, homme de guerre, de l'impérieuse nécessité de la lutte, et si la résistance de Paris ne sera pas encore dans l'avenir, comme dans le passé, un mirage et un vain mot.

» Paris, qui veut lutter, s'inquiète, et le peuple, qui veut sauver, se trouble visiblement. Le doute vous environne, général, et comment n'envahirait-il pas tous les esprits? Qu'avez-vous fait pour ramener à vous la confiance publique?

» Est-ce par cette organisation de la garde nationale, — bataillons de tous chiffres, volontaires trop peu nombreux, compagnies de guerre iniquement composées, — véritable chaos où chacun cherche en vain le général entendu à qui la renommée avait fait une réputation d'organisateur?

» Est-ce par votre proclamation dernière, véritable oraison funèbre du siège de Paris, qui fait ressembler votre chant de guerre à une lamentation de Jérémie, et qui sème le découragement là où l'on aurait besoin d'entendre la voix d'un chef sûr de lui-même et s'élevant à la hauteur des grands devoirs que nous avons à remplir?

» Est-ce par ces aveux intermittents que nous entendons depuis deux mois de votre bouche et qui nous révèlent que vous, notre chef, vous, le gouverneur de Paris, vous doutiez, au moment de votre nomination, de la possibilité de défendre la capitale et de soutenir un siège?

» Est-ce par ces lenteurs, évidemment calculées, que nous retrouvons dans toutes les questions qui sont de votre ressort — question de canons, question de l'armement,

question de rationnement, question de l'offensive, etc., —
comme si l'audace, l'argument suprême de Danton, n'était
pas une force incalculable dans la crise que nous avons à
traverser?

» Est-ce par cette hésitation déplorable, que l'affaire du
Bourget a mise en pleine lumière et que vous avez eu le
triste courage de vouloir excuser en rejettant le tort de
cette journée sur les combattants, déplorable maladresse
qui ajoute l'injustice à la faute commise? car il est manifeste que si la vigilance des combattants avait été en défaut, ce n'est pas par la révocation du général de Belle-
mare que vous auriez signalé votre ordre du jour.

» Est-ce par cette tendance de faire de la garde mobile
votre garde prétorienne, préoccupation inquiétante et qui
fait dire partout que vous n'avez pas contre les Prussiens
l'énergie que vous déployez pour le maintien de votre autorité de gouverneur contre les républicains?

» Je pourrais multiplier mes points d'interrogation; mais
j'en ai dit assez pour vous montrer, général, qu'il ne suffit
pas de prononcer, tardivement, le nom de la République,
pour sauver Paris et la France. LE 31 OCTOBRE vous a montré la voie à suivre. A vous d'y marcher résolûment, en
prenant cette fois la devise d'un général de 93 :

> » *Des actes et non des paroles!*

> » Votre compatriote,

> » Ch. BESLAY.

» Paris, 18 novembre 1870. »

J'appris aussi que M. Cresson, préfet de police, m'avait
compris dans un ordre d'arrestation. Toute ma participation
active à la journée du 31 octobre se résumait dans l'acte
que j'ai noté en passant. Mais je ne recule jamais devant la

responsabilité de mes actes, et j'écrivis au citoyen Cresson la lettre suivante :

« *Citoyen Cresson, avocat, chargé de la police.*

» Citoyen,

» On m'a montré une liste de douze républicains, que vous avez donné l'ordre au commissaire de police Macé d'arrêter.

» Cet ordre est entièrement écrit par vous sur du papier de la Préfecture de police, cabinet du préfet, ainsi que les noms des trois *argousins* chargés d'accompagner le commissaire de police, tous anciens agents de la police Pietri.

» Mon nom est en tête de cette liste de républicains sincères, qui veulent tous, non la République de Messieurs de l'Hôtel-de-Ville, mais la République démocratique et sociale qui, seule, peut donner la paix et la tranquillité à notre pays, en assurant une juste et équitable répartition du travail et de ses produits.

» Si je n'étais ces jours-ci tourmenté par un rhumatisme violent, je serais déjà allé à la Préfecture connaître les motifs de mon arrestation, si motifs il y a.

» Recevez l'assurance de la considération que vous méritez.

» Ch. BESLAY.

» 16 janvier 1871. »

Oui, le 31 Octobre rejeta dans la lutte le gouvernement qui ne demandait pas mieux, après le retour de M. Thiers, que de négocier un armistice de vingt-cinq jours. Mais la lutte avec le pouvoir de l'Hôtel-de-Ville, sans une volte-face déterminée vers l'offensive, ne pouvait qu'aboutir aux mêmes déceptions sans résultats et aux mêmes douleurs sans aucune compensation.

C'est ainsi que l'on vit successivement passer les sorties, les reconnaissances, la grande bataille du plateau d'Avron et de Champigny, les privations, le rationnement, la viande de cheval, les maladies, le bombardement et la colère, le dépit, le découragement envahissant l'armée et la population, sans que parût du côté de l'Hôtel-de-Ville la moindre espérance de salut.

J'habitais le quartier exposé aux projectiles du bombardement, et les obus éclataient autour de moi. Je ne voulus pourtant pas quitter mon domicile, et, en apprenant que l'armée faisait entendre de tous côtés des plaintes et des récriminations, je crus bien faire en me constituant son mandataire et en demandant pour elle des commissaires. Voici l'adresse que je fis parvenir au gouvernement, pour allumer le feu sacré de la défense :

« Plusieurs journaux demandent s'il est vrai que, dans les dernières opérations militaires, on ait laissé des misérables sous les armes crier : *la paix! la paix!* que des généraux, des officiers, aient entendu ces cris honteux, et qu'ils n'aient pas fait arrêter ceux qui les proféraient. »

» Voici ce que je puis dire :

» Je viens de parcourir les chemins de ronde en dedans des remparts, j'ai causé avec beaucoup de militaires de divers régiments de ligne et avec des soldats de la mobile; plus d'un soldat et sous-officier ne cachent pas leur désir de voir le siége finir, même au prix d'une *capitulation;* quelques officiers, que j'ai interpellés en leur rapportant ce que je venais d'entendre dire par leurs soldats, ne m'ont pas dissimulé qu'ils étaient aussi du même avis :

» — Que voulez-vous, m'ont-ils dit, nous sommes si mal commandés, trahis. L'ennemi connaît à l'avance nos jours de sorties et les forces qui seront envoyées contre lui; nous sommes alors toujours sûrs de trouver nos adversaires prêts et en nombre plus considérable que nous. Notre premier élan dans l'attaque est presque constamment heureux; mais, n'étant pas soutenus, nous sommes toujours forcés de nous replier. De plus, le service de l'intendance est tout-à-fait défectueux; les vivres et les munitions n'arrivent pas à temps, nous sommes souvent vingt-quatre heures et plus sans pain, et les effets d'habillement et de chaussure sont insuffisants dans cette saison; c'est horrible! Les ambulances sont aussi mal ordonnées, etc.

» Les officiers et les soldats ne se gênent pas pour dire qu'ils n'ont pas de confiance dans leurs chefs, dont la plupart sont les anciens favoris de l'Empire, officiers d'antichambre et de décembre.

» Je ne veux citer aucun nom propre; mais les Parisiens, comme les militaires, s'étonnent de voir tous les généraux de Bonaparte employés sous la République dans les états-majors principaux et aux postes les plus importants, et des des récompenses et de l'avancement accordés à des officiers incapables, pour ne pas dire plus.

» Le plan Trochu, avec les dates d'exécution et de délivrance toujours ajournées, n'inspire plus à personne aucune créance, et le découragement gagne. Je ne crains pas de dire ceci et que les Prussiens le sachent, parce que je suis persuadé que l'antique bravoure gauloise ne faillira pas au jour du danger, et que les militaires retrouveront toute leur ardeur, s'ils ont des chefs sur lesquels ils puissent compter.

» Dans la situation critique où nous sommes, le remède actif que nous proposerions, serait l'établissement d'une *grande prévôté non militaire* et tout-à-fait indépendante de l'armée, qui aurait dans ses attributions de s'enquérir du dévouement à la République et des capacités militaires des officiers supérieurs, de provoquer, s'il y a lieu, leur remplacement et mise à la retraite, même leur mise en jugement en cas de forfaiture et de lâcheté, en un mot, la grande justice des anciens commissaires envoyés aux armées lors de la première République.

» Même mal, même remède.

» Nous n'espérons pas que le gouvernement adopte la mesure proposée, elle sera trouvée trop révolutionnaire ; il ne faut à nos messieurs de l'Hôtel-de-Ville que des demi-mesures, comme celles relatives aux loyers, aux échéances d'effets de commerce, au rationnement, etc.

» Peuple de Paris, à toi d'aviser à temps !

> » Ch. BESLAY,
> » *Ancien représentant du peuple.* »

Les jours passsaient, tristes et mornes ; mais, chose étrange ! les fautes du gouvernement avaient beau s'accumuler, l'inaltérable confiance de l'immense majorité des habitants restait la même. L'organisation des compagnies de marche faisait croire que le général Trochu finirait le siége par un coup de tonnerre.

Pour mon compte, je n'en croyais rien ; mais comme les regards de tous se portaient de tous côtés, surtout depuis le jour où le chef de l'armée avait fait cette fière déclaration : « Le gouverneur de Paris ne capitulera pas », je m'adressai une dernière fois à lui, pour lui faire entendre directement le cri de la population impatiente. Voici cette adresse :

> « Général,

» Dans une première lettre, écrite sous l'émotion de la journée du 31 octobre, je vous demandais, au nom du salut public, gravement compromis par votre inaction, de vous rappeler la devise de Marceau et de répéter après lui : *Des actes, et non des paroles!*

» Vous vous êtes souvenu de la devise, mais malheureusement pour l'appliquer à rebours, et depuis quatre mois nous n'obtenons de vous, général, que des paroles, et pas d'actes !

» Mais aujourd'hui vous avez voulu agir... Sérieusement? j'en doute.

» Un seul point, un seul, a eu le don de stimuler votre bonne foi et votre énergie, — votre pouvoir !

» Aujourd'hui, c'est pour signer seul, comme gouverneur de Paris, des actes qui intéressent la défense, comme si les autres membres du gouvernement n'étaient pas, ainsi que vous, sous le coup de la terrible responsabilité qui pèse sur le Gouvernement du 4 Septembre. Demain, c'est pour enlever les conseils de guerre au contrôle de vos collègues, comme si nous n'avions brisé l'ancien césarisme que pour en refaire un autre.

» Ici, c'est pour enlever aux mains de la justice un dossier que vous réclamez en maître, comme si cette arche sainte de nos institutions, la justice, ne devait pas, sous la République, dominer nos fracas d'armes et de batailles : *cedant arma togæ.*

» Là, c'est pour répondre enfin, une dernière fois, aux défenseurs du 31 octobre, « que le gouverneur de Paris ne capitulera pas ! » comme si Paris, la Patrie, la France, la République, n'étaient plus qu'un domaine soumis à votre autorité. Il était si simple de dire : Paris ne capitulera pas ! Vous montrez trop, général, que le baptême de la République n'a pas, chez vous, dépouillé le vieil homme, et que vous êtes, de la tête aux pieds, dominé par la tradition impériale. Triste héritage, que vous avez condamné vous-même le jour où vous avez écrit : « De toutes les qualités de » l'homme de guerre, celle qui témoigne le plus hautement » de la solidité de son caractère et de la réalité de sa valeur, » c'est la modestie. »

» Tout pour vous, voilà jusqu'à présent le résultat de votre dictature, et si, devant Dieu et devant les hommes, comme le témoin devant le prétoire, je me demande ce que vous avez fait pour la délivrance de Paris, je suis forcé de répondre hardiment à haute voix : Rien, rien, rien !

» Rien ! puisque votre plan, que vous avez fait si longtemps miroiter aux yeux des Parisiens, comme un prisme, s'évanouit comme le mirage dès qu'on l'approche ; de loin, c'est quelque chose, et de près, ce n'est rien. Votre plan n'a qu'un nom, l'*inaction*, et votre suprême habileté consiste, en fin de compte, à ne compter que sur autrui.

» Rien ! puisqu'après avoir travaillé, après bien des hésitations, à l'organisation de l'armée, à l'armement, à la défense, vous n'arrivez, en définitive, qu'à jouer au soldat.

» Rien ! puisque chacune de vos sorties et de vos opérations — Châtillon, le Bourget, la Malmaison, le plateau d'Avron, Villiers et Montretout — n'est qu'un va-et-vient de tentatives et d'engagements sans suite et sans but, où l'on chercherait en vain le coup d'œil de l'homme de guerre et la conception d'un tacticien.

» Votre première faute, général, tremblez que demain on ne dise votre premier crime, est d'avoir accepté la responsabilité d'une œuvre que vous jugiez impossible. Vous avez compté sur l'Europe, vous avez compté sur un arrangement possible, comme aujourd'hui vous comptiez sur nos armées du dehors ; mais vous n'avez jamais compté sur Paris pour sauver Paris; et c'est là, pour tout le monde aujourd'hui, un tort irrémissible.

» Avant tout, il faut croire à l'œuvre que l'on accepte.

» Les départements étaient plus démoralisés que Paris; mais, livrés à eux-mêmes et sans général en chef, ils sont debout et marchent !

» Paris, au contraire, était debout, il n'attendait qu'un signe de vous pour rompre le cercle de fer qui l'étreint. Aujourd'hui encore, son exaltation, sous le coup du bombardement, est aussi ardente qu'au commencement du siége. Un seul obstacle l'arrête, et cet obstacle, c'est vous.

» Voilà le résultat de votre césarisme, celui de toute dictature. Songez-y, général, nous arrivons à la minute suprême. Il nous faut vaincre ou succomber, et je regarde comme un devoir d'ouvrir devant vos yeux l'effroyable responsabilité qui vous attend. Ce n'est pas le prestige de votre autorité qui me donne épouvante et souci; c'est l'existence de la patrie qui est en jeu, et en présence de cet avenir qui nous montre comme alternative la résurrection ou l'extermination de la France, je me demande comment vous pouvez encore délibérer?

» Paris, irrité par quatre mois de siége, vous a crié : En avant ! La population, soulevée par le bombardement, vous a crié ! Vengeance ! L'armée de Paris, comme la garde nationale, dégoûtée de vos lenteurs, vous a crié : Marchons ! Les départements, par le canon de Cremer, et l'étranger lui-même, l'héroïque Garibaldi, vous ont crié : la victoire ou la mort ! Et vous êtes rentré !... Tremblez, général, que demain on ne vous dise, à vous et à tous ceux de l'Hôtel-de-Ville : Sortez !

» Votre Compatriote,   Ch. BESLAY,

ancien représentant du Morbihan.

J'écrivis cette adresse, je pourrais dire cet acte d'accusation, vers le 15 janvier, et quelques jours après, le 19, avait lieu la bataille de Montretout et de Buzenval, grande journée héroïque, qui fut la condamnation de l'inertie du pouvoir, car cette bataille prouva, par un coup d'éclat, que la garde nationale pouvait, comme l'armée, remporter des victoires, et qu'avec une volonté opiniàtre, la défense nationale pouvait être couronnée par un triomphe.

Hélas! il faut bien le dire, cet héroïsme ne faisait que sauver l'honneur de Paris et de la France, que l'avilissement de l'Empire présentait depuis Sedan comme une risée à l'Europe, et le sang répandu ne nous sauvait pas des griffes de la Prusse.

Nous allions, au contraire, les sentir avec mille douleurs, car cette bataille de Montretout était le dénouement du siége. Quelques jours après, le général Trochu se démettait de son commandement, et Jules Favre se rendait à Versailles pour signer la convention du 28 janvier.

A cette nouvelle, tout Paris fut comme un volcan qui s'ouvre pour lancer toutes les laves qui bouillonnent dans ses flancs. Tant de souffrances, tant de deuils, tant de sacrifices, tant de funérailles, tant de dévouement, pour subir si tristement la loi de l'ennemi qui ne nous avait pas vaincus!

Il y eut, dans tous les quartiers, dans tous les forts, dans tous les camps, comme un soulèvement d'indignation. Les maires se réunirent pour aviser; des milliers d'officiers de la garde nationale demandèrent à marcher pour faire une trouée; les bataillons frémissants voulaient imposer la continuation de la lutte; les régiments s'indignaient à la pensée d'aller rejoindre l'armée de Sedan; les marins ne voulaient pas rendre leurs armes. . . . Ah! devant ce mâle courage et ces résolutions désespérées, le gouvernement dut comprendre combien il avait été coupable de ne pas apprécier à leur juste mesure les forces incalculables dont il disposait, et combien il avait su accumuler de haines et de colères dans le cœur de cette armée qui ne demandait qu'à combattre pour sauver la patrie !

La convention du 28 janvier signée, il n'y avait pas une minute à perdre pour envoyer à l'assemblée nationale, qui allait se réunir à Bordeaux, le 8 février, des représentants sur lesquels le peuple pût compter pour défendre la République et la cause de la démocratie.

Les sociétés ouvrières voulurent bien m'offrir un mandat; mais à mon âge et dans l'état de santé déplorable où j'étais, je dus refuser la candidature qui m'était offerte, et je répondis par la lettre suivante à la démarche qui fut faite auprès de moi :

« Citoyen rédacteur,

» Permettez-moi, par l'intermédiaire de votre estimable journal, de remercier les divers comités qui m'ont porté sur les listes des candidats à l'assemblée de Bordeaux.

» Je refuse formellement le mandat qui m'est offert.

» Le temps est proche, je l'espère, où les questions sociales seront nécessairement mises à l'ordre du jour : ces questions si bien posées et élucidées par mon honorable ami, le regretté P.-J. Proudhon, n'ont cessé, principalement depuis 1848, de faire l'objet de mes études et de mes réflexions. Je serais alors heureux de participer aux travaux de l'assemblée qui les traitera, parce que je pourrais peut-être y rendre quelque service.

» Mais il me semble que dans les circonstances actuelles, à côté des vétérans de la démocratie, il est indispensable que des hommes nouveaux, des citoyens jeunes et énergiques viennent protester contre tout ce qui s'est fait depuis le 2 décembre 1851, et contre les actes inqualifiables du soi-disant gouvernement de la défense nationale.

» Je cède donc la place à ceux qui prendront l'engagement :

» 1º De proclamer, comme la seule loi du pays, la constitution de 1848, qui pour moi n'a jamais cessé d'exister, et en vertu de laquelle les auteurs du coup d'Etat et ceux qui en ont profité sont justement rendus responsables des malheurs publics et privés qui ont affligé le pays pendant près de vingt années.

» 2º De poursuivre la mise en accusation des auteurs et fauteurs de la convention Favre-Bismarck, du 28 janvier.

» 3º De requérir, après ces deux actes, la dissolution de l'assemblée.

» Salut fraternel.   Ch. BESLAY,
                              ancien représentant.

» Paris, 3 février 1871. »

Mais comme le choix des candidatures représentait un intérêt de premier ordre, je crus devoir indiquer, d'une manière générale, à la population ouvrière, les idées qui devaient la guider dans cette importante élection. Ces idées, je pris, pour les répandre plus vite, le moyen qui est sans contredit le plus rapide et le plus direct, la forme d'une Adresse. Voici celle que je fis afficher dans tout Paris, et principalement dans les quartiers habités par les travailleurs :

SOUVENIRS.   22

AUX TRAVAILLEURS

AUX PETITS INDUSTRIELS, AUX PETITS COMMERÇANTS, AUX BOUTIQUIERS.

Porté sur les listes de plusieurs comités électoraux, j'ai décliné toute candidature.

Je suis vieux, j'ai 76 ans, et malheureusement j'ai encore trop de vie, car je crains d'assister à la destruction finale de mon pays, qui, lors de ma naissance, était l'espérance des peuples et la lumière du monde.

Ancien député en 1830, membre de la constituante en 1848, appartenant par ma naissance à la bourgeoisie, ancien chef d'industrie, j'ai assisté à la grandeur et à la décadence de la France; j'ai vu le spectacle des plus incroyables palinodies; j'ai vu l'industrialisme et le patronat poser le genou sur la poitrine du travailleur; j'ai vu la bourgeoisie, oubliant qu'elle est, par l'instruction, la sœur aînée du peuple, se montrer ingrate à l'égard de ce peuple qui lui a prêté, en 89, le secours de son bras pour conquérir le pouvoir.

Voltairienne, la bourgeoisie s'est alliée avec les prêtres; ennemie de l'ancien régime, elle prête son appui aux réactionnaires et se ligue avec ceux qu'elle avait vaincus; née du travail, elle se retourne contre vous, travailleurs, qui l'avez aidée à vaincre, afin d'assurer pour elle les priviléges et monopoles qu'elle a condamnés naguère dans la noblesse.

Aujourd'hui, après une série de revers inconnus jusqu'ici à aucun peuple, revers dus à l'infamie mortelle de tous nos gouvernements monarchiques, aujourd'hui, dis-je, le peuple de Paris a dans sa main l'instrument de son affranchissement, s'il vote, comme un seul homme, pour ceux qui doivent le mieux connaître ses souffrances, parce qu'ils les partagent, et qui mieux que tous autres pourront y apporter remède.

Je supplie le peuple d'entendre une voix qui lui a toujours été dévouée et qu'il a souvent écoutée avec quelque sympathie.

Il n'y a, en France, que deux classes, les bourgeois et les ouvriers; quelle est la plus nombreuse? la classe ouvrière. « *Comptez-vous,* disait M. Bright dans un meeting, *et vous* » *verrez que vous êtes, si vous le voulez, les maîtres.* »

Adoptant le principe de Rousseau, que la majorité fait loi dans les nations, comment se fait-il que jusqu'ici la classe des travailleurs ait toujours voté contre ses intérêts? C'est parce que la classe dirigeante a soigneusement entretenu l'ignorance dans les masses et organisé le peu d'instruction qu'elle donnait conformément à ses intérêts; c'est parce qu'en moulant à sa guise le cerveau du peuple, et en imprimant à sa pensée une direction profitable à la classe privilégiée, la bourgeoisie est arrivée, par ce perpétuel déni de justice, à perpétuer pour elle-même la possession de ses monopoles.

L'ignorance ne peut se détruire en un jour; mais le peuple serait-il donc à ce point oublieux de ses intérêts, qu'il ne comprenne pas à l'heure suprême où il s'agit pour lui d'être ou de n'être pas, qu'il peut se sauver en se sauvant lui-même, c'est-à-dire en votant conformément à ses aspirations, pour des socialistes convaincus.

Peuple de Paris, ouvriers mes amis, rappelez-vous que vous appartenez à la cité qu'on a justement appelée le cœur et le cerveau de la France, rappelez-vous que vous êtes fils du Travail, et que, fidèles à vous-mêmes, vous devez voter pour le Travail.

Vous, soldats, fils de l'ouvrier, tantôt lancés contre un

autre peuple, tantôt forcés de tirer contre vos propres frères,
songez que demain vous rentrerez dans l'armée des travailleurs !

Vous, travailleurs des champs et de l'industrie, voulez-
vous toujours que le propriétaire, le capitaliste, moissonne
et ne travaille pas, récolte et ne cultive pas, consomme et
ne produise pas, jouisse sans aucun labeur? Non, ce que
vous devez revendiquer d'abord, c'est que le fermier ait
part à la rente, l'ouvrier au produit, et que tout travailleur
ait droit au crédit.

Et vous, petits commerçants, petits industriels, attendrez-
vous que ces grandes compagnies financières, ces vastes
ateliers, ces magasins immenses, viennent accaparer tout
travail et mettre l'ouvrier à leur merci?

Croyez-moi, citoyens, si vous êtes las d'être opprimés,
exploités, choisissez vos candidats dans les listes qui patron-
nent des ouvriers; assurez-vous bien que ceux que vous
portez sont sincèrement socialistes, comme ceux de la liste
des candidats SOCIALISTES RÉVOLUTIONNAIRES.

Gardez-vous surtout de voter pour les généraux, amiraux,
colonels, qui ont contribué à la honteuse capitulation qui
nous menace; les militaires sont toujours prêts à opprimer
la liberté et soutenir les dictatures.

Ne votez pas pour les hommes des vieux partis, ni pour
les gens de robe, jésuites, prêtres, avocats, ni pour les illus-
trations littéraires, car quel que soit leur mérite comme
poëtes, historiens, orateurs, journalistes, à de rares excep-
tions près, ils ne comprennent, ou plutôt ne veulent pas
comprendre vos besoins, ni reconnaître vos droits.

J'allais oublier les gros financiers, les administrateurs des
grandes compagnies, les monopoleurs et accapareurs de

toutes sortes; vous devez les éloigner à tout prix; ce sont des égoïstes détenteurs du capital, qui ne penseront jamais qu'à leurs intérêts.

Quant aux gens de l'Hôtel-de-Ville, chargés de la défense nationale, j'espère bien que vous croyez tous comme moi, qu'ils méritent plutôt les gémonies que vos suffrages.

Un vieil ami des ouvriers, démocrate socialiste, faisant dès l'origine partie de l'Internationale,

Ch. BESLAY,

ancien représentant du peuple.

Paris, 6 février 1871.

L'ASSEMBLÉE NATIONALE

L'Assemblée nationale à Bordeaux. — Comment elle est composée. — Ce que j'avais proposé. — Paris et Bordeaux. — Importance de ce parallèle pour bien fixer la responsabilité. — Ce qu'avait fait le gouvernement de la défense nationale. — Ce qu'allait faire le chef du pouvoir exécutif. — Ce que voulait Paris. — Adresse de tous les délégués des arrondissements de Paris. — Les actes du nouveau gouvernement. — Politique extérieure : les préliminaires de la paix ; l'indemnité des cinq milliards ; le démembrement. — Politique intérieure : l'assemblée de Versailles ; le général de la garde nationale ; les canons ; l'entrée des Prussiens à Paris. — Le 18 mars.

L'Assemblée nationale se réunissait le 12 février 1870, à Bordeaux. L'émotion du pays était extrême. Quelle serait la résolution de la Chambre au sujet de la grande pensée du moment, la paix ou la guerre? L'alternative était ainsi posée partout, et surtout à Paris. Ici les faits se pressent et s'accumulent au point qu'il importe de bien préciser les actes et les événements, si l'on ne veut pas s'égarer dans cette ténébreuse histoire.

Quelle était d'abord cette assemblée? Jamais, il faut bien le dire, élections françaises ne se sont faites dans des conditions pareilles. Ici, l'invasion victorieuse avec toutes les atrocités qu'elle entraine après elle ; partout des malédictions

lancées contre le gouvernement tombé dans la boue de Sedan; enfin, dans Paris et dans les départements encore libres, la défense nationale, blessée à l'aile, mais toujours
frémissante et toujours debout!

Les élections se ressentirent naturellement de cette situation exceptionnelle. Les membres du Corps législatif
n'osèrent même pas se représenter dans beaucoup de départements, et c'est à peine si l'Assemblée voyait revenir quelques partisans du régime maudit, pour entendre voter par
acclamation la déchéance de l'Empire. Mais dans les campagnes et au milieu du trouble inévitable des événements,
les nobles et le clergé s'unirent pour remplacer les membres du Corps législatif par des royalistes de toutes nuances,
et l'on vit arriver à Bordeaux des groupes nombreux de
monarchistes, qui ne venaient là que pour ressusciter la
politique de la Chambre introuvable de la Restauration.

C'était là une grande faute, à laquelle il fallait s'attendre
de la part des ruraux auxquels on n'avait pas le temps de
faire comprendre les bienfaits du régime républicain. Mais
il faut le proclamer hautement, le suffrage universel dans
les villes avait, à une immense majorité, nommé des représentants républicains, et cette sanction donnée à la révolution du 4 septembre par les villes, doit être considérée
comme une sanction donnée par la France elle-même. En
parlant ainsi, nous ne forçons en rien la logique, car, depuis le 8 février 1870, les populations rendues à elles-mêmes et suffisamment éclairées par les leçons du passé, n'ont
cessé de se montrer de plus en plus attachées à la conservation de la République.

Mais il n'en était pas moins vrai que ce partage de la
Chambre en deux moitiés, l'une républicaine et l'autre mo-

narchique, allait jeter le gouvernement de la France dans
une série interminable de conflits de toutes sortes, et rendre
très-difficile, pour ne pas dire impossible, la solution de
toutes les difficultés du moment.

———————

On a vu plus haut, par la réponse que je fis aux comités
des sociétés ouvrières, comment je comprenais les devoirs
de cette Assemblée nationale. Je conjurais les électeurs de
ne demander à leurs mandataires que deux mesures :

1º La remise en vigueur de la Constitution de 1848, vote
qui impliquait la condamnation et les poursuites de tous les
fauteurs et exploiteurs du 2 décembre;

2º La mise en accusation des auteurs et fauteurs de la
convention du 28 janvier, signée par Favre et Bismarck,
vote qui impliquait la poursuite à outrance des opérations
de la guerre.

Que d'observations j'aurais à présenter sur les deux mesures si simples et si catégoriques que je conseillais de
prendre! Qu'on me permette d'en noter quelques-unes :

Tout d'abord, on voit qu'en faisant préciser rigoureusement le mandat des nouveaux représentants, je me pronon-
çais nettement en faveur du mandat impératif. Est-il rien
de plus honteux que de voir des hommes politiques se jouer
de la bonne foi des électeurs? Nous voyons arriver le jour
où les électeurs comprendront cette notion si simple, que le
représentant n'est que le mandataire du suffrage universel,
qui seul est le souverain, et qui, comme souverain, a le
droit de fixer nettement les conditions de son mandat[1].

———

[1] J'avoue en toute sincérité que mon opinion au sujet du mandat

Le jour où le mandat impératif sera pratiqué, nous n'assisterons plus à l'écœurant spectacle des palinodies et des conversions intéressées qui remplissent l'histoire des Assemblées de notre temps. N'est-il pas triste de voir, par exemple, M. Laurier, secrétaire de la délégation de Tours, aller s'inscrire à la réunion du centre droit, et violer ainsi avec impudence le mandat qu'il a reçu et l'engagement qu'il a pris de défendre la République? N'est-il pas lamentable de voir M. Target, se disant républicain, amener par son vote et celui de ses amis la chute du gouvernement de M. Thiers, et recevoir quelques jours après du ministère du 14 mai la récompense de sa défection par sa nomination au poste de ministre plénipotentiaire de la France à Amsterdam? Un peu de pudeur, Messieurs, et vous, travailleurs, un peu plus de clairvoyance et de fermeté.

Sur ce point, je demeure fermement convaincu que les travailleurs n'ont plus, à l'avenir, qu'une règle à suivre. Il faut absolument que les comités des sociétés ouvrières,

impératif n'a pas toujours été aussi nettement accentuée. Je l'ai même repoussé, comme député, sous le gouvernement de 1830, alors que la bourgeoisie se considérait comme la classe dirigeante, regardait le peuple comme un mineur, dont les pouvoirs publics devaient prendre soin. Mais l'application du suffrage universel a été sur ce point une véritable révolution, en montrant quel était, dans toute sa plénitude, l'exercice de la souveraineté nationale.

Il n'y a plus pour les sociétés qu'une souveraineté, celle de la nation, et c'est au nom de ce droit imprescriptible du peuple gouvernant lui-même que le suffrage universel ne peut et ne doit jamais abdiquer. Le mandant reste supérieur au mandataire qui n'a qu'à exécuter le mandat qui lui a été donné. De là le principe du mandat impératif qui sera désormais la loi suprême des élections dans toute société démocratiquement organisée.

jusqu'à présent dupés par les avocats et les bourgeois, maintiennent fermement, pour la représentation nationale, des candidatures de démocrates socialistes. En admettant même, une fois, deux fois, trois fois, l'insuccès de cette combinaison, les ouvriers, du moins, apprendront ainsi à se compter, à se discipliner, à se faire une idée plus claire, plus nette et plus définie des revendications qu'ils ont à faire prévaloir. Ils apprendront à se poser ainsi, vis-à-vis de la bourgeoisie, comme le Tiers-Etat se posait lui-même, au siècle dernier, vis-à-vis de la noblesse, et leur triomphe à court délai ne peut faire l'objet d'aucun doute ; car Bright, l'éloquent réformiste anglais, leur a donné l'invincible raison de leur victoire, quand il leur a dit : « Ou- » vriers, vous êtes les plus forts, et vous le comprendrez » le jour où vous vous compterez, car vous êtes les plus » nombreux ! »

Les deux seules mesures que je conseillais à l'Assemblée montraient le ferme espoir que je conservais encore de voir la France trouver son salut dans la République. La remise en vigueur de la constitution de 1848 tranchait d'un seul coup toutes les compétitions monarchiques dont il fallait craindre le retour ; les avantages de ce grand acte étaient de nature à frapper tous les esprits, et M. de Girardin en a fait la base du système politique qu'il conseillait de suivre à Bordeaux. Cette résurrection de la constitution de 1848 conduisait à la reconnaissance de la République, et la République debout, c'était bien, tout à la fois, la condamnation des hommes du 4 septembre, la rupture de l'armistice et la reprise des hostilités.

A distance, et après trois ans passés, on peut être disposé à considérer cette opinion comme extravagante et sans fondement sérieux. Mais, pour apprécier avec exactitude tous ces événements, il faut bien se rappeler dans quelle situation se présentaient alors Paris et Bordeaux! On peut affirmer hardiment que l'histoire manquera à son devoir d'impartialité et de justice, si elle oublie de mettre en relief ce que le gouvernement de la Défense nationale avait fait de Paris. C'est surtout dans les grandes crises que tout s'enchaîne en politique. Si l'on dit avec raison que la cause première de la révolution de 1830 se trouve dans tous les agissements de la réaction violente de la Restauration, si l'on trouve logiquement la cause de la révolution de 1848 dans la politique personnelle de Louis-Philippe, il est encore plus rigoureusement exact de dire que la cause première de l'explosion de la Commune se retrouve tout entière dans la conduite tenue successivement par le gouvernement de la Défense nationale, par l'Assemblée réunie à Bordeaux et par le chef du pouvoir exécutif nommé par elle.

Nous l'avons dit : à chacun ses actes et sa responsabilité. La Commune de Paris, en 1871, n'est pas née, comme la réaction se plaît à l'affirmer, des ferments révolutionnaires qui s'agitent toujours dans les faubourgs de Paris; elle est le résultat créé par la guerre, par le siége, par l'Assemblée et par le nouveau gouvernement constitué par elle. Cette question présente, au point de vue de l'histoire, la plus grande importance, parce qu'il est absolument nécessaire que le jugement de l'opinion demeure juste et vrai dans son inflexibilité.

Faisons donc le parallèle des deux situations telles qu'elles se déroulaient à Paris et à Bordeaux, et l'on verra que

ces deux situations, obéissant à des idées opposées, suivant
des courants différents, devaient, par le choc de la politique
de paix et de la politique de guerre, aboutir à un déchirement profond, si l'on ne prenait avec la population armée
de Paris tous les ménagements que commandaient les circonstances.

Racontons les faits et nous y trouverons la raison des
événements qui se sont produits.

Nous avons établi précédemment que le gouvernement
de la Défense nationale n'avait négligé aucun moyen de
faire entrer dans l'esprit de la population, la conviction que
les assiégés feraient lever le siége et délivreraient la capitale de la France. Nous soutenons que cette politique hypo-
crite et sans but sérieux fut entretenue soigneusement jusqu'au dernier jour.

En voici les preuves :

Le 27 décembre, après la bataille de Champigny, l'*Officiel*, dans une note développée, concluait par les mots suivants :

« Prolonger la résistance jusqu'aux dernières limites du
» possible, pour donner à la France le temps et les moyens
» de se soulever tout entière contre l'envahisseur et d'orga-
» niser la défense nationale, a été le but de tous les sacri-
» fices que les citoyens de Paris ont faits; constituer une
» armée dans Paris, *combattre énergiquement sur le péri-
» mètre d'envahissement fortifié par l'ennemi, pour cher-
» cher à percer ses lignes* et l'obliger, dans tous les cas, à
» immobiliser autour de nous des forces considérables, a
» été le but de tous les efforts que la garde nationale et
» l'armée ont faits. »

Le 16 janvier 1871, le gouvernement de Paris disait :

« Rien ne fera tomber les armes de nos mains. Courage,
» confiance, patriotisme. *Le gouverneur de Paris ne capitu-*
» *lera pas.* »

Le 19 janvier, le gouvernement faisait afficher une proclamation qui disait :

« Citoyens, l'ennemi tue nos femmes et nos enfants ; il
» nous bombarde jour et nuit, il couvre d'obus nos hôpi-
» taux. Un cri : Aux armes ! est sorti de toutes les poitrines.
» Souffrir et mourir, s'il le faut, mais vaincre !

» Vive la République ! »

Et ce même jour, le gouverneur livrait, avec la garde
nationale, les mobiles et l'armée, une grande bataille qui
attaquait les lignes ennemies, depuis Saint-Cloud jusqu'à
Buzenval.

Il ne peut donc exister le moindre doute sur ce point :
Paris était enflammé par le gouvernement lui-même de la
pensée du triomphe, et ces idées entretenaient dans la capitale comme un feu sacré de résistance et de victoire.

———

Mais à Bordeaux, il faut bien convenir que le milieu politique s'agitait dans des conditions absolument différentes.
Si Paris songeait encore à la guerre, Bordeaux ne songeait
plus qu'à la paix. C'étaient le pôle arctique et le pôle
antarctique de la politique.

Et la preuve, c'est qu'immédiatement après l'acceptation
des préliminaires de paix, la délégation de Bordeaux, qui
représentait la lutte à outrance, était obligée de donner sa
démission.

Cette démission de Gambetta montrait bien quel était le

courant qui emporterait à Bordeaux le gouvernement de la
Défense nationale encore debout, la majorité de la Chambre
et par conséquent le nouveau pouvoir qu'elle allait insti-
tuer. Le vote des préliminaires de la paix, dès les premiers
jours, dessinait nettement cet antagonisme des deux partis
qui inspiraient Bordeaux et Paris. C'est à peine si une minorité de 107 voix se prononçait pour le rejet des propositions prussiennes.

Après cette première résolution, il fallait s'attendre à tout,
et l'Assemblée envoyait coup sur coup à Paris, qui bondis-
sait d'indignation, les nouvelles les plus capables de pousser
les esprits aux résolutions les plus extrêmes.

Ainsi, après avoir voté les préliminaires de paix, l'Assemblée nationale remplaçait le gouvernement de la Défense nationale par un chef du pouvoir exécutif, qui com-
posait un nouveau ministère pour inaugurer la politique
de paix adoptée par la Chambre. Le choix fait par l'Assemblée était sans doute indiqué par les électeurs. M. Thiers
avait été élu représentant du peuple dans vingt-huit colléges
et son nom s'imposait en quelque sorte aux suffrages de ses
collègues. C'était lui que le pays portait à la première présidence de la République.

Mais, à tort ou à raison, M. Thiers, à l'époque que je
rappelle, était certainement considéré comme le plus mortel ennemi du régime républicain. La démocratie toute entière, qu'il avait autrefois essayé de flétrir par le mot célèbre de *vile multitude*, le regardait comme un monarchiste
incorrigible et comme le représentant avoué de l'orléanisme.
C'est là un point hors de toute contestation.

L'Assemblée commençait donc par envoyer à Paris les
deux nouvelles les mieux faites pour inspirer aux batail-

lons toujours armés de la garde nationale les projets les plus révolutionnaires.

Elle mettait la France sous le talon de la Prusse;

Elle se montrait hostile à la République.

Etait-ce ainsi qu'on pouvait songer à donner satisfaction à la capitale, qui venait de sauver, par son attitude héroïque, l'honneur du pays perdu par l'Empire?

———————

Ce que voulait Paris, nous l'avons dit : c'était la lutte sans trève ni merci. Le cri universel de la capitale a toujours été celui-là.

Dans le courant du mois de janvier, tous les arrondissements de Paris avaient nommé des délégués, qui se réunissaient en publiant une adresse pour faire connaître au peuple les mesures de salut qui restaient à prendre. Cette adresse se terminait ainsi :

« Le grand peuple de 89, qui détruit les bastilles et ren-
» verse les trônes, attendra-t-il dans un désespoir inerte
» que le froid et la famine aient glacé dans son cœur, dont
» l'ennemi compte les battements, sa dernière goutte de
» sang? — Non.

» La population de Paris ne voudra jamais accepter cette
» misère et cette honte. Elle sait qu'il en est temps encore,
» que des mesures décisives permettront aux travailleurs
» de vivre, à tous de combattre.

» Réquisitionnement général. — Rationnement gratuit.
» — Attaque en masse.

» La politique, la stratégie, l'administration du 4 septem-
» bre continuées de l'Empire, sont jugées. Place au peuple!
» Place à la Commune! »

Cette adresse, que je signai comme délégué du sixième arrondissement, traduisait en termes énergiques les aspirations ardentes de Paris.

J'ai rappelé, en effet, dans le chapitre précédent, comment avait été accueillie la nouvelle de la convention du 28 janvier par les bataillons de la garde nationale, par les mobiles, par la marine, par l'armée, par la population toute entière. Et c'est sur cette poudrière immense que l'Assemblée faisait tomber à chaque instant ces nouvelles effrayantes, comme autant de tisons jetés pour la faire sauter :

Le démembrement de la France ;

Une indemnité de guerre de cinq milliards ;

La nomination de M. Thiers comme chef du pouvoir exécutif ;

Le choix de Versailles pour le séjour de l'Assemblée ;

La nomination du général d'Aurelles de Paladines comme général en chef de la garde nationale, au lieu du général Chanzy qui eût été accueilli avec enthousiasme ;

L'entrée des Prussiens à Paris ;

L'enlèvement des canons qui appartenaient à la garde nationale, et qu'il eût été facile de parquer de manière à éviter tout conflit.

Les faits que nous résumons attestent que Paris, le 18 mars, avait été comme à plaisir poussé à bout par une série d'événements formidables. Pour employer une image qui sera comprise de tout le monde, Paris ressemblait à un canon que l'on a chargé jusqu'à la gueule et que les mains imprudentes du gouvernement ont fait partir. En présence d'un pareil résultat, n'est-il pas juste de rappeler cette parole de Montesquieu : « La responsabilité d'une guerre ne » retombe pas sur ceux qui la font, mais sur ceux qui l'ont » rendue nécessaire. »

LA COMMUNE

La Fédération de la garde nationale. — Le Comité central. — Les canons de la garde nationale. — Le 18 mars. — Le gouvernement de 1871 tient la même conduite que celui de 1848. — La Commune. — Ce que j'en pense au double point de vue municipal et politique. — Mon abstention. — Mon élection dans le VIe arrondissement. — Mon discours d'inauguration comme doyen d'âge de l'Assemblée. — Ma démission. — Pourquoi je reste. — Ma nomination comme membre du Comité des finances et comme délégué à la Banque de France. — La majorité et la minorité de la Commune. — L'affaire de la Compagnie du Gaz. — Mon intervention pour mettre en liberté des prisonniers. — Mes efforts pour arriver à la conciliation. — La manifestation franc-maçonnique. — Mes adresses à M. Thiers. — Pourquoi je les publie. — A quoi aboutit la solution contraire à celle que je défendais.

~~~~~~~~

Sous le coup des nouvelles accablantes qui la frappaient chaque jour, la garde nationale de Paris éprouvait le besoin de se raidir contre la réaction qui menaçait d'emporter la République avec l'honneur et le démembrement de la France. Les citoyens les plus intelligents, les plus actifs de chaque bataillon, officiers et simples gardes nationaux, se réunissaient pour s'entendre et se concerter sur les meilleurs moyens de sauver la République.

Le lecteur remarquera que je ne parle plus que du salut

de la République. C'est qu'en effet Paris ne pouvait plus conserver l'espoir de reprendre les hostilités contre la Prusse. La ratification du traité par l'assemblée, la soumission de la France entière à ces conditions honteuses, laissait la capitale seule en face des armées prussiennes, et, en présence d'une telle perspective, Paris ne pouvait revenir sur les faits accomplis. C'eût été, de la part de la grande capitale, une résolution insensée. La reprise des hostilités avait donc disparu du programme de Paris; mais en concentrant tous les ressentiments de l'opinion sur cette seule pensée, le salut de la République, on n'a fait que les rendre plus profonds et plus ardents. Car l'idée de la République s'identifiait, dans l'esprit du peuple, avec l'idée de la revanche qui devait régénérer le pays et le placer à son rang.

Les véritables chefs des bataillons de la garde nationale, je veux dire les citoyens qui, par leur patriotisme et la propagande de leur foi républicaine, en étaient l'âme, se réunissaient donc pour fonder en quelque sorte en un seul corps vivant et indestructible tous les bataillons de la garde civique. Leur idée prit corps par la fédération de la garde nationale. Sous la poignante émotion de l'entrée des Prussiens dans Paris, deux comités s'étaient constitués pour donner à ce projet de fédération républicaine une organisation complète, et les deux comités ne tardèrent pas à réunir leurs deux centres d'action en une seule association, qui prit le titre définitif: *La Fédération républicaine de la garde nationale,* et qui était représentée, d'une manière permanente, par un comité qui avait le titre de *Comité central.*

C'est là qu'il faut chercher le premier germe des oppositions, des résistances et des colères qui engendrèrent le mouvement du 18 mars. Mais on se tromperait du tout au tout en croyant que l'idée d'une insurrection préméditée faisait agir les promoteurs de cette fédération. Les deux premiers comités étaient composés d'ouvriers et de bourgeois, inspirés par l'unique désir de donner à la République, par cette institution, une force incalculable. Mais leurs projets n'avaient rien de séditieux, et la preuve, c'est que les membres qui faisaient partie de ces comités eurent plusieurs entrevues avec le ministre de l'intérieur, M. Ernest Picard, et le général d'Aurelles de Paladines, en vue de faire accepter leurs plans d'organisation pour la garde nationale. Suivant son habitude, le gouvernement se montra absolument hostile à cette fédération. Les pouvoirs, en France, repoussent invariablement tout ce qui vient d'en-bas. Détestable pratique qui, au lieu de marcher de réforme en réforme, voue le pays au régime inévitable des révolutions !

Cette opposition du gouvernement aux vues du comité central ne fit, bien entendu, que rendre son action plus énergique, précisément parce que le comité voyait dans cette résistance du pouvoir exécutif un péril de plus pour la République. La situation s'était d'ailleurs aggravée par ce que l'on appelait alors *la question des canons*.

La veille de l'entrée des Prussiens dans Paris, les gardes nationaux, pour mettre en sécurité leurs moyens de défense, avaient pris au parc de l'avenue de Wagram 245 pièces de canon, qu'ils avaient transférées à Montmartre, à Montrouge et à la place des Vosges. Ces canons étaient ceux qui avaient été fondus à Paris pendant le siége, et qui provenaient de la souscription ouverte afin de donner au gouverneur les canons qu'il demandait pour percer les lignes prussiennes. Il y en avait près de neuf cents, et tout ce matériel avait été justement affecté à l'armement de la garde nationale, qui

l'avait payé par ses souscriptions patriotiques. La garde
nationale tenait naturellement à ses canons; mais il était
clair qu'il était facile de lui donner satisfaction sur ce point,
en choisissant, pour la conservation de cette force redoutable, un parc dont la garde serait confiée aux bataillons
eux-mêmes.

————

Au 18 mars, voilà quelle était donc la position. D'un côté,
le gouvernement et l'assemblée réunis à Versailles, et trai-
tant Paris comme une population qu'on redoute, mais pour
laquelle on est bien résolu à ne rien faire. De l'autre, Paris
avec sa garde nationale, son comité central et ses canons,
bien résolus à ne pas se livrer à la merci d'un pouvoir
qu'on regardait comme l'ennemi mortel de la République.

Le conflit pouvait-il être évité? Je réponds avec une conviction profonde : Oui! aussi bien qu'il pouvait être évité
en juin 1848. J'ai dit comment le Gouvernement de 1848,
avec une imprévoyance déplorable, avait en quelque sorte
provoqué le soulèvement du peuple par la dissolution précipitée des ateliers nationaux ; le Gouvernement de 1871
suivit les mêmes errements et fit surgir les mêmes catastrophes. Le différend n'était pourtant pas difficile à résoudre. Il fallait accepter la fédération proposée et nommer
pour commandant en chef de la garde nationale un général
sympathique et dévoué à la République. Cette double concession avait, au fond, si peu d'importance! En effet, la
question de la réorganisation de l'armée allait immédiatement se poser, et en vertu du principe du service obligatoire pour tous, la garde nationale devait forcément se dis-
soudre pour se fondre dans la force armée de la patrie.

En second lieu, il fallait, vu les sacrifices héroïquement

supportés par la population, et vu l'absence de travail, il fallait continuer, pendant quelques semaines, la paie des *trente sous* alloués à chaque garde national, et qui représentaient alors pour tant de familles l'unique moyen d'existence. Il fallait enfin, en se rappelant les quatre mois et demi de siége, montrer à Paris, par un témoignage de confiance éclatant, que la démocratie n'avait rien à redouter du nouveau gouvernement, puisque la capitale, pour unique récompense de ses efforts, ne demandait qu'une seule chose, le maintien de la République.

Le gouvernement, par les entrevues qui avaient eu lieu entre les délégués du comité central avec le ministre de l'intérieur et le général en chef de la garde nationale, savait pourtant bien que le comité central avait pris sur tous les bataillons une autorité incontestée, qu'il en était réellement l'àme, et qu'en n'accordant rien à Paris, on courrait le risque de voir éclater un conflit formidable. N'importe! le gouvernement était résolu à suivre la politique traditionnelle de la France, qui veut «que force reste à l'autorité», et M. Thiers fit afficher une proclamation où il tenait le même sempiternel langage de tous les pouvoirs : « Que les bons citoyens se séparent des mauvais ! » De telle sorte que les gardes nationaux qu'on traitait la veille comme des héros, n'étaient plus, le 18 mars, que de mauvais citoyens! Triste politique, qui n'est autre que la politique de la force que nous condamnions chez les Prussiens et que nous mettions nous-mêmes en pratique chez nous.

———

Le samedi matin, 18 mars, le gouvernement, décidé à brusquer le dénouement, envoie dès le matin des troupes, commandées par le général Le Comte, prendre les canons parqués sur les buttes de Montmartre. Les gardes nationaux, surpris, ne peuvent d'abord résister aux forces envoyées contre eux, et la tentative du général a d'entrée quelque succès; mais au cri d'alarme poussé par les citoyens, les bataillons de Montmartre accourent, les canons sont repris et ramenés triomphalement sur la place de la Mairie. Les soldats lèvent la crosse en l'air, et il ne reste plus au général Vinoy d'autre parti à prendre que de se replier sur Versailles avec les 20,000 hommes qu'il commande à Paris !

Cette affaire de Montmartre fut le seul engagement de la journée. A Montrouge, à Belleville, à Ménilmontant, la troupe avait de bonne heure fraternisé avec le peuple. A midi, la garde nationale était maîtresse de tout Paris; le comité central se rendait à l'Hôtel-de-Ville, et le gouvernement, épouvanté, se retirait lui-même à Versailles après avoir essayé de faire appel à la population, en affirmant, dans une dernière proclamation : « 1° Que le gouvernement » de la République n'avait et ne pouvait avoir en vue que » le salut de la République? 2° Que le comité central insur- » rectionnel ne représentait que les doctrines communistes » et mettrait Paris au pillage et la France au tombeau. »

Double déclaration maladroite; car, après avoir essayé de prendre les canons de la garde nationale, pourquoi parler du salut de la République; et quant à l'accusation de communisme, elle était de nature à exaspérer le peuple, car, s'il y avait des communistes au comité central, on peut affirmer que cette doctrine n'avait absolument aucune influence sur les bataillons qui se groupaient en masse autour du comité, et l'accusation du ministre ne pouvait qu'irriter les gardes nationaux.

Sous le coup de cette journée foudroyante, les maires et les députés de Paris tentèrent d'agir auprès de l'assemblée nationale, en lui soumettant, par Arnaud de l'Arriége, l'un de mes amis, une proposition demandant :

1° Que l'assemblée nationale se mît en communication permanente avec les maires de la capitale par les moyens que, dans sa sagesse, elle jugerait les meilleurs;

2° Qu'elle voulût bien autoriser les maires à prendre au besoin les mesures que le danger public réclamerait impérieusement, sauf à rendre compte de leur conduite;

3° Que l'élection du général en chef de la garde nationale fût fixée au 28 du mois courant;

4° Que l'élection du conseil municipal eût lieu même avant le 3 avril, si c'était possible;

5° Enfin, que la condition d'éligilité fût réduite à six mois, et que les maires et les adjoints procédassent à l'élection.

La démarche était louable, sans aucun doute, mais l'assemblée se montra aussi hostile que le gouvernement; car, sur le rapport de M. de Peyramont et après une déclaration de M. Thiers qui engagea M. Arnaud à retirer sa proposition, la demande fut retirée. L'assemblée montrait donc pour Paris la même aversion que le gouvernement. Toutes les lois intéressant Paris furent systématiquement écartées, et la capitale, livrée à elle-même, se trouva dans l'obligation stricte de songer à l'organisation d'un pouvoir. La vie sociale d'une cité de deux millions d'habitants ne s'arrête pas. Casimir Périer disait après les trois journées de Juillet : « Il » faut que les députés de l'opposition se réunissent pour » remédier aux périls qui peuvent menacer la sûreté des » personnes et des propriétés. La première chose à faire, » c'est de nommer une commission municipale chargée de

» veiller à tout ce qui concerne les intérêts de la capitale.
» Son siége sera à l'Hôtel-de-Ville. »

C'est précisément ce que le comité central voulait faire :
il y eut bien encore à Paris des tentatives de réconciliation
engagées entre les maires de Paris et des membres du comité central ; mais l'entente ne put se faire, et le comité
central annonça que les élections municipales auraient lieu
le 26 mars, et qu'il remettrait le lendemain ses pouvoirs à
la Commune.

───────────

La Commune allait donc arriver, et, devant son avénement, que rien ne pouvait arrêter, mon premier mot est
pour dire ce que j'en pensais, dans les circonstances si critiques où elle allait se réunir.

Le mouvement devait être envisagé sous deux aspects :
la politique et la liberté municipale.

Au point de vue politique, il était clair qu'en présence
de l'assemblée nationale élue par la France, et les Prussiens
qui occupaient 38 départements et entouraient encore Paris,
le mouvement du 18 mars ne pouvait guère aboutir comme
pouvoir gouvernemental. Les Prussiens laissaient agir Paris,
parce que la guerre civile faisait leur jeu ; c'était une cause
de plus d'affaiblissement pour la France. Mais jamais l'empereur Guillaume et M. de Bismarck n'auraient laissé le
gouvernement de la France à la Commune, et le mouvement
du 18 mars avait ainsi contre lui, au point de vue politique,
l'assemblée, le gouvernement, l'armée, la plus grande partie
du pays et la Prusse. Enoncer ces difficultés, c'était démontrer l'impossibilité de les surmonter.

Au point de vue des franchises municipales, au contraire,

la Commune pouvait devenir, pour la France, le point de départ d'une situation nouvelle pleine d'avantages incomparables. En effet, en s'appliquant à ne pas dépasser ces limites, on pouvait compter sur une entente entre Paris et Versailles. Et cette entente une fois établie, quels bienfaits n'en retirait-on pas ? On arrivait forcément à la reconnaissance de la République, et, par la République, à la certitude de prochaines réformes sociales.

C'était là la voie sûre. Je le dis hautement, comme je le pensais alors : la Commune, en visant à une révolution et en se faisant gouvernement, a lâché la proie pour l'ombre. Et si cette conviction était enracinée chez moi avant le dénoûment, de quels arguments ne s'est-elle pas fortifiée depuis trois ans que nous assistons au déchirement de toutes les fureurs réactionnaires ?

———————

A l'heure même où le comité central faisait procéder aux élections qui allaient constituer la Commune, j'étais sur mon lit en proie à de vives souffrances et ne songeant nullement à me présenter comme candidat. Comme j'avais décliné pour l'Assemblée nationale toute candidature, je pensais que ce premier refus, ma vieillesse et mon état de maladie, empêcheraient le comité de porter mon nom sur aucune liste.

Je me trompais. On vint m'apprendre que mon nom avait été mis en avant dans plusieurs réunions pour le 6e arrondissement. J'en fus péniblement affecté, tant je me considérais comme hors d'état de rendre le moindre service. Mais ne voulant pas laisser les choses aller jusqu'au bout, je me rendis à une réunion électorale, à l'école de médecine, pour déclarer publiquement que je déclinais toute candidature et pour inviter le comité à remplacer mon nom par celui d'un autre citoyen.

Cette démarche accomplie, je me considérais comme complétement en dehors du mouvement électoral du 26 mars, quand un ami vint m'apprendre, le dimanche matin, que mon nom figurait encore sur des bulletins. Je me levai fort mécontent, car je tenais à prendre le repos ordonné par mon médecin, et je visitai, l'une après l'autre, chacune des sections du 6e arrondissement, pour interdire la distribution des bulletins qui portaient mon nom.

En examinant ces bulletins, je m'aperçus qu'en mettant mon nom en tête, on l'avait fait suivre de noms que je considérais comme hostiles à la démocratie, et la liste se terminait par le nom du docteur Goupil. J'attribuai dès lors la publication de ces bulletins au docteur, que je recherchai aussitôt pour lui faire de justes reproches. Je le rencontrai rue Madame, et, en pleine rue, je lui demandai comment il avait pu se permettre de poser ma candidature, quand il savait bien que j'avais publiquement repoussé toutes les ouvertures qui m'avaient été faites. Le docteur Goupil s'excusa, en mettant en avant des considérations toutes flatteuses pour moi ; mais, loin d'accepter ces explications, je le sommai de faire ce que je venais de faire moi-même, c'est-à-dire de parcourir les sections pour s'opposer à la distribution de ces bulletins. Le docteur me promit de faire ce qu'il pourrait à cet égard, et je rentrai chez moi plein d'irritation contre la candidature qu'on venait ainsi de m'imposer malgré mes déclarations et mes démarches.

Le lendemain, on venait m'apprendre que j'étais nommé membre de la Commune pour le 6e arrondissement. C'était, on l'a vu, bien malgré moi, et j'hésitai, je l'avoue, sur la conduite que j'avais à tenir. Enverrais-je ma démission? J'étais assurément assez malade pour prendre cette résolution. Mais c'était paraître déserter la cause populaire le jour de son avénement et à l'heure où elle était environnée de périls. Je me décidai donc à me rendre à la première séance, pour donner à mes amis l'assurance que j'étais toujours avec eux de corps et d'âme, et pour leur montrer qu'il y avait pour eux avantage à prendre des défenseurs jeunes et vaillants, et non un vieillard et un invalide tel que je l'étais en ce moment.

Le 28 mars avait lieu à l'Hôtel-de-Ville, au milieu d'une foule immense, la proclamation des résultats du vote communal. A quatre heures, les membres du comité central apparaissaient sur l'estrade dressée devant la porte principale, et l'un d'eux lit le résultat du scrutin. Deux discours sont prononcés, et le président déclare que la Commune est proclamée.

La Commune tient immédiatement sa première séance. J'étais son doyen d'âge, et, à ce titre, on m'invite à monter au bureau. En prenant la parole, je tenais, autant que possible, à bien préciser le caractère de la révolution du 18 mars, et à la rattacher au grand principe de l'affranchissement des communes. Voici le texte de ma courte allocution :

« Citoyens,

» Votre présence ici atteste à Paris et à la France que la Commune est faite, et l'affranchissement de la commune de

Paris, c'est, nous n'en doutons pas, l'affranchissement de toutes les communes de la République.

» Depuis cinquante ans, les routiniers de la vieille politique nous bernaient avec les grands mots de décentralisation et de gouvernement du pays par le pays. Grandes phrases qui ne nous ont rien donné !

» Plus vaillants que vos devanciers, vous avez fait comme le sage qui marchait pour prouver le mouvement, vous avez marché, et l'on peut compter que la République marchera avec vous !

» C'est là, en effet, le couronnement de votre victoire pacifique. Vos adversaires ont dit que vous frappiez la République ; nous répondons, nous, que si nous l'avons frappée, c'est comme le pieu que l'on enfonce plus profondément en terre.

» Oui, c'est par la liberté complète de la commune que la République va s'enraciner chez nous. La République n'est plus aujourd'hui ce qu'elle était aux grands jours de notre Révolution. La République de 93 était un soldat qui, pour combattre au dehors et au dedans, avait besoin de centraliser sous sa main toutes les forces de la patrie ; la République de 1871 est un travailleur, qui a surtout besoin de liberté pour féconder la paix.

» *Paix et travail!* voilà notre avenir ! Voilà la certitude de notre revanche et de notre régénération sociale, et ainsi comprise, la République peut encore faire de la France le soutien des faibles, la protectrice des travailleurs, l'espérance des opprimés dans le monde, et le fondement de la République universelle.

» L'affranchissement de la commune est donc, je le répète, l'affranchissement de la République elle-même, chacun des groupes sociaux va retrouver sa pleine indépendance et sa complète liberté d'action.

» La commune s'occupera de ce qui est local;

» Le département s'occupera de ce qui est régional;

» Le gouvernement s'occupera de ce qui est national.

» Et disons-le hautement : la commune que nous fondons sera la commune modèle. Qui dit travail, dit ordre, économie, honnêteté, contrôle sévère, et ce n'est pas dans la Commune républicaine que Paris trouvera des fraudes de 400 millions.

» De son côté, ainsi réduit de moitié, le gouvernement ne pourra plus être que le mandataire docile du suffrage universel et le gardien de la République.

» Voilà, à mon avis, citoyens, la route à suivre ; entrez-y hardiment et résolûment. Ne dépassons pas cette limite fixée par notre programme, et le pays et le gouvernement seront heureux et fiers d'applaudir à cette révolution, si grande et si simple, et qui sera la plus féconde révolution de notre histoire.

» Pour moi, citoyens, je regarde comme le plus beau jour de ma vie d'avoir pu assister à cette grande journée, qui est pour nous la journée du salut. Mon âge ne me permettra pas de prendre part à vos travaux comme membre de la Commune de Paris ; mes forces trahiraient trop souvent mon courage, et vous avez besoin de vigoureux athlètes. Dans l'intérêt de la propagande, je serai donc obligé de donner ma démission; mais soyez sûrs qu'à côté de vous, comme auprès de vous, je saurai, dans la mesure de mes forces, vous continuer mon concours le plus dévoué, et servir, comme vous, la sainte cause du travail et de la République.

« *Vive la République! Vive la Commune!* »

Ce discours, je puis le dire, produisit le meilleur effet, aussi bien à Versailles qu'à Paris. En ramenant à une question de franchises municipales la journée du 18 mars, il faisait surgir dans tous les esprits cette pensée, qui était vraiment la pensée du salut, l'acceptation d'un programme commun pour les deux pouvoirs de Paris et de Versailles. Les journaux conservateurs, comme les journaux républicains, y applaudirent unanimement, et *Paris-Journal,* dont on ne suspectera pas les opinions, disait alors :

« A peu de choses près, tous les hommes sensés, tous
» ceux qui ont vraiment à cœur le bien du pays, peuvent
» souscrire à tout ce que demande, à tout ce que souhaite
» le discours d'inauguration de la Commune. Dans tout ce
» que nous avons écrit, depuis la révolution du 18 mars, il
» n'est pas une ligne qui soit en contradiction avec le pro-
» gramme proposé par M. Beslay à ses collègues. »

Malheureusement, le programme que j'avais formulé n'était pas de nature à donner satisfaction aux aspirations aussi ardentes que tranchées de la majorité de la Commune. Dès le lendemain, l'assemblée de l'Hôtel-de-Ville s'attribuait les prérogatives du gouvernement et publiait des décrets qui faisaient la loi à la France entière.

Je donnai ma démission, ainsi que je m'étais promis de le faire. A cette nouvelle, tous les membres de la Commune m'exprimèrent, avec les démonstrations les plus sympathiques, les regrets que ma détermination pouvait leur inspirer. Je ne fus certainement pas insensible à ces témoignages d'estime et d'affection. Mais ce ne fut pas là le motif grave qui me fit rester à l'Hôtel-de-Ville. L'attitude que venait de prendre la Commune vis-à-vis du gouvernement et de l'Assemblée, créait à Paris une situation unique dans son histoire.

Pour juger de l'intensité de cette crise, il faut bien se rendre compte de l'état dans lequel le pouvoir avait laissé Paris. Voici la situation telle que l'a décrite un écrivain qui défendait la révolution du 18 mars :

« Au 18 mars, le gouvernement dit *légal* avait fui.

» Derrière lui avaient fui l'armée, la police, l'administra-
» tion, la magistrature.

» Plus un seul représentant officiel de la société organi-
» sée. Pas même un simple employé.

» Vides les ministères, vides les casernes, vide la préfec-
» ture de police, vides les tribunaux, depuis la cour de
» cassation jusqu'à l'humble salle de la justice de paix.

» Vides les mairies, vide l'administration des postes.

» Vides les caisses, car tous ces fuyards, tous ces déser-
» teurs, ne manquaient jamais de sauver la caisse.

» La table rase la plus complète qu'on ait jamais vue. »

Table rase, en effet, mais ce vide montrait précisément, au point de vue de Paris seul, l'immensité de la tâche que la Commune avait à remplir. Que l'on complète ce tableau par la perspective de la guerre civile qui allait déchirer Paris et Versailles, et l'on se dira probablement comme moi qu'il y avait certainement place dans ce conflit pour tous les hommes de bonne volonté. Quand la maison brûle par tous les bouts, il y a lâcheté à ne pas accourir pour former la chaîne !

Autre considération. La grande majorité de l'Assemblée était composée d'hommes politiques très-capables de discu-ter et de défendre les questions de politique générale. Mais

les questions d'affaires, de crédit, de finance, de banque,
qui avaient pour Paris, comme pour Versailles, une importance de premier ordre, avaient besoin du concours d'hommes spéciaux, qui ne se trouvaient qu'en très-petit nombre
à la Commune. La Banque de France, par exemple, qui
restait à Paris et qui devait avoir des rapports avec le pouvoir de l'Hôtel-de-Ville, devait être l'objet d'une attention
toute spéciale.

Toutes ces raisons agirent puissamment sur mes dispositions et m'engagèrent à rester à mon poste, si je voyais la
possibilité de me rendre utile. Dès le lendemain, j'étais
nommé membre de la commission des finances et délégué
à la Banque de France. Je me dis que je pourrais rendre
des services en remplissant ce double mandat, et je restai.
On trouvera, dans le chapitre suivant, ma délégation à la
Banque de France.

L'assemblée de la Commune se trouvait partagée en deux
camps, celui de la majorité et celui de la minorité. La majorité, persuadée qu'après s'être constituée comme gouvernement, elle devait agir révolutionnairement, prenait les
mesures les plus radicales et les plus violentes. Le Comité
de Salut public de 1793 est toujours resté l'idéal des révolutionnaires de France. La minorité, dont je faisais partie,
votait sans doute contre ces mesures ; mais son action ne
se bornait pas à combattre, par son vote, les résolutions
proposées. En dehors des délibérations et des actes de l'assemblée, l'influence personnelle de chacun des membres
de la minorité se faisait sentir, et, pour mon compte, je n'ai
jamais refusé mon concours pour redresser tous les actes

qui me paraissaient répréhensibles et pour faire sortir de prison les personnes que je trouvais arrêtées injustement.

Quelques faits pour le prouver.

La visite domiciliaire qui eut lieu, le 21 avril 1871, à la Compagnie du Gaz, et qui se termina par l'enlèvement de tout l'argent trouvé dans les caisses de la Société, avait soulevé avec raison les protestations de la presse. J'ignorais encore le fait quand je reçus, le 22 avril, à sept heures du matin, la visite du sous-directeur de la compagnie, que je connaissais très-bien depuis longtemps, et qui me mit au courant des faits dont il venait me demander le redressement : la somme enlevée était de 183,210 fr. 32 c., et la compagnie en avait besoin pour la paye de ses employés et de ses ouvriers. C'était manifestement un malentendu, car il était impossible de supposer que la Commune pût ordonner de pareilles expéditions.

— A première vue, lui dis-je, je puis vous donner l'assurance que les officiers du 208e bataillon ont outrepassé leurs ordres, et je vais, en sortant, m'occuper de votre affaire. Il faut qu'elle se règle sans aucun retard.

— Je n'attendais pas moins de votre bonne amitié, me dit le sous-directeur, et vous voyez que c'est àvous que je fais ma première visite.

Je me rends à l'Hôtel-de-Ville et j'y laisse, en l'absence des membres de la commission exécutive, une note pressante relativement à cette affaire. J'avertis la compagnie de ma démarche, et trois heures après, elle recevait la dépêche suivante :

« *Exécutif à la Compagnie du Gaz.*

» Regrettons l'incident d'hier ; faisons le nécessaire, pour

» remboursement des sommes requises. Au besoin, finances
» assureront votre service de payement. »

J'étais bien sûr de ne pas me tromper, en affirmant que
le 208ᵉ bataillon était allé trop loin. Les agents de la Commune encouraient souvent les reproches que faisait Talleyrand aux agents de la Restauration, quand il leur disait :
Trop de zèle ! Trop de zèle !

J'aurais beaucoup à dire, si je voulais raconter avec détail tout ce que j'ai fait pour rendre à la liberté les personnes qu'on arrêtait sans motifs sérieux.

Quelques souvenirs suffiront :

Le général Chanzy. — L'une de mes premières démarches
fut d'aller voir le général Chanzy dans sa prison, et de
m'assurer qu'il était traité avec tous les égards qui lui
étaient dus. Je lui apportai des livres et des journaux, et
lui donnai l'assurance que j'allais m'occuper activement de
son élargissement. Le général Chanzy avait été arrêté le
19 mars. C'était encore le comité central qui occupait
l'Hôtel-de-Ville, j'y avais des amis et n'eus pas de peine à
obtenir d'eux la promesse que la question de l'emprisonne-
ment du général serait soumise au conseil. Le comité central discuta, en effet, la question, et décida que le général
serait rendu à la liberté.

Le capitaine de Nazelle. — La même décision fut prise à
l'égard du capitaine de Nazelle, du 14ᵉ chasseurs à cheval,
qui avait été arrêté avec le général Chanzy ; le général Langouriau, qui était leur compagnon de captivité, ne fut élargi
que quelques jours après. Le capitaine de Nazelle vint me
voir à sa sortie, et le 26 mars 1871 il m'écrivait une lettre

dictée par les sentiments les plus élevés et dans laquelle il me disait : « Vous avez bien voulu vous intéresser à moi et » obtenir ma mise en liberté. Je n'oublierai jamais que c'est » à vous que je dois peut-être d'avoir conservé la vie. »

Gustave Chaudey. — C'était un de mes amis. Il avait vécu, comme moi, dans l'intimité de Proudhon. Je ne pus, hélas! l'arracher à la haine implacable de Raoult Rigault. Mais je fis du moins tout ce que je pus pour atténuer l'horreur de sa situation. Je forçai la consigne pour le voir. Je me proposai comme caution avec Cernuschi pour le faire sortir. Malheureusement, j'eus la douleur de voir échouer tous mes efforts.

L'abbé Simon, curé de Saint-Eustache. — L'abbé Simon m'avait été recommandé par un ami comme un prêtre excellent, très-aimé dans le quartier des Halles. Je fis valoir auprès de Raoult Rigault les considérations qu'on m'avait présentées, et l'abbé sortit immédiatement de prison. Je reçus le lendemain sa visite, et notre entrevue fut des plus cordiales.

L'abbé Perny, missionnaire. — L'abbé Perny, qui faisait partie des prisonniers détenus comme ôtages à la Roquette, était dans une situation plus difficile. Raoult Rigault, qui se plaignait de ma tolérance et qui me témoignait plus que de la froideur, ne voulait pas accorder sa mise en liberté. Je tournai la difficulté en faisant présenter la demande d'élargissement par la *Société asiatique de Paris,* dont l'abbé Perny faisait partie. La démarche ainsi appuyée, et recommandée par une apostille de M. J. Mohl, de l'Institut, ouvrit pour le missionnaire les portes de la Roquette.

M. Lenchez, employé au ministère de la guerre. — M. Lenchez m'avait été recommandé chaudement par M. La Ro-

chelle, l'un de mes amis, ancien secrétaire de M. Mignet.
A la préfecture de police, M. Lanchez passait pour un
homme très-compromis ; je plaidai sa cause, et je fus assez
heureux pour obtenir sa mise en liberté.

Glais-Bizoin. — Mon cher compatriote et ami Glais-Bizoin
eut trois fois la malencontreuse aventure d'être arrêté, et
trois fois je le fis mettre en liberté.

Je pourrais multiplier ces citations ; ces faits suffisent
pour bien établir qu'on n'a jamais invoqué en vain mon intervention pour mettre un terme à une infortune imméritée.

On voit que l'accomplissement du mandat de la Commune
n'était pas une sinécure. Il eût fallu doubler ses forces, son
courage et son temps pour arriver à mettre sa besogne à
jour.

Pour mon compte, dès que j'eus pris la résolution de
rester au poste qui m'avait été confié, je ne perdis jamais
de vue les deux principaux objectifs qui m'avaient décidé
à rester à la Commune : la conservation de la Banque et
l'entente à rétablir entre Paris et Versailles.

Cette réconciliation entre la Commune et le Gouvernement
apparaît aujourd'hui comme une chimère irréalisable, parce
qu'on n'a plus devant les yeux que le gouffre creusé par les
derniers jours de la Commune entre la bourgeoisie et le
peuple. Mais pendant deux mois que la Révolution du 18
Mars a occupé l'Hôtel-de-Ville, on peut affirmer qu'il ne
s'est pas passé une journée, une heure, sans que tous les
esprits sincères n'aient travaillé à chercher et à trouver une
base de négociations acceptable pour les deux parties en
présence.

Il suffit, pour s'en convaincre, d'énumérer les tentatives qui se sont succédé à Paris et dans les départements :

Projets divers des maires et des députés de Paris ;

Projet de l'Union républicaine des droits de Paris ;

Projet des Syndicats du commerce et de l'industrie ;

Projet de la délégation de la Municipalité lyonnaise ;

Projet d'une délégation du Havre.

Cette délégation, dont je connaissais particulièrement l'un des membres, m'était adressée personnellement, en vue de s'entendre avec moi sur la meilleure combinaison à présenter au gouvernement. Malheureusement, je ne pus lui laisser la moindre espérance, parce qu'au fur et à mesure que se précipitaient les événements, M. Thiers montrait l'opposition la plus opiniâtre à toutes les propositions qui lui étaient apportées. J'avertis la délégation du Havre de ces dispositions, et les envoyés revinrent, en effet, à Paris, sans avoir même pu conférer avec le chef du pouvoir exécutif !

On ne peut donc contester ce fait, qui honore Paris et les départements, c'est que la voix de la France entière se faisait entendre pour demander la cessation de la lutte et une pacification entre Paris et Versailles. Ce sentiment profond avait si bien pénétré tous les cœurs, qu'on vit la franc-maçonnerie, après avoir adhéré publiquement aux principes de la Commune, faire un dernier effort en faveur de la paix en allant, dans une manifestation solennelle, planter les bannières de l'association sur les fortifications de Paris, et tenter de ramener la politique de Versailles à des résolutions plus humaines et plus acceptables. Admirable démonstration, qui se fit avec une pompe religieuse, mais qui n'eut pas plus de succès que toutes les démarches accomplies auparavant !

Le mouvement municipal, si fortement prononcé dans toutes les grandes villes de France, était méconnu par M. Thiers; les négociations tentées auprès de lui étaient repoussées, les projets les plus modérés étaient impitoyablement rejetés.

Que restait-il à faire ?

C'est alors que j'arrivai à tirer des éléments de cette situation, tout à la fois si complexe et si horrible, la conclusion suivante : Si M. Thiers s'oppose à tout, c'est alors M. Thiers lui-même qui devient le seul et unique obstacle à la pacification. Que le chef du pouvoir exécutif, qui use et abuse de son autorité, donne sa démission, et Paris et Versailles trouveront plus facilement le trait d'union qui doit les unir.

J'avais sans doute peu d'espoir de réussir, mais l'insuccès probable est-il donc un motif d'abstention? Qui peut savoir jusqu'où peut porter une idée jetée dans le pêle-mêle des événements? Le devoir commandait donc d'essayer, et le 24 avril, je fis afficher sur tous les murs de Paris une Adresse à M. Thiers. La voici :

AU CITOYEN THIERS,

Chef du Pouvoir exécutif de la République française.

Citoyen président,

Une des grandes révolutions de la France, celle de 1830, me fit entrer dans la politique il y a quarante ans, et c'est comme député de l'opposition, assis sur les mêmes bancs que vous, que j'ai pu voir de près votre manière de considérer et d'apprécier les hommes et les choses de notre temps.

Une autre révolution, celle de 1848, me permit plus tard, comme représentant du peuple, de vous revoir également de près dans un milieu tout nouveau, et de me convaincre que, vous non plus, vous n'avez rien appris, rien oublié!!

Une troisième révolution — la plus grande et la plus juste! — éclate après vingt ans d'ignonomies, et me voilà, à la fin de ma carrière, séparé de vous par un abîme!

Pendant que vous tenez en main le drapeau de la République... *in partibus infidelium!* je siége sur les bancs de la Commune de Paris pour la défendre, cette grande République encore méconnue, et pour l'enraciner à jamais en France !

Partis du même point, nous arrivons, après quarante ans de luttes et de crises de toutes sortes, à siéger dans notre vieillesse aux deux pôles de la politique.

Pourquoi?

Parce que depuis le premier jour jusqu'au dernier, avec une obstination qui n'est égalée que par votre aveuglement, vous n'avez cessé de fermer les yeux à la lumière et de dénaturer, de dénigrer, de combattre avec une mauvaise foi manifeste, tout le travail de transformation sociale qui s'est accompli depuis cinquante ans en Europe.

Le monde marche, et vous, vous persistez, sans avancer d'un pas, à continuer votre piétinement sur place.

La démocratie s'élève et grandit, et sans vouloir ni l'interroger, ni la comprendre, vous ne savez lui opposer que la mitraille et le canon.

La République surgit, toujours renaissante, parce que l'on ne tue pas ce qui est dans la nécessité des choses! Et votre préoccupation dernière est d'en faire le marche-pied d'une quatrième Restauration.

Un monde a passé devant vous — le monde de la Révolution ! — Et vous, qui l'avez étudié, fouillé, raconté, vous ne l'avez pas encore compris. Qui dit Révolution, dit une Régénération dans les conditions du gouvernement, dans les institutions sociales, dans l'organisation du travail et de l'échange, et, gouvernement, démocratie, travail, vous avez persisté à vouloir tout renfermer dans les moules usés d'un passé impossible.

Le gouvernement? Vous ne l'avez jamais compris, vous, ministre d'une Révolution, qu'à la façon des maîtres que vous veniez d'expulser; vous avez toujours voulu et vous voulez encore tout régler, tout conduire, tout tenir dans votre main, comme si les générations mûres pour les plus larges réformes n'étaient encore que la nation mineure des siècles passés. Et cela est si vrai, que le gouvernement dont vous avez été l'inspirateur et l'homme d'Etat est tombé parce qu'il résistait à la plus inoffensive des réformes!

La démocratie? Ce mot seul vous fait frissonner d'horreur. Vous ne l'avez jamais vue se développer qu'avec épouvante. Le jour où la fusillade de la rue Transnonain nous réveillait en sursaut, vous vous pressiez de l'étouffer et de passer une éponge sur le sang versé! Et c'était tout. Faire de la politique, c'est prévoir, a-t-on dit. Dans ce cas, j'affirme que vous n'avez rien prévu, rien compris dans notre temps, et vingt ans après Transnonain, quand la démocratie se montrait encore debout, vous ne trouvez dans votre cœur et sur vos lèvres qu'un seul mot: *Vile multitude !*

Le travail? C'est le grand mot du monde nouveau qui se lève, et ce cri trouve aujourd'hui des échos dans tous les pays civilisés : aux Etats-Unis, en Angleterre, en Russie, en Allemagne. Eh bien! au milieu de ces revendications légitimes et incessantes de la grande famille des travailleurs, vous n'avez jamais su que vous cramponner aux institutions qui assurent la prépondérance du capital.

Je suis né, j'ai vécu, j'ai traversé la vie, comme vous, dans le monde de la bourgeoisie capitaliste; mais, comme un témoin parlant devant la justice éternelle, je dois déclarer que je n'ai jamais vu, dans le gouvernement du capital, les institutions rompre avec le passé pour tendre fraternellement la main au travail ! — Asservissement du travail au capital! tel est le fondement de votre politique, et le jour où vous avez vu la République du travail siéger à l'Hôtel-de-Ville, vous n'avez cessé de crier chaque jour à la France : « Ce sont des criminels! »

Des criminels? L'histoire, qui redresse les injustices de la politique et des gouvernements, l'histoire dira où sont en ce moment la justice et le crime.

Quels sont les criminels? Sont-ils du côté de ceux qui prouvent qu'ils étaient prêts à mourir pour Paris, pour la France et pour la République, ou du côté de ceux qui prêchaient d'un air funèbre la défense nationale, sans y croire? Sont-ils du côté de ceux qui criaient de marcher en avant, ou du côté de ceux qui ont chloroformisé Paris quatre mois et demi, tout en disant : « Nous ne capitulerons pas! » Sont-ils du côté de ceux qui meurent pour le maintien de la République, ou du côté de ceux qui veulent la conduire comme ils ont conduit la guerre et comme ils ont dirigé le siége de Paris ? A la vue de ce qui se passe, la France ne s'y trompera pas. En vous voyant faire appel aux soldats et aux canons, la France se dira : Versailles peut bien représenter la force, mais Paris représente le droit. Et la preuve que votre politique ne repose absolument que sur le chassepot et l'artillerie, c'est que si l'armée vous abandonnait à Versailles, comme le 18 mars à Paris, soudain gouvernement, ministère, assemblée, tout s'écroulerait en poussière. Vous ne représentez donc que la force, et sur ce point la lumière commence à se faire dans tous les esprits ; l'opinion s'éclaire, en voyant par quels actes et par quels hommes vous inaugurez le gouvernement de la République appelée à nous ouvrir une ère nouvelle. Vos actes ? Il n'en est pas un qui ne soit marqué au coin de l'inexpérience la plus déplorable. Question des échéances, question des loyers, question de la presse, tout est préparé, discuté, voté avec une telle ignorance des intérêts en présence, avec une telle étroitesse de vue, que, du jour au lendemain, vous vous voyez dans la nécessité de vous déjuger vous-même. Vous avez mis le comble à vos erreurs et à vos fautes le jour où vous avez forcé l'assemblée à revenir sur son vote pour garder dans la main du pouvoir la nomination des maires dans les grandes villes. Les grandes villes, c'est l'intelligence du pays, et au-dessus de l'intelligence de la France, vous ne mettez que l'ignorance des campagnes. Mais cette pression de votre gouvernement a démasqué vos combinaisons, et la ligue des villes va dérouter les projets que vous méditez.

Vos hommes ? Mais ce sont les hommes de l'Empire, les défenseurs de l'Empire, les états-majors de l'Empire, si bien qu'en voyant tout ce qui se passe, le journal inavouable qui ose encore soutenir à Londres l'idée d'une restauration bonapartiste a eu l'impudence de dire : « Sire, la France vous attend ! »

Oui, confessez-le, voilà où vous en êtes ! A n'avoir plus

d'autre recours, d'autre alternative, d'autre politique que celle-ci : Ou l'Empire, ou la République véritable avec ses conséquences !

Telle est l'alternative, tel est le choix. A vous de peser et de calculer toute la portée de la résolution que vous allez prendre, et c'est devant cette alternative redoutable qui fera la grandeur ou la décadence de la France et de l'Europe, — *cosaque* ou *républicaine*, — que je viens vous dire, moi, votre ancien collègue à la chambre des députés et votre ancien collègue à la chambre des représentants du peuple : Au nom du sang français qui coule et qui des deux côtés fait des veuves et des orphelins ;

Au nom de la patrie déchirée, meurtrie, démembrée et agonisante ;

Au nom de la capitale de la France, qui a réhabilité la patrie perdue et vendue par l'Empire ;

Au nom des grandes villes du pays, qui représentent l'intelligence, et qui demandent, comme Paris, le maintien de la République ;

Au nom de l'avenir, qui veut racheter le passé ;

Prenez une résolution décisive, radicale, la seule que la guerre civile vous impose, la seule que le salut de la patrie vous commande :

Donnez votre *démission!!*

Donnez votre démission, parce que deux mois de votre pouvoir exécutif n'ont que trop prouvé que vous n'étiez pas à la hauteur de la mission régénératrice qui incombe au nouveau gouvernement de la France.

Parce que, votre démission donnée, l'assemblée va se trouver en face de cette alternative, de se prononcer par un acte pour le maintien de la République et des franchises communales, ou de se tourner vers une tentative de Restauration, et, dans ces deux cas, la solution est certaine.

Si l'assemblée se tourne du côté d'une Restauration, le pays, éclatant comme un volcan, fera justice d'intrigues et de projets qui, après les quatre derniers gouvernements monarchiques de la France, achèveraient de conduire le pays à la ruine et à l'anéantissement.

Si l'assemblée, au contraire, en présence de l'abîme ouvert à ses yeux, a conscience des périls du présent et des nécessités de l'avenir, et se tourne irrévocablement du côté de la République et des libertés communales, la guerre civile s'éteint, l'entente devient facile, et la régénération du pays se fonde irrévocablement sur ces deux bases :

La Commune,

La République.

Ce rapide exposé de la situation suffit pour faire entrer dans votre esprit la vérité qui frappe aujourd'hui tout le monde.

Vous êtes l'homme du passé;

Il faut à la France des hommes qui représentent l'avenir.

Donnez votre démission !

Ch. BESLAY.

Paris, 24 avril 1871.

L'adresse fut beaucoup lue dans tous les quartiers; mais aussi beaucoup critiquée par les journaux conservateurs, qui regardaient, en ce moment, M. Thiers comme un dieu.

Aux critiques qui m'étaient adressées, je répondis par une seconde adresse que je reproduis également :

RÉPONSE A MES CRITIQUES.

Le président du Pouvoir exécutif de la République est *l'homme de la situation!* ont dit et répété avec le même entêtement que le premier jour, les aveugles qui s'obstinent à fermer les yeux à la lumière.

Mais personne n'a pu, en s'attachant à la réalité des choses, m'opposer un seul acte — pas un seul! — qui puisse montrer dans M. Thiers l'homme d'Etat capable de comprendre et de réaliser les revendications de la démocratie.

Personne n'a pu contester ce témoignage écrasant de tout son passé, nous montrant dans le ministre d'une Révolution l'ennemi le plus rebelle, le plus acharné du parti républicain.

Personne n'a pu me citer un acte de son gouvernement qui puisse se concilier avec le maintien des institutions républicaines. Questions politiques, questions des affaires, loi des échéances, loi de presse, loi de locations, circulaire Dufaure, tout se succède et s'enchaîne avec un caractère de réaction si passionné, que la trinité Thiers, Favre et Picard représente absolument, et par les paroles et par les actes, la trinité Persigny, Rouher, Ollivier.

Qu'importent les hommes, si les actes apportent la même politique, les mêmes haines, les mêmes mécomptes, les mêmes turpitudes et les mêmes ruines?

On s'obstine à répéter que M. Thiers soutient et engage son honneur à maintenir la République. Nous le savons, et nous reconnaissons que le citoyen Thiers va même jusqu'à dire : « *Tant que je serai au pouvoir!* » Aveu précieux et qui pourrait nous dispenser de toute réponse; car en voyant tomber sur le champ de la politique tant de semences monarchiques, on peut se demander si les citoyens doivent compter sur une moisson républicaine.

D'autres ont dit encore : — Mais la démission de M. Thiers vous mettrait en présence de l'assemblée, et que pouvez-vous attendre d'une majorité hostile à vos idées?

Je réponds :

L'assemblée nationale est moins hostile que le gouvernement à l'adoption des franchises municipales, et j'en trouve la preuve dans ce vote de la majorité qui enlevait au pouvoir la nomination des maires, vote que le chef du pouvoir exécutif a cru devoir faire annuler, en forçant l'assemblée à se déjuger et en remettant dans la main du gouvernement l'administration des plus grandes villes du pays !

Est-ce là l'autonomie des communes reconnue par M. Thiers, et qu'il avait *promise à Paris par la bouche de l'amiral Saisset?*

Est-ce là le témoignage de sa droiture et de sa bonne foi, qu'on m'accuse d'avoir injustement méconnues?

Sa bonne foi ! J'avais entre les mains une preuve écrasante de la versatilité de son esprit sur la grande question même qui nous agite en ce moment; je ne l'ai pas rappelée, le premier jour, pour ne pas mettre brutalement en contradiction avec lui-même le chef du pouvoir exécutif; mais, puisqu'à sa place c'est moi qui me vois en butte au même reproche, je tiens à prouver ici que pas un homme d'Etat, pas un ministre, pas un homme politique, pas un orateur, n'a défendu l'indépendance absolue de la Commune avec autant d'énergie que le président actuel de la République.

Voici le discours que prononçait M. Thiers à la tribune du corps législatif, dans la session de 1869, discours qu'il avait soin de faire distribuer à domicile aux électeurs de la 2me circonscription, qui l'avaient envoyé à la chambre.

M. Thiers, après avoir accusé vigoureusement les gaspillages honteux du préfet Haussmann, démontre que le budget de Paris, qui n'était que de 50 millions sous M. Rambuteau, s'est élevé à 250 millions sous M. Haussmann, c'est-à-dire *deux fois le budget de la Bavière, presque deux fois celui de la Belgique, la moitié du budget de la Prusse d'il y a quinze ans* (sic), et s'écrie :

« Eh bien, quels moyens avons-nous à notre disposition pour remédier à un tel état de choses? Messieurs, nous n'avons qu'un expédient (mouvement) : Le budget de la ville de Paris sera voté par le corps législatif.

» Il ne faut pas vous le dissimuler : cet expédient est une violation de tous les principes; car enfin il n'y a pas de *ville de France* qui ne soit appelée à voter elle-même les *impôts perçus sur sa propre subsistance.*

« Pour les impôts généraux qui sont affectés au service de l'Etat, c'est vous qui les votez, rien de plus naturel ; mais enfin toutes les villes, grandes et petites, doivent seules voter leurs impôts et leurs propres dépenses.

» Eh bien! cette ville de Paris que vous appelez la reine des cités, sur laquelle vous posez une couronne; cette ville, après l'avoir bien louée, bien magnifiée, vous venez lui dire : *Vous êtes incapable de vous gouverner vous-même; nous vous gouvernerons, et nous arrêterons nous-mêmes votre budget.*

» Cette reine des cités, c'est la traiter d'une manière bien étrange ! Comment! tandis que les cités qui ne sont pas reines s'administrent elles-mêmes, la reine des cités sera administrée par un conseil judiciaire?

» Quant à moi, messieurs, ce n'est pas une flatterie que je vous adresse, je ne vous flatte jamais, j'ai l'habitude de ne flatter personne; mais je le dis sincèrement, j'ai parfaite confiance dans le corps législatif, dans celui qui existe comme dans celui qui viendra, et je n'ai pas pour la ville de Paris d'inquiétude sur la manière dont vous gérerez ses affaires;

toutefois, il faut l'avouer, cet expédient est *une violation étrange de tous les principes*.

» Mais lorsque je dis à beaucoup d'hommes sensés de cette chambre, avec lesquels j'ai l'honneur de m'entretenir quelquefois de ces graves questions, lorsque je leur dis : Il faut donner à Paris le régime qu'on a donné à toutes les autres villes de France, je vois l'épouvante sur leurs visages, et ils me répondent :

« *Comment, vous, M. Thiers, qui avez la prétention* » *d'être un homme d'ordre, vous voulez établir à Paris un* » *conseil électif!* »

» Et je m'arrête devant cette épouvante ; mais permettez-moi, Messieurs, de vous exprimer très-simplement une remarque que je ne puis m'empêcher de faire à cette occasion :

» Comment! Paris a été administré pendant seize ans, par l'excellent comte de Rambuteau, au moyen d'un conseil électif!

» *Un membre.* — C'était le suffrage universel restreint.

» *M. Thiers.* — Ah! j'attendais cette réponse ; oui, c'était le suffrage universel restreint.

» Eh bien! je dénonce une comédie qui depuis quelques années se joue dans le pays, et qu'on ne devrait pas jouer plus longtemps. *(Très-bien! à la gauche de l'orateur.)*

» Lorsqu'il s'agit de vous qualifier de gouvernement national, lorsqu'il s'agit de donner au trône l'appui de ce grand principe de la nation appelée tout entière à voter, vous nous dites, à nous qui demandons la liberté : Taisez-vous, vous avez le suffrage universel! vous êtes la plus libre des nations! — Et quand il s'agit de venir vous demander l'application de ce principe, qui, selon vous, constitue votre carac-

tère national, vous dites : *Non, non, n'y songez pas, ce serait trop dangereux* !

» Et moi, je vous réponds :

» Qu'il faut cesser de vous vanter d'avoir fait reposer le
gouvernement sur un principe essentiellement national, ou
il faut avouer, si vous ne croyez pas pouvoir rendre à Paris
ses droits, qu'au fond vous vous êtes conduits comme les
plus imprudents des hommes. C'est à vous à sortir de cette
alternative :

» Ou donnez à Paris tous ses droits, ou cessez de nous
dire que vous avez fait reposer le gouvernement sur la nation tout entière. *(Très-bien! sur plusieurs bancs à la gauche de l'orateur. — Mouvements divers.)*

» Quoi qu'il en soit, j'accepte l'expédient en le condam-
nant ; je l'accepte, parce qu'on n'en offre pas d'autre. Mais
en l'acceptant, *je vous en laisse la responsabilité.*

» Il est cruel, en effet, lorsqu'on est entraîné dans ce torrent de folies et quand on cherche à s'attacher à une branche, de n'avoir dans la main, pour branche unique, qu'une
éclatante violation de tous les principes.» *(Vive approbation
à la gauche de l'orateur.)*

Que pourrais-je ajouter à ce discours !

Il n'est pas un membre de la Commune qui puisse se
vanter d'avoir prononcé une plus éloquente défense des
franchises municipales !

Que pouvons-nous attendre d'hommes politiques qui n'ont
d'autre mobile que leur intérêt, d'autre ambition que celle
de leur propre fortune, d'autre règle que celle des inconsé-
quences et des contradictions dont ils ont rempli leur vie ?

Un seul mot en finissant :

En attaquant « *l'homme indispensable* », je n'ai fait qu'obéir au cri de ma conscience.

Faut-il donc que le même aveuglement nous conduise toujours aux mêmes désastres?

Le lendemain de l'entrevue de Ferrières, quiconque eût osé attaquer Jules Favre disant : « Ni un pouce de notre territoire, ni une pierre de nos forteresses », eût été mis en pièces.

Le lendemain du 31 octobre, quiconque osait s'attaquer au général Trochu était considéré comme vendu aux Prussiens.

Eh bien! le témoignage des hommes du 4 septembre est là pour confirmer mon dire. Quelques jours après le retour de Ferrières, en allant me présenter à l'Hôtel-de-Ville pour une mission périlleuse, j'ai dit aux membres du Gouvernement de la défense nationale qu'ils n'avaient pas l'énergie nécessaire pour sauver le pays et qu'ils succomberaient à la tâche.

Le lendemain du 31 octobre, le jour où le général Trochu flétrissait cette journée « comme criminelle », je lui répondais par une adresse publiée dans tous les journaux démocratiques et je lui disais que « je revendiquais ma part de » ce crime, et que cette journée glorieuse pour la démo- » cratie serait un jour sa condamnation éclatante. » — Qui a eu tort? qui a eu raison?

Une dernière fois, faut-il donc attendre que le chef exécutif du gouvernement de la République ait livré, pieds et poings liés, la démocratie à la réaction triomphante, pour croire à un écrasement auprès duquel pâliront les souvenirs de la transportation de Juin et du 2 Décembre !

Nous persistons à demander la démission du président de

la République, parce que cette démission rend manifestement la solution plus facile.

Paris demande la Commune et la République; la ligue
des villes, chaque jour grandissante, nous est un sûr ga-
rant que l'assemblée s'empresserait de les acclamer.

Donc, une dernière fois, citoyen président, faites cesser
le feu et donnez votre démission!

Ch. BESLAY,
membre de la Commune.

Mais bien loin de vouloir se prêter au moindre accommodement, M. Thiers prononça un discours où il déclarait,
avec un parti-pris impitoyable, que l'insurrection ne devait
plus avoir d'autre recours que *la clémence du pouvoir*. Je
frémis à la pensée de ce dénouement, qui me rappelait celui
de juin 1848, et je complétai la campagne que j'avais commencée en publiant une réponse à M. Thiers, que je tiens
également à mettre sous les yeux de mes lecteurs:

RÉPONSE A LA PROCLAMATION DE Mr THIERS.

Monsieur le président,

I

Le jour où je me suis adressé à vous, comme l'un de vos
plus anciens collègues, pour vous démontrer que vous ne
pouviez être qu'un obstacle à l'avénement de la démocratie,
les hommes de la politique bourgeoise qui vous entourent
et qui s'inclinent devant vous comme devant « l'homme de
la situation », m'ont tous universellement condamné.

Le jour où l'on vous a vu pousser votre ministère dans
cette voie d'une politique implacable, qui considère la conciliation « *comme un crime doublé d'hypocrisie* », et qui ne

voit dans la grande Révolution accomplie à Paris « *qu'une
révolte qui n'a d'autre recours que la clémence du pouvoir
exécutif* », les hommes les plus sérieux qui s'attachent à
votre gouvernement comme à l'arche du salut ont commencé à douter de votre clairvoyance et de votre capacité.
La lumière a commencé à se faire dans les esprits.

Le jour où tous les citoyens de France auront lu, discuté
et commenté votre dernière proclamation, il n'y aura plus
qu'une voix dans le pays pour déclarer que ce langage, tenu
le lendemain des élections municipales du 30 avril, démontre, avec la dernière évidence, que vous ne comprenez rien
au gouvernement de la démocratie.

Hier, j'avais tort, et demain, sans aucun doute, le témoignage unanime de l'opinion reconnaîtra, sur les ruines de
votre pouvoir éphémère, que j'avais raison.

Pourquoi faut-il que cette cruelle expérience ne s'achète
qu'avec le sang de la Patrie? Pourquoi faut-il que vos préjugés, vos préventions, votre haine de la *vile multitude*,
soient venus une dernière fois dresser, au milieu de nos
désastres, l'éternel antagonisme qui met chez nous face à
face le Gouvernement et la Commune, la Bourgeoisie et le
Peuple, le Capital et le Travail, le Pouvoir et la République?

II

Vous invoquez le suffrage universel. Faut-il donc vous
rappeler que vous, l'un des auteurs de la loi du 31 mai,
vous ne l'avez jamais interrogé qu'à la façon des habiles
qui ne cherchent dans la loi que le moyen de l'éluder?

Au lieu de vous dire : la lettre tue et l'esprit vivifie; au
lieu de chercher dans le suffrage universel ce qui pourrait
nous unir, vous ne le mettez en avant que pour perpétuer
l'effusion du sang !

La preuve de ce que j'avance, vous nous la donnez vous-même par la politique que vous tenez à l'égard des conseillers municipaux qui viennent d'être élus. Jamais le suffrage universel n'est plus sincère et plus vrai que dans les manifestations des conseils municipaux, parce que là tout se passe en pleine lumière et sur un terrain connu de tous les électeurs.

Eh bien! le suffrage universel vient d'y condamner votre politique de haine, d'antagonisme, de guerre et de sang. L'avez-vous respecté? Au lieu d'écouter cette voix sortie des entrailles du pays et qui vous commande de respecter la République et la Commune, vous continuez votre bombardement contre Paris, et vous lancez comme un obus, contre le congrès des conseils municipaux, la loi de 1834! Voilà votre respect du suffrage universel!

III

Et comme si vous sentiez se briser dans vos mains le pouvoir que vous tournez contre nous, vous n'oubliez jamais, dans vos proclamations, de montrer suspendue sur notre tête la menace d'une intervention prussienne.

Vous savez pourtant que la Commune a reconnu, comme votre gouvernement, les préliminaires de paix, et par conséquent l'obligation de payer l'indemnité de guerre.

Je vais plus loin, Monsieur le président, j'affirme, et je suis prêt à le prouver, que le payement de cette indemnité, qui doit passer comme une trombe sur le pays, s'effectuera mille fois plus facilement avec le système de la Commune qu'avec votre gouvernement. Sur ce point, l'opinion n'a même plus aucun doute aujourd'hui.

Votre gouvernement ne représente que le passé avec ses

charges, ses abus, ses priviléges et ses exploitations sécu-
laires; et cela est si vrai, que pour payer l'indemnité de
5 milliards vous ne songez qu'à l'emprunt!

La Commune, au contraire, qui n'a pour pivot que l'in-
térèt général, et qui ne pactise avec aucun abus saura
trouver les moyens de se libérer de cette lourde obligation
sans écraser le pays sous le poids de sa dette publique et
sans faire peser ce legs de votre politique sur la masse des
travailleurs des villes et des campagnes!

IV

Chose vraiment lamentable! Il n'est pas une seule de vos
assertions qui ne soit un travestissement des faits et un
outrage à la vérité.

Vous ne parlez que de révolte, comme s'il était possible
de faire considérer comme une émeute vulgaire une révolution accomplie sur une grande question politique par une
capitale de 2 millions d'habitants, qui a juré de ne plus retomber sous le servilisme de ses gouvernants passés!

Vous ne cherchez qu'à flétrir les membres de la Commune,
que votre ministre de l'intérieur appelle odieusement des
Communistes, comme si tous les actes de l'Hôtel-de-Ville ne
donnaient pas un éclatant démenti à vos insultes!

Vous rappelez les droits acquis par les autres grandes villes
de France, comme si nous avions la mémoire assez courte
pour oublier que vous avez forcé la chambre à se déjuger,
pour ne laisser à toutes ces villes qu'une liberté dérisoire!

Vous n'appelez enfin à votre secours que la raison suprême du bombardement, comme si le problème des libertés
communales, qui roule depuis 700 ans dans notre histoire,
ne méritait pas une autre solution que celle du canon!

M. de Bismarck, Monsieur le président, dont vous invoquez le nom comme un épouvantail pour nous, n'a prononcé
qu'un seul mot sur le conflit qui nous déchire, et ce mot
va devenir un accablant réquisitoire pour votre politique.
Le chancelier de l'empire d'Allemagne vient, en effet, de
déclarer solennellement qu'il allait accorder à l'Alsace et à
la Lorraine la plus large part des libertés communales.
Qu'avez-vous à répondre?

V

République et franchises communales, tel est donc le
premier et le dernier mot de la régénération de notre malheureuse patrie.

Ce cri de Paris est aujourd'hui le cri de toute la France.

— Le vote du 30 avril est aussi éloquent, aussi impérieux,
aussi irrésistible que la révolution du 18 mars à Paris.

En présence de ce double courant qui emporte le pays et
qui place votre pouvoir de Versailles entre le double mouvement de Paris et de toutes les villes de France, prétendez-
vous éterniser une guerre dont la responsabilité retombera
sur vous?

Ce n'est plus la voix d'un ancien collègue qui vous parle,
ce n'est plus Paris seul qui vous résiste, c'est toute la
France, qui, pour maintenir debout ce programme de notre
régénération sociale, la République et la Commune, vous
commande d'abandonner un pouvoir qui ne représente plus
que le déchirement du pays.

Encore une fois, la France vous dit aujourd'hui, comme
moi : *Donnez votre démission!* Et quand c'est la voix du
pays tout entier qui s'élève jusqu'à vous, refuserez-vous de
l'entendre?

Ch. BESLAY,
membre de la Commune.

Et maintenant, à ceux qui me reprochent d'avoir parlé dans le désert, je réponds : — Je proposais la paix, et vous avez voulu la guerre. Je voulais arrêter l'effusion du sang, et vous avez voulu, au contraire, le faire couler à flots. A votre œuvre, j'ai la fierté de préférer la mienne. Etes-vous donc si satisfaits d'avoir provoqué cette épouvantable semaine qui a menacé d'engloutir Paris ? Etes-vous heureux d'avoir entendu ces fusillades, qui ont fait tomber tant de victimes que le gouvernement n'en a jamais voulu publier le nombre ? Etes-vous donc si glorieux de cette bataille de huit jours, qui a divisé plus que jamais la bourgeoisie et le peuple ? Si la victoire que vous avez poursuivie à outrance était un triomphe si désirable, d'où vient donc que la sécurité que vous avez voulu créer est moins grande que jamais ? D'où vient ce trouble universel, qui empêche deux conservateurs de causer de leurs affaires sans qu'on entende pousser cette exclamation lugubre : Qui peut savoir ce que l'avenir réserve ? — A une victoire comme celle-là, qui laisse tout le monde sur le qui-vive, je préfère la transaction qui voulait rapprocher Paris de Versailles et réconcilier le peuple avec la bourgeoisie. Le sang n'eût pas coulé, Paris fût resté debout, et nous n'en serions pas à interroger anxieusement l'avenir.

MA DÉLÉGATION A LA BANQUE

Ma nomination comme membre de la commission des finances et comme délégué à la banque de France. — Comment je comprenais ce mandat. — Ma première visite à M. de Plœuc. — Nos rapports antérieurs. — Mon arrivée comme délégué de la Commune. — Mon installation. — Question des échéances. — Visite du commandant du Palais-Royal. — Le bataillon de la banque de France. — Les diamants de la couronne. — Mes rapports avec Jourde. — Le travail de la monnaie. — Proposition faite à la banque par le délégué du ministère des finances. — Je tombe malade. — Demande d'un congé. — Refus de tous émoluments. — Investissement de la banque le 12 mai. — Je fais éloigner les bataillons. — Démission. — Instances de M. de Plœuc pour me la faire retirer. — Nouvelle menace le 16. — Le 21 je couche, à la banque. — Les derniers jours de la Commune. — Arrivée des troupes le mercredi 23 mai. — Lettre à M. Thiers et au procureur-général. — Pas de réponse. — Déposition de M. de Plœuc devant la commission d'enquête. — Réponse.

~~~~~~

Dès le lendemain de l'installation de la Commune, j'étais nommé membre de la commission des finances et délégué à la Banque de France. C'était en vue de me consacrer spécialement aux questions d'affaires que je n'avais pas donné suite à ma démission, et cette double nomination m'envoyait au seul poste qui pouvait me convenir.

J'avais, en effet, sur le rôle que la Banque de France était

appelée à remplir après la guerre, des idées très-arrêtées.
L'indemnité de guerre et les pertes de toutes sortes subies
par le pays ne pouvaient manquer de produire une grande
diminution dans le numéraire, et la Banque, avec son crédit intact, était naturellement appelée à remplacer, par une
augmentation dans la circulation de ses billets, le capital
qui manquerait au travail et au commerce. C'était la Banque qui avait pourvu aux nécessités les plus urgentes de
la guerre; c'était elle encore qui devrait pourvoir aux im-
périeuses obligations de la reprise des affaires.

Mais, pour rendre au pays ce service, que seule elle pouvait rendre, il était absolument indispensable de préserver
notre premier établissement de crédit de toute mesure, de
toute intervention, de tout acte propre à porter atteinte à
son intégrité. Une banque doit être envisagée sous un double aspect; si elle se présente à nous sous un côté matériel,
par ses espèces et ses billets, elle s'impose aussi par un côté
moral, qui est la confiance. Enlevez la confiance, et le billet
de banque n'est plus qu'un assignat.

Or, la confiance ne se décrète pas, et pour la détruire il
ne faut parfois que bien peu de chose. Ainsi, je demeure
convaincu que l'occupation de la Banque par un bataillon
envoyé par la Commune aurait suffi pour porter un coup
mortel à notre monnaie fiduciaire. Et c'était là précisément
ce qu'il fallait craindre; car la Commune avait l'habitude
de faire exécuter ses ordres par l'envoi de ses bataillons.
Cette mesure était plausible, quand il s'agissait de l'occupation d'un ministère; mais elle eût fait commettre une
faute, peut-être irréparable, si on l'avait appliquée à la
délégation de la Banque de France.

Je m'en ouvris au comité exécutif de la Commune, qui

admit sans opposition la justesse de mes observations, et il fut convenu que je me présenterais seul et que j'exercerais seul, sans aucune force armée, la délégation de la Banque de France.

Le jour même, 29 mars, je fis à M. de Plœuc, sous-gouverneur de la Banque, une première visite. Je n'étais pas muni de ma commission, et je ne me présentai point à lui comme délégué de la Commune; mais j'avais à le remercier des attentions qu'il avait eues pour l'un de mes neveux, M. Hovius, de Saint-Malo, capitaine de la garde mobile, blessé mortellement à Châtillon et qui avait été soigné dans les ambulances bretonnes, dont M. de Plœuc était président. C'était une visite de remerciements.

Ce n'était pas d'ailleurs la première fois que je voyais M. de Plœuc. Nous nous étions rencontrés le 27 septembre, pendant le siége, dans une réunion de Bretons à la place des Vosges. Dans cette réunion, M. de Plœuc avait fait une allusion assez transparente à la dictature du général Trochu, et je m'étais élevé avec toute l'énergie dont je suis capable contre une idée que je regardais comme détestable. Le général Trochu n'avait déjà, pour moi, que trop de pouvoir!

Nos souvenirs à l'un et à l'autre ne pouvaient donc être que ceux de deux compatriotes qui s'étaient rencontrés et combattus au sujet d'une question politique. Ce n'est pas rare dans une société où l'on ne peut se trouver quatre personnes sans courir le risque de faire éclater quatre opinions différentes.

Dans cette première visite, je fis part à M. de Plœuc de

ma nomination comme délégué de la Commune à la Banque de France, et je lui dis : — Je ne viendrai pas, croyez-le bien, vous remplacer comme gouverneur de la Banque de France. Je connais trop bien la Banque pour ne pas comprendre l'effet que produirait une telle mesure. Vous représentez une grande Compagnie, qui jouit, il est vrai, d'un grand privilége, mais qui n'en représente pas moins une propriété particulière dont la direction vous appartient. Mais la ville de Paris a chez vous un compte important, qu'elle a le droit de contrôler. La Banque a également pour le Trésor un compte que la Commune de Paris, comme gouvernement de la capitale, est intéressée à connaître. La délégation est donc pleinement justifiée, et j'espère que vous lui ferez bon accueil.

M. de Plœuc, sans faire la moindre opposition, présenta différentes observations sur la nécessité de ne porter aucune atteinte à la Banque, de respecter les comptes-courants et les dépôts, etc.

Je répondis que c'étaient là des observations fort justes, que je ne pouvais qu'approuver; mais j'ajoutai que, s'il y avait nécessité d'un côté, il y avait aussi nécessité de l'autre, et que je pensais bien que le conseil de régence reconnaîtrait, par exemple, l'obligation de continuer la solde des bataillons et de pourvoir aux besoins de la Commune.

Cette première visite me laissa cette impression, que l'accomplissement de mon mandat se concilierait bien avec l'exécution des devoirs imposés au gouvernement de la Banque, et que ma tâche, à la Banque même, ne souffrirait pas grande difficulté.

Le lendemain, je revins avec ma commission comme délégué. C'était le 30 mars au soir. M. de Plœuc était dans son cabinet avec M. Davilliers, régent de la Banque, et M. de Bentque, secrétaire du conseil général. Je présentai mon mandat au sous-gouverneur, qui me rappela notre entretien et me fit entrevoir la crainte que l'on employât la force.

— La force? répliquai-je, vous savez bien que nous l'avons; mais vous voyez bien aussi que je suis loin de vouloir y recourir, puisque j'ai tenu à venir seul occuper mon poste, sans aucune force armée. L'intérêt de la Banque, de la Commune et du pays est qu'il n'y ait aucune apparence de force; si les bataillons de la Commune viennent, je saurai, armé de mon mandat, les arrêter. Agissons tout pour le mieux, et tout ira bien.

Le lendemain, M. de Plœuc me fit installer dans un bureau qui avoisinait le sien. On me présenta la situation de la Banque. Le compte-courant de la ville de Paris, représentée par la Commune, dépassait 9 millions. Ce crédit était pour la Commune une ressource précieuse, car la Banque ne pouvait faire résistance à l'emploi des fonds de la ville en faveur de la ville elle-même.

L'encaisse était de 40 et quelques millions, et il est resté à peu près le même pendant le règne de la Commune.

Tous les matins, cette situation de la Banque m'était régulièrement apportée. Les chefs principaux, le personnel, les garçons de recette, depuis le premier jusqu'au dernier, m'ont toujours témoigné la plus respectueuse déférence. Le commandant Bernard, qui commandait le bataillon de la Banque, se montrait également empressé à me faire connaître ce qui pouvait intéresser l'établissement confié à mes soins. On avait compris, dès le premier moment, quelles étaient mes dispositions, et chacun se montrait désireux de faciliter ma tâche.

Le personnel de la Banque ne fut pas seul à se montrer satisfait de ma présence. Dans les premiers jours de mon installation, je reçus des visites et des lettres qui me remercièrent d'être resté à la Commune pour occuper ce poste, et qui m'engagaient fortement à ne pas le quitter. L'opinion avait conscience du désastre qui menaçait la France, si la planche des billets de banque devenait un jour la planche des assignats. Je le comprenais mieux que personne, et je ne venais là que pour maintenir la Banque intacte et debout.

Non-seulement j'étais préoccupé du salut de la Banque, mais je m'intéressais vivement à toutes les questions qui pouvaient avoir une influence sur les affaires.

Une grosse difficulté se présentait alors. Comment la Banque liquiderait-elle le portefeuille des effets prorogés, qui montait à près de 900 millions? Le chiffre total de ces valeurs dit son importance. Cette obligation de 900 millions à payer d'un seul coup pouvait, après tant de secousses, écraser le monde des affaires.

Je cherchai une combinaison qui pût résoudre le problème à l'avantage de tous les intéressés, et je proposai *la création d'un comptoir commercial de liquidation*, qui avait pour but d'accorder du temps aux débiteurs pour le payement de leurs valeurs en retard.

L'avantage de ma combinaison conduisait à ces trois résultats :

1° Le bénéfice du temps pour le débiteur;

2° Le maintien de la créance pour tous les endosseurs;

3° La mise en valeur immédiate d'un capital mort, par la création de bons de liquidation.

Mon projet, approuvé par un grand nombre de négociants, fut publié et présenté à la Commune, qui donna la préférence à une autre combinaison.

La première visite des chefs de la force armée de la Commune eut lieu le 8 avril. Le rêve d'un certain nombre de chefs de bataillons était d'occuper militairement la Banque de France.

Le commandant du Palais-Royal vint donc me rendre visite et me donner avis qu'il allait venir procéder à une perquisition, pour prendre les armes qui étaient cachées à la Banque et changer le poste des gardes nationaux qui y était établi, et qui n'était occupé que par les employés de la Banque.

— Il y a longtemps, dit-il, que ce changement aurait dû avoir lieu.

Je lui répondis que je ne l'entendais pas ainsi, et que la composition du poste de la Banque ne regardait que le délégué de la Commune, qui s'était entendu sur ce point avec la commission exécutive. Cette question était résolue, et je ne souffrirais pas qu'on empiétât sur mes attributions.

— Remplissez votre devoir au Palais-Royal, lui dis-je, et laissez-moi remplir le mien à la Banque, sous ma responsabilité.

— Mais je puis du moins faire des fouilles? me dit-il.

Non, citoyen, répondis-je, la question des fouilles me regarde aussi bien que la question du poste, et vous n'avez rien à y voir.

Ces paroles furent dites sur un ton qui ne permettait pas de réplique, et ce commandant ne revint plus. J'étais résolu à tout, plutôt que de permettre l'occupation de la Banque par la force armée.

La garde de la Banque était fournie par trois compagnies du 12ᵉ bataillon, composées uniquement des employés de la Banque. Cette organisation reposait sur un décret de 1792, qui assignait aux employés des grandes administrations leurs bureaux comme postes de combat, quand la patrie est en danger.

Cet expédient avait extérieurement l'avantage de montrer que la garde nationale occupait la Banque, comme toutes les autres grandes administrations publiques, mais ce n'était, en réalité, qu'un expédient, et ces compagnies n'auraient pu en aucune manière soutenir le choc des bataillons de l'Hôtel-de-Ville. C'eût été insensé. Cela est si vrai que toutes les fois que la Banque a été menacée d'une occupation forcée par les fédérés, on n'a jamais songé à employer, pour les éloigner, d'autres moyens que l'intervention des délégués de la Commune.

Le 13 avril, surgit d'une façon tout-à-fait inattendue la question des diamants de la couronne.

Le délégué au ministère des finances, Jourde, avait trouvé dans les cartons du ministère un procès-verbal d'enlèvement des diamants de la couronne, qui était signé par M. Rouland, gouverneur de la Banque de France, et de cette signature il concluait que les diamants devaient être déposés à la Banque de France.

La commission exécutive, avertie du fait, avait donné à son délégué du ministère des finances l'ordre d'obtenir de la Banque la remise des diamants, et Jourde, accompagné de Varlin et d'Amouroux, vint exiger cette restitution. Or, les registres des dépôts, consultés, ne donnaient aucune mention du dépôt. Mes trois collègues de la Commune se montraient mécontents et paraissaient soupçonner une fraude. Une perquisition sous la protection d'un bataillon aurait produit les déplorables conséquences que je redoutais et que je voulais éviter.

Dans cette extrémité, je fus d'avis d'en référer de nouveau à la commission exécutive et de lui demander de laisser au délégué de la Banque le soin d'éclaircir cette affaire avec les chefs de l'établissement. La commission jugea que c'était la meilleure voie à suivre, donna ses ordres en conséquence, et voici ce que je fis:

Je demandai un laissez-passer pour Versailles, en vue d'obtenir du gouverneur de la Banque les éclaircissements dont nous avions besoin. L'envoyé qui vit M. Rouland revint avec des explications catégoriques : M. Rouland avait donné l'autorisation d'ouvrir un paquet qui était relatif à cette affaire, et l'ouverture de ce paquet apprit que les diamants de la couronne avaient été expédiés dans les départements avec le numéraire que la Banque avait fait sortir de Paris avant l'investissement. C'était une affaire terminée.

J'avais naturellement de fréquents rapports avec Jourde, délégué aux finances, et ces relations m'imposent le devoir de dire ce que je pense de lui. Avant d'être son collègue à la Commune, je ne le connaissais pas. Nommé comme lui membre de la commission des finances, nous eûmes à discuter les conditions du mandat que nous avions à remplir et nous étions loin, souvent, d'être d'accord. C'était un jeune homme d'une intelligence claire et prompte, et d'un caractère résolu; il avait fait partie du comité central et, en arrivant à la Commune, il se rangea du côté de la majorité de l'assemblée. Il avait les meilleures intentions; toutefois, il modifia sa manière de voir et signa plus tard le manifeste de la minorité; mais comme nous différions d'avis sur les voies et moyens à employer, je dus provoquer de la part de la commission des finances une déclaration de principes pour fixer les règles qui seraient suivies dans l'administration des finances communales. Jourde adhéra comme les autres membres à cette déclaration, qui établit entre nous un accord désirable dans l'intérêt général.

J'ajoute que c'était un travailleur infatigable. L'état des finances de la Commune, qu'il dressa en quelques jours, témoigne autant de son intelligence que de son activité. Et quant à ceux qui ont accusé les membres de la Commune de passer leur temps dans des bombances interminables, ils doivent apprendre que Jourde dînait tous les jours à trente-deux sous pendant les deux mois de la Commune, et que sa femme continuait à laver son linge à la Seine.

———————

Vers le milieu du mois d'avril, la Commune, qui occupait la Monnaie comme tous les autres établissements publics, organisa une nouvelle administration sous la direction du citoyen Camelinat, ouvrier bronzier, d'une remarquable habileté. Il fit demander à la Banque de vouloir bien livrer des lingots, pour battre monnaie.

Après une certaine résistance de la Banque, trois membres du conseil de régence furent nommés pour s'entendre avec la nouvelle administration de la Monnaie, dont j'appuyais vivement la juste demande.

La Banque finit par consentir et envoya des lingots par sommes de 200,000 francs, mais en restreignant sévèrement les termes de livraison. Ainsi, l'entrepreneur de la Monnaie a dix jours, d'après les conditions de son marché, pour livrer les lingots en monnaie frappée, et la Banque exigea que les monnaies frappées avec ses lingots fussent livrées en quatre jours. Nimporte! Camelinat accepta ces conditions et s'acquitta de sa tâche à la complète satisfaction de la Banque. Les pièces, frappées avec les coins de 1848, étaient irréprochables, et le travail s'acheva sans donner prise à la moindre observation.

On a vu plus haut que j'avais fait adopter par la commission des finances une déclaration de principes, qui devait renfermer l'administration financière de la Commune dans un certain nombre de règles invariables et rigoureuses.

La première de ces règles était de rechercher, en tout et pour tout, la plus sévère économie. Pour se conformer à cette prescription qu'il avait lui-même formulée, Jourde avait conçu un plan financier dont le but était la réalisation d'économies considérables ; la base du projet reposait sur cette idée : l'encaissement de tous les revenus de la Commune par la Banque.

Jourde vint à la Banque soumettre cette proposition, qui fut accueillie avec une froideur caractéristique. La proposition était d'autant plus antipathique à la Banque, que le programme de Jourde était accompagné d'une demande d'un million par jour, pendant dix jours au plus, parce qu'il fallait pourvoir à tous les services pendant l'exécution du nouveau système financier de la Commune.

Je n'eus pas à intervenir dans cette négociation. Les fatigues excessives que je supportais depuis un mois, m'avaient rendu plus malade qu'auparavant, et le 22 avril, ne pouvant me tenir debout, j'avais dû demander un congé pour rétablir ma santé et mes forces épuisées.

En présence des résistances de la Banque, Jourde, évaluant à 600,000 francs la recette quotidienne de la ville, consentit à restreindre sa demande à 400,000 francs par jour. Le projet fut mis à l'étude d'après cette nouvelle base, et la Banque, qui ne cherchait qu'à traîner toutes choses en longueur, fit les plus grands efforts pour écarter le projet ; mais elle finit par adopter la mesure en principe, et je crois que le système reçut un commencement d'application.

————————

Cette affaire, je le répète, fut traitée sans moi. J'étais sur mon lit, me demandant si je pourrais me relever, quand Jourde essayait d'établir ce nouveau lien entre la Commune et la Banque.

J'avais averti M. de Plœuc du petit congé que j'avais demandé ; mais je lui donnais l'assurance que, s'il survenait un incident grave, je viendrais quand même faire mon devoir.

A cette occasion, le sous-gouverneur me demanda ce qu'il fallait donner au garçon de bureau que j'avais amené avec moi. Tout le personnel de la Banque avait pour moi les plus grands égards. Mais j'avais néanmoins tenu à me faire accompagner d'un homme dont je fusse personnellement sûr, et M. de Plœuc eut l'attention de songer à lui. J'ai toujours pensé que c'était un moyen indirect de me demander, à moi-même, de vouloir bien fixer les appointements que la Banque devait me payer.

— Oh! lui dis-je, ne donnez absolument rien à mon garçon de bureau. Je lui ai défendu de rien prendre et je ne recevrai rien ni pour lui, ni pour moi.

Le sous-gouverneur vit bien que c'était chez moi une résolution irrévocablement arrêtée et il n'insista pas.

Mon congé dut être prolongé. Ma maladie, au milieu de ces secousses, ne pouvait que s'aggraver. J'avais tous les jours des nouvelles de la Banque, et j'étais heureux d'apprendre qu'aucune intervention ne se produisait de la part des fédérés. Ce n'était ni l'action de la Commune, ni celle de ses délégués que je redoutais; c'était le zèle inconsidéré des agents inférieurs et des chefs de bataillon, qui s'imaginaient faire acte de souveraineté et mettre un trésor inépuisable au service de la Commune en occupant la Banque de France. Cent fois j'eus à discuter cette question avec eux, et je dois avouer qu'après avoir écouté mes observations, ils en admettaient la justesse et n'insistaient plus; mais je ne les connaissais pas tous, et je craignais toujours de voir surgir un nouvel incident.

Mes appréhensions étaient fondées. Le 12 mai, j'étais au

lit, plus souffrant que jamais, quand un envoyé de la Banque vint me prévenir, de la part du gouverneur, que la Banque était entièrement cernée et que les chefs, accompagnés d'un commissaire de police, voulaient forcer l'entrée et procéder à des perquisitions. Le gouverneur me suppliait d'arriver au plus vite.

Cette nouvelle intervention m'exaspéra. Je pouvais à peine me tenir debout, et la voiture que je pris dut se rendre au pas à la Banque. En arrivant, je demandai qu'on me laissât seul pour conférer avec le commissaire et les chefs de l'expédition.

Le commissaire était un jeune Breton que je ne connaissais pas, mais qui avait souvent entendu parler de moi. C'était le citoyen Le Moussu, commissaire de police du quartier de la Banque. Je lui exprimai, à lui et aux chefs qui l'accompagnaient, l'indignation que m'inspirait leur conduite, et leur déclarai qu'ils agissaient comme s'ils étaient les plus mortels ennemis de la Commune.

— La Commune, leur dis-je, est représentée à la Banque; son délégué, c'est moi, et vous ne pouvez y venir que sur ma réquisition ou celle du comité exécutif. Cette réquisition, l'avez-vous?

Ils furent obligés de convenir qu'ils n'avaient d'autre mandat que celui que s'était donné le citoyen Le Moussu.

Me tournant alors de son côté :

— Comment, mon cher compatriote, lui dis-je, vous, un homme intelligent, vous ne voyez pas qu'en faisant passer vos bataillons sur la Banque de France, vous tuez tout à la fois la Banque et la Commune. Avec quoi achèterez-vous du pain pour vos bataillons, quand le boulanger vous refusera le billet de banque que vous avez dans votre poche?

Le Moussu convint que j'avais raison, mais des rapports lui donnaient avis qu'il y avait des armes cachées en grande quantité à la Banque.

— J'affirme le contraire, lui dis-je, et, dans tous les cas, si vous admettez mes observations, vous conviendrez que ce n'est pas le moyen que vous devez employer pour faire cette perquisition. Il faut que vous vous retiriez au plus vite, car je regarde déjà cet investissement de la Banque comme un très-grand malheur. C'est trop d'y être venu.

Le commissaire et les chefs soutinrent encore quelque temps la nécessité de connaître la vérité au sujet de ce dépôt d'armes, car ce dépôt d'armes pouvait devenir un moyen d'attaque sérieuse contre la Commune, entre les mains de la réaction.

— La perquisition a déjà été faite par moi, répondis-je; elle pourra se renouveler si la commission exécutive l'ordonne. Mais encore une fois, pour chercher et pour trouver des armes, ne tuez pas la Banque.

Le citoyen Le Moussu finit par me déclarer qu'il avait pleine et entière confiance en moi et qu'il respectait l'autorité de la Commune dans la personne de son délégué. Les chefs donnèrent leurs ordres et les bataillons se retirèrent sans avoir franchi le seuil de la Banque.

Le danger passé, je revins chez moi, brisé et anéanti.

J'avoue que cette seconde menace de perquisition m'avait froissé au plus haut degré. Après les précautions minutieuses que j'avais prises pour éviter tout déploiement de force armée autour de la Banque, je regardais cet acte d'intervention irrégulière comme une atteinte à ma dignité

ainsi qu'au mandat que je tenais de la Commune, et je résolus de donner ma démission.

Je l'envoyai, en effet, en la motivant sur l'impossibilité
de faire respecter un mandat qui avait la plus grande importance et dont la commission exécutive semblait prendre
si peu de souci.

La nouvelle de l'envoi de ma démission fut bien vite connue dans l'entourage de la banque, et je reçus les sollicitations les plus pressantes des personnes notables de tous les
partis de ne pas abandonner le poste dont la garde m'avait
été confiée.

En apprenant ma résolution, M. de Plœuc vint me trouver à mon domicile et me supplia de ne pas m'arrêter à
moitié chemin et de continuer l'œuvre de salut que j'avais
courageusement commencée.

De son côté, le comité de salut public, en recevant ma
démission motivée, fut péniblement surpris de ma détermination, et il m'écrivit aussitôt une lettre signée Gambon et
Eudes, pour me prier de retirer ma démission et de conserver la délégation de la Banque.

Tout autour de moi il n'y avait donc qu'une voix pour
me demander de ne pas abandonner la Banque. Je cédai à
tant de sollicitations pressantes et je fis dire aux chefs de
l'établissement que l'on pouvait compter sur moi.

Ma résolution était à peine prise, que je recevais l'invitation de vouloir bien me rendre, le plus tôt possible, à mon
poste. C'était le 16 mai, le jour du manifeste de la minorité
de la Commune, qui portait ma signature. On sait que ce
manifeste était une protestation contre la création du comité de salut public.

La Banque avait reçu l'avertissement que l'installation de ce comité de salut public serait suivie d'une perquisition minutieuse de tout l'intérieur de la Banque. J'attendis toute la journée la visite annoncée, bien résolu à faire valoir la confirmation de mon premier mandat par la lettre des citoyens Eudes et Gambon, dont je m'étais muni. Mais ce n'était qu'une alerte, et aucun bataillon ne se présenta.

Cette date du 16 mai montre que la lutte de la Commune contre Versailles approchait de son dénouement. Paris, sans doute, ne s'en doutait pas; mais l'acharnement de la bataille rendait la garde nationale plus irritable et plus exigente. L'exception faite en faveur de la Banque, qui continuait à conserver sa neutralité au milieu de la capitale où la Commune était souveraine, ne cessait d'exciter les animosités des fédérés, assez disposés à considérer la Banque comme la citadelle du privilège et du capital.

Les craintes des directeurs de l'établissement, loin de diminuer, allaient donc plutôt en augmentant. D'un autre côté, ma santé se rétablissait difficilement, et il faut accorder que je suivais, pour me soigner, un singulier régime. Dans ces conditions perplexes, M. de Plœuc me demanda de vouloir bien m'installer complétement à la Banque et d'y coucher, de manière à pouvoir y suivre un traitement et répondre sans retard à toutes les éventualités qui pourraient se présenter.

Je me rendis à sa demande, et il fut convenu que j'irais coucher à la Banque le 21 mai. Ce fut précisément le jour de l'entrée à Paris de l'armée de Versailles ; mais cette entrée, qui eut lieu un dimanche, fit si peu de bruit qu'on n'en eut aucune connaissance dans l'intérieur de Paris.

Je couchai donc à la Banque le premier jour de la grande semaine où devait succomber la Commune.

Les rapports de la Banque et de la Commune demeurèrent, cette semaine, les mêmes qu'auparavant. Toutefois, ils étaient plus tendus, et l'on va comprendre pourquoi. Le crédit de la Commune, qui montait, comme je l'ai dit, à plus de neuf millions, était épuisé, et la Banque n'avait pu continuer à donner des fonds qu'après avoir reçu l'autorisation du gouvernement de Versailles. Cette autorisation avait sans doute été donnée; mais la Banque se montrait plus résistante pour les avances qui lui étaient demandées. Tantôt elle renvoyait du matin au soir, du soir au lendemain, pour livrer l'argent; tantôt elle ne donnait qu'une partie de la somme. Elle était assurément dans son droit en voulant défendre son avoir et en s'efforçant de restreindre, autant que possible, le débit de l'ouverture de crédit faite à la Commune. Mais c'était aussi provoquer les mécontentements du comité de salut public, attirer plus que jamais sur elle l'attention des bataillons, et rendre plus difficile, pour moi, l'accomplissement de mon mandat.

L'épuisement du compte créditeur de la ville de Paris, ajouté au débit de l'ouverture de crédit fait à la Commune, donne pour le total des sommes avancées par la Banque un chiffre de seize millions à peu près.

C'est au milieu des péripéties de la lutte et des tiraillements provoqués par les résistances de la Banque, qu'eut lieu, le mardi 23 mai, la visite la plus menaçante qui lui ait été faite. Les émotions douloureuses de la bataille contribuaient, on le comprend, à rendre les dispositions des fédérés plus hostiles. La Banque était environnée de barricades, et la moindre maladresse pouvait faire arriver un malheur.

Le comité de salut public avait fait demander 500,000 francs à la Banque, et comme les directeurs s'étaient montrés depuis quelques jours plus difficiles, il fit appuyer sa demande par un déploiement de forces considérables, qui devaient occuper immédiatement la Banque en cas de résistance.

On vint m'avertir à la hâte, et je descendis aussitôt. J'ordonnai au concierge de fermer la grande porte d'entrée et de sortir avec moi, en refermant le guichet sur nous. Alors je m'avançai seul vers le chef du bataillon; je fus reconnu par quelques officiers. Le chef de bataillon me fit part du motif qui l'amenait à la Banque, au nom du comité de salut public, et il insista sur la nécessité d'avoir une satisfaction immédiate. Il y avait urgence.

— Dites aux membres du comité de salut public, répondis-je, que la Banque fera droit à leur requête et que son délégué prend sur lui de faire envoyer immédiatement à l'Hôtel-de-Ville les fonds réclamés.

— Sans retard, citoyen, car il faut faire la paye des bataillons qui sont au feu depuis deux jours.

— Sans retard, répondis-je. Mais vous aussi, éloignez-vous sans retard, car votre présence ne peut que rendre plus difficile l'engagement que je prends.

Les bataillons se retirèrent, et je rentrai avec le concierge dans l'intérieur de la Banque. Les directeurs firent droit sans difficulté à ma demande, et les 500,000 francs furent livrés au comité de salut public.

Une dernière fois, la banque restait intacte.

Le mercredi 24 mai, à quatre heures du matin, la lutte

prenait des proportions tout-à-fait inattendues. La bataille
et l'incendie mettaient Paris à feu et à sang.

M. de Plœuc vint dans ma chambre, et me dit qu'il trouvait la situation si terrible, surtout en présence des incendies qui venaient doubler l'horreur de la lutte, qu'il y aurait
humanité, dans une telle extrémité, à songer aux femmes
et aux enfants.

— Vous qui connaissez les membres du comité de salut
public, me dit-il, vous devriez, pendant qu'il en est temps
encore, aller leur demander de les faire sortir au plus vite
de Paris.

— J'y vais, lui dis-je.

Et je partis aussitôt pour l'Hôtel-de-Ville. La pensée était
des plus louables, et je n'hésitai pas à la soumettre au comité de salut public.

J'arrive à l'Hôtel-de-Ville vers cinq heures, j'y trouve à
peu près vingt membres de la Commune. J'eus un entretien
assez long avec Delescluze seul et je lui soumis la question
relative aux femmes et aux enfants.

— Nous y avons pensé, me dit-il ; mais la mesure est
impraticable. Non-seulement les rues sont coupées par des
barricades, mais, sur certains points, ce serait s'exposer
à mettre les femmes et les enfants entre deux feux ; et, d'un
autre côté, les bataillons qui sont aux portes ne laissent
plus sortir personne.

— N'en parlons plus. Mais les incendies, lui dis-je, est-ce
vous qui avez commandé de les allumer?

— Non, me répondit-il. Le seul ordre que j'aie donné à
cet égard autorise les commandants des barricades à brûler
les maisons qui flanquent leurs fortifications, si, par ces incendies, ils voient le moyen de prolonger la lutte et de repousser les assaillants.

Je revins à la Banque avec peine, tant j'étais souffrant, et m'aperçus qu'à la barricade établie rue Neuve-des-Petits-Champs, vis-à-vis le corps-de-garde de la Banque, il ne restaît plus que deux fédérés, n'ayant aucune munition ; je les engageai à se replier sur l'Hôtel-de-Ville, où moi-même j'avais l'intention de me rendre. A peine étais-je rentré, que le général l'Huillier y fit son entrée et y établit son quartier-général.

C'était pour moi la fin de la lutte ; car, à partir de ce moment, je n'ai pu communiquer avec la Commune. Trois jours après, la Commune et ses défenseurs brûlaient leurs dernières cartouches, et il ne me restait plus qu'à songer au parti que j'avais à prendre.

Ma résolution fut vite arrêtée. J'étais décidé à demander un jugement, et j'écrivis, dans cette intention, les deux lettres suivantes, l'une adressée à M. Thiers et l'autre au procureur-général :

« Paris, 27 mai 1871.

« Monsieur Thiers, chef du pouvoir exécutif.

» Je vous demande un sauf-conduit de trois jours pour mettre ordre à mes affaires ; je me rendrai, à l'expiration de ce délai, au parquet de la cour martiale qui me sera indiqué, pour y être jugé.

» Bien que n'ayant pas approuvé tous les actes politiques de la Commune, je m'en rends solidaire ; mais je répudie avec la plus vive énergie tous les incendies qui n'étaient pas nécessaires à la défense.

» Je dois loyalement vous déclarer, Monsieur, que je vous ai adressé plusieurs lettres publiées dans les journaux ; ces lettres, dans lesquelles je n'attaquais en rien votre vie privée, étaient et restent l'expression sincère de mon opinion sur vos actes et votre vie politiques.

» Je ne vous demande pas grâce, je ne désavoue rien.

» Je suis républicain socialiste et je mourrai avec mes convictions.

» Si vous m'accordez le sauf-conduit que je vous demande, veuillez me le faire adresser rue du Cherche-Midi, 84.

» J'ai l'honneur de vous saluer.

Ch. BESLAY,

membre de la Commune de Paris.

———

« Paris, 30 mai 1871.

» Monsieur le procureur général,

» Pour ce fait d'avoir été membre de la Commune de Paris, mes anciens collègues sont soumis à la juridiction militaire; je veux partager leur sort; mais, indisposé et ayant besoin de soins incessants que l'on ne peut se procurer dans une prison commune, je demande l'autorisation de me rendre dans la maison de santé qu'il vous plaira de me désigner, et m'engage sur l'honneur d'y rester à la disposition du parquet.

» S'il est possible d'obtempérer à l'une et à l'autre de mes demandes, veuillez le faire connaître à M. Laviolette, avocat, rue d'Assas, N° 10, qui me fera passer votre réponse.

» J'ai l'honneur d'être, M. le procureur-général, votre très-humble serviteur,

» Ch. BESLAY. »

Je ne reçus aucune réponse à ces deux lettres, et ce silence me rendit toute ma liberté d'action. L'arrivée de l'une de mes sœurs contribua puissamment à changer le cours de mes idées. Le traitement implacable que les vainqueurs faisaient subir aux vaincus était en même temps de nature à me faire préférer l'exil, où je pourrais du moins me défendre, si je me voyais attaqué. Je me décidai donc à me rendre en Suisse, où j'avais depuis longtemps des intérêts privés à faire valoir, et je le dis ici à haute voix, c'est M. de Plœuc lui-même qui voulut bien me conduire jusqu'à Neuchâtel, d'où j'écris ce livre.

M. de Plœuc m'a rendu, en m'accompagnant ainsi, un service important, pour lequel je suis heureux de lui témoigner publiquement toute ma reconnaissance et qui établit entre lui et moi un trait d'union que je n'oublierai jamais.

Tel est le résumé sincère et vrai des incidents et des actes qui se sont produits pendant ma délégation à la Banque de France. En me retirant en Suisse, j'espérais y trouver le repos dont j'avais tant besoin ; mais j'avais compté sans la réaction. Et en effet, la chute de la Commune a suffi pour faire naître une politique violente et sans pitié contre tous les hommes qui se rattachent, de près ou de loin, à la Révolution. Les trois partis monarchiques, unissant leurs haines et leurs vengeances sous un seul drapeau, celui du parti conservateur, ont entrepris, par tous les moyens, d'attaquer et de réduire à néant les hommes et les choses des deux Révolutions du 4 Septembre et du 18 Mars. Tous les procédés ont été employés : livres, brochures, enquêtes parlementaires, discours à la tribune, articles de journaux, tout a servi d'armes pour combattre et anéantir, si c'était possible, la grande armée de la République.

Cela est si vrai, que l'assemblée nationale nous a fait assister à ce triste spectacle d'une chambre qui ouvre ses bras aux hommes du vaincu de Sedan, après avoir voté par acclamation la déchéance de l'Empire.

Je ne m'attendais pas assurément à être plus épargné que tous mes amis, mais j'avoue néanmoins que j'ai été surpris de voir dénaturer les actes les mieux inspirés de ma vie et lancer contre moi tant d'insinuations perfides et de traits envenimés. J'ai servi la Commune, et je l'ai servie avec loyauté, je le confesse hautement, bien que j'aie prouvé que j'ai tout fait pour ne pas en faire partie, que je n'aie pas approuvé sa conduite politique, et que je n'aie pas cru au succès de la lutte qu'elle entreprenait contre le gouvernement et l'assemblée. Si je suis resté à mon poste, l'on sait aujourd'hui que c'est pour arrêter l'effusion du sang, qui faisait succéder la guerre civile à la guerre étrangère, et mettre hors de toute atteinte la Banque, dont la chute représentait pour moi un désastre irréparable.

Qu'importe pour la réaction ! il suffit d'avoir défendu la cause de la Révolution pour être traité comme un *malhonnête homme*. Non-seulement ma délégation à la Banque a été odieusement dénaturée, mais les écrivains monarchistes ont tout mis en œuvre pour faire comprendre que ma présence à la Banque n'était due qu'à la cupidité, que ma vie antérieure fournissait déjà des traits répréhensibles, et pour mettre le comble à la mesure, M. de Plœuc, en déposant devant la commission d'enquête parlementaire relativement au 18 mars, a bien rendu justice à mes actes, mais en laissant planer sur moi je ne sais quelles préventions blessantes et inacceptables pour tout homme de cœur.

Il m'est impossible de laisser passer sans protestations

ces attaques injustifiables, et je dois une réponse catégorique à mes détracteurs.

Commençons par l'affaire du *Courrier français*. Voici ce que dit M. Délion, auteur d'une biographie des hommes de la Commune :

« M. Beslay eut différents débats avec le gérant du jour-
» nal, débats qui ne semblaient point non plus devoir con-
» tribuer à donner une haute idée de sa délicatesse : une
» souscription avait été ouverte dans les colonnes du jour-
» nal, souscription dite de la *liberté individuelle*, ouverte
» pour payer les amendes des journalistes condamnés par
» l'Empire. Le journal recueillit 2,700 francs, qui disparu-
» rent totalement. L'affaire alla jusque devant le procureur
» impérial, qui l'étouffa. »

Telle est la version diffamatoire de M. Délion, que je ne connais pas. Voici la vérité :

J'ai rempli deux fonctions au *Courrier français*, journal fondé pour faire valoir, dans les dernières années de l'Empire, les revendications des travailleurs. Ces deux fonctions sont celles de liquidateur du journal et de dépositaire des fonds recueillis par la souscription dont parle M. Délion.

Comme liquidateur du journal, je dois dire que l'affaire présentait de grandes difficultés, vu le passif assez considérable de la liquidation. C'est dans le règlement de cette affaire que j'ai pu apprécier toute la valeur morale de Vermorel, qui m'avait inspiré assez longtemps, comme à beaucoup de membres du parti démocratique, de vives préventions. Quand je présentai à Vermorel, qui était à la fois gérant et rédacteur en chef, le bilan de la liquidation, actif et passif, il n'hésita pas à vendre tous ses biens pour désintéresser tous les créanciers. C'est donc avec Vermorel que j'eus à régler tous ces comptes, au sujet desquels il ne s'est élevé aucune contestation. Vermorel a été plus tard, comme moi, membre de la Commune, et il a payé de sa vie son dévouement à la cause du peuple. Je suis heureux de pouvoir attester sur sa tombe que c'était un esprit élevé, un socialiste convaincu, un caractère ferme et d'une probité irréprochable.

Quant au montant de la souscription en faveur de la liberté individuelle, que je me suis approprié d'après M. Délion, voici l'historique, avec preuves à l'appui, des faits qui justifient l'emploi des fonds :

J'avais reçu, comme liquidateur du *Courrier français*, l'argent de cette souscription, pour laquelle on avait formé un comité composé de Leblond, Crémieux, G. Chaudey, Duboy, Jules Favre et Ch. Beslay. Aucune allocation ne devait se faire qu'avec l'approbation de ce comité, et c'est dans ces conditions que s'est effectuée la répartition des sommes recueillies.

La souscription avait atteint 2,958 fr. 90 cent. ; mais, au moment de la liquidation du *Courrier français*, le caissier ne me remit que 2,490 fr. 90 cent., en me donnant toutes justifications pour l'emploi de la différence. Ces 2,490 fr. 90 c. ont été répartis par moi de la manière suivante :

J'ai payé 100 fr. au citoyen Manuel, qui sortait de Sainte-Pélagie et qui était recommandé par Vermorel ; comme tous les membres du comité de surveillance n'étaient pas à Paris, il fut convenu entre Crémieux et moi que ce payement serait par moitié à notre charge, s'il n'était pas approuvé par le comité. J'ai la lettre de Crémieux et, au pied, le reçu de Manuel. Le comité donna son approbation.

J'ai versé 200 fr. à Duboy, le 18 mars 1868, pour l'amende et les frais de l'affaire Haury, et 150 fr. furent ensuite versés à Mᵐᵉ Haury pour autres frais et les dépens de son avoué. J'ai remis, le 24 mai 1868, à Perrachon, 135 fr. pour frais du premier procès de l'Internationale, et sur une lettre de Duboy, datée de Loches le 19 novembre, j'ai versé 500 fr. à Mᵉ Savignat, avoué, pour frais dans l'affaire de Mᵐᵉ Haury contre M. Crépy, commissaire de police.

J'ai envoyé, avec l'autorisation de Duboy et Leblond, 1000 francs à Perrachon, pour frais du dernier procès de l'Internationale.

J'ai remis le solde de la souscription, en février 1871, au citoyen Constant Martin, trésorier du comité central des associations ouvrières, après défalcation de quelques avances faites à ce comité.

Je ferai observer à M. Délion que chacune de ces applications a été faite avec l'approbation du comité de surveillance, et que j'ai entre les mains les reçus et pièces justificatives de tous les payements que je mentionne. Je lui demanderai alors ce qui reste de l'odieuse diffamation qu'il a, sans motifs et sans preuves, publiée contre moi, et qui, de lui ou de moi, a commis une malhonnête action ? — Les Basiles ne mourront donc jamais !

———————

Ce n'est pas tout. A peine étais-je arrivé en Suisse, que je recevais de tous côtés des lettres remplies de communications bien pénibles pour moi. Mes amis de France m'apprenaient que, dans le camp réactionnaire, on ne se gênait pas pour affirmer à haute voix que la Banque de France m'avait fait un pont d'or, que j'étais parti avec 300,000 fr.,

et qu'elle me servait à Neuchâtel une pension de 12,000 fr.
par an. Ces allégations franchissaient naturellement la frontière, et, de leur côté, mes amis de la Commune m'écrivaient
pour savoir s'il était vrai que j'eusse reçu 300,000 fr. et que
la Banque me servit une pension de 12,000 fr.

A toutes ces calomnies, à toutes ces lettres affligeantes,
j'ai répondu et je réponds encore :

1° Que j'avais à l'avance déclaré à la Banque que je ne
recevrais pas un centime d'elle ;

2° Que, depuis mon départ, je n'ai rien reçu, absolument
rien, ni comme rémunération, ni comme pension.

Est-ce clair ?

Ces dénégations par correspondance ne me donnaient
qu'une demi-satisfaction, car elles n'empêchaient pas les
mêmes mensonges de circuler en France et à l'étranger. Je
souffrais, sans rien dire, cette douleur imméritée, comptant
bien qu'il arriverait un jour où la presse réactionnaire me
donnerait les moyens de répéter tout haut ce que j'affir-
mais, depuis mon départ, dans ma correspondance privée.

Je ne me trompais pas. Le porte-voix le plus retentissant
de la réaction, le *Figaro*, considérant sans doute mon silence
comme un acquiescement aux affirmations que l'on colportait, crut le moment favorable pour diriger contre moi l'une
de ses flèches empoisonnées. Voici l'article que M. Alfred
d'Aulnay publia dans le numéro du 27 février 1873 :

LE MARQUIS DE PLŒUC ET LE CITOYEN BESLAY.

En lisant dans le *Figaro* d'hier un entrefilet extrait par
mon collaborateur, Francis Magnard, du journal l'*Avenir
national*, sur le rôle joué à la Banque de France par le
citoyen Beslay pendant la Commune, je me suis souvenu

fort à propos, on va le voir, de la façon dont s'étaient passés ces événements. Le hasard a fait que, au lendemain des journées de mai, ce récit soit resté dans mes notes et que je ne l'aie pas publié. Depuis, j'ai cru convenable de ne pas raconter sur le père d'un de nos confrères de la presse conservatrice, une histoire que ce confrère désirerait sans doute ne pas conserver dans ses archives de famille. Mais puisque les amis de MM. Beslay, père et fils, sortent de la réserve où ils auraient dû se tenir, il devient nécessaire de dire toute la vérité.

Pendant le siége, le citoyen Beslay, président d'un comité de secours aux Bretons, s'était montré souvent hostile à M. le marquis de Plœuc, ce qui n'empêcha pas ce dernier de rendre des services à des mobiles bretons que protégeait le futur communard. Quand vint la commune, le citoyen Beslay, se trouvant fortuitement en présence de M. de Plœuc, ne dissimula pas les appréhensions qu'il avait sur l'issue de la lutte. « Il y a peut-être un moyen de vous sauvegarder, lui dit le marquis, c'est de rester à la Banque, où votre présence ne me sera pas inutile. » Et il lui fit ressortir à la fois les avantages moraux et matériels qu'il pourrait tirer du rôle qu'il lui destinait. Beslay accepta.

Mais la présence du doyen des communards n'empêcha pas les émissaires armés de ce gouvernement fantaisiste de faire à plusieurs reprises invasion dans notre grand établissement financier. M. de Plœuc s'en débarrassait en menaçant simplement de brûler la cervelle à celui qu'on désigne aujourd'hui comme le sauveur de la Banque. C'est sous le canon du revolver que Beslay intervenait. Il connaissait assez, du reste, le caractère du marquis, pour obéir de bonne grâce à ses injonctions.

Quand l'armée de l'ordre se fut emparée de Paris, M. le marquis de Plœuc, fidèle à sa promesse, cacha le citoyen Beslay jusqu'au jour où il put obtenir, non pas un sauf-conduit, mais un passe-port pour deux personnes, dont *une non dénommée*. Armé de ce passeport, il conduisit Beslay à Genève, où il lui annonça qu'il venait de faire un héritage qui lui permettrait de vivre fort à son aise à l'étranger.

Le citoyen Beslay savait bien à quoi s'en tenir sur cet héritage inattendu, mais il l'accepta tout de même.

Tels sont les faits. S'ils ne font pas regretter que Beslay ait échappé aux sévérités de la justice militaire, du moins montrent-ils que le vieux communard a été un instrument, et rien de plus, et qu'*il doit plus à la Banque* que la Banque ne lui doit.

ALFRED D'AULNAY.

Il est clair que M. Alfred d'Aulnay ne connait pas le premier mot des questions dont il parle; mais il me donnait les moyens de lui répondre et de faire tomber publiquement les calomnies dont j'étais depuis si longtemps abreuvé.

Je répondis, à la date du 4 mars, de Neuchâtel, une longue lettre qui fut publiée dans le *Figaro* du 13 mars et que je reproduis ici:

Neuchâtel (Suisse), 4 mars 1873.

Monsieur le rédacteur,

Vos numéros du 26 et du 27 février ne me sont arrivés qu'aujourd'hui à Neuchâtel, et, en voyant comment tous les faits sont dénaturés, comment on fait pleuvoir sur moi les imputations les plus odieuses, je dis, comme vous, *qu'il devient nécessaire de dire toute la vérité*.

Vous ne pouvez me refuser le droit de la remettre sur

pied, en vous donnant, sur les points dont vous vous occupez, les informations les plus précises et les plus circonstanciées. Je n'ai pas attendu vos articles pour aller au-devant des éclaircissements que réclame l'opinion, et quand j'ai eu connaissance du rapport de la commission du 18 Mars, j'ai écrit à M. de Plœuc lui-même pour relever toutes les erreurs que contient sa déposition. Il faut que *toute la vérité soit connue*, et, pour ma part, je suis bien résolu à la révéler au grand jour. Je mets la dernière main à un livre qui dira la vérité, toute la vérité, sur ce que j'ai vu, sur ce que j'ai su, sur ce que j'ai fait depuis le premier jour de la Commune jusqu'au dernier!

A tous les faits que vous présentez d'une façon si injurieuse pour moi, voici ma réponse, et j'espère que vous la trouverez péremptoire :

1º Ce n'était pas moi, mais bien le marquis de Plœuc, qui présidais le comité breton dont vous parlez ; et l'opposition que je lui fis dans une réunion de cette association, place des Vosges, était motivée par ma résistance la plus énergique à une allusion des plus transparentes à une dictature éventuelle du général Trochu ; mais cette opposition, que l'on a qualifiée de *rapports violents*, ne m'empêchait pas d'aller remercier M. de Plœuc des attentions qu'il avait eues, dans une ambulance bretonne, pour l'un de mes neveux, M. Hovius de Saint-Malo, capitaine d'un bataillon de mobiles, blessé à Châtillon et mort quelques jours après de ses blessures. Voilà, dans *toute sa vérité*, ma situation vis-à-vis de M. de Plœuc, quand je me présentai à lui comme délégué de la Commune à la Banque de France.

2º Quant à la fable, véritablement grotesque, que vous imaginez pour expliquer l'éloignement des bataillons de la

Commune, elle a dû bien faire rire vos lecteurs. Dans ce drame, où il n'y avait rien de risible, vous faites figurer M. de Plœuc et moi comme Abraham et Isaac sur le point d'accomplir le grand sacrifice. M. de Plœuc tenait sur ma poitrine un revolver armé, et, à la vue de l'arme redoutable, les bataillons, pour sauver mes jours, s'en allaient épouvantés! Est-ce croyable?

La vérité, Monsieur, la voici :

1º Jamais, au grand jamais, M. de Plœuc n'est intervenu personnellement avec moi pour empêcher les bataillons de la Commune de franchir le seuil de la Banque.

2º Je me suis présenté seul, absolument seul, et j'ai fait respecter, par la force armée de la Commune, le mandat qui m'était confié par la Commune elle-même. Telle est, Monsieur, la vérité, et je vous défie d'obtenir de tout le personnel de la Banque un témoignage qui infirme le mien.

3º Quant à mon sauf-conduit et à mon héritage, je me contente d'opposer à vos assertions les faits suivants, que vous pourrez contrôler à votre aise. Non-seulement je n'ai pas sollicité de sauf-conduit, mais j'ai écrit à M. Thiers et au procureur-général pour être jugé. Mon héritage, que vous regardez comme une invention, est un héritage réel qui était depuis longtemps ouvert quand je fus nommé à la Commune : c'est l'héritage d'une de mes sœurs, décédée en août 1870.

4º Le fait capital, pour vous comme pour tout le monde, est celui qui me représente comme un homme qui n'est allé à la Banque que par intérêt et qui affirme que j'en suis sorti les mains pleines ; sur ce point, Monsieur, voici les trois affirmations que vous ne pourrez détruire :

Je suis allé à la Banque avec l'intention de la mettre à

l'abri de toute violence du parti exagéré de la Commune, et j'ai la conviction d'avoir conservé à mon pays l'établissement qui constituait notre dernière ressource financière.

Je n'ai jamais reçu *ni appointements, ni gratification, ni souvenir d'aucune sorte* de la Banque, et ma résolution à cet égard était irrévocablement arrêtée, sachant par mon expérience de cinquante ans de vie politique comment on est jugé et approuvé par ses adversaires.

Je n'ai même pas voulu que l'unique garçon de bureau qui m'accompagnait, comme un homme dont je voulais être sûr, reçût de la Banque le moindre argent. Je suis entré à la Banque et j'en suis sorti les mains vides : je ne m'en glorifie pas, je n'ai fait que mon devoir ; mais il importe au moins qu'il n'y ait à ce sujet aucun doute dans les esprits, et vous voudrez bien, Monsieur, donner place dans le *Figaro* aux rectifications que je vous envoie.

Ma réponse vous convaincra, j'espère, Monsieur le directeur, que mon désintéressement ne peut être mis en doute, et vous conviendrez que, contrairement à votre allégation, je suis sorti de la Banque *sans rien lui devoir*.

Veuillez agréer, Monsieur, mes salutations sincères.

Ch. BESLAY.

Encore une dernière accusation, que je ne connais que depuis quelques jours :

Mes ennemis, en tournant et retournant les actes de ma longue carrière, ont découvert que j'avais été chargé de la liquidation de la célèbre association des tailleurs de Clichy, et ils n'ont pas manqué d'affirmer, non-seulement que cette liquidation avait été pour moi profitable, mais que j'avais trouvé le moyen de garder pour moi tout l'actif de l'association, qui fit tant de bruit après la Révolution de février

en 1848 ; mais ce qu'on ignore et ce que je suis heureux de
pouvoir répondre à mes accusateurs, c'est que l'actif de
cette association, qu'on présente comme un Pactole, n'était
même pas suffisant pour payer les frais rigoureusement
nécessaires de la liquidation, et, loin d'avoir profité de ce
mandat qu'on représente comme si avantageux, je fus obligé
de faire personnellement les frais des derniers actes qui ont
clôturé les opérations de l'affaire. Voilà comment il m'a été
donné de bénéficier de cette liquidation. Si je n'avais toute
ma vie travaillé que de cette façon, il ne me resterait plus
qu'à mourir à l'hôpital.

J'arrive à l'acte qui a produit sur moi la plus douloureuse impression. Je veux parler de la déposition de M. de
Plœuc devant la commission d'enquête au sujet du 18 mars.
Je n'insisterai pas. Tout en renouvelant à M. le sous-gouverneur de la Banque de France l'expression de la gratitude que je lui dois pour m'avoir accompagné jusqu'à Neuchâtel, je n'éprouve aucun embarras à reconnaître que sa
conduite à la Banque a été très-digne et qu'il a fait ce qu'il
a pu pour défendre l'établissement dont il restait le chef. Il
ne pouvait pas assurément le sauver, puisqu'il l'avoue lui-
même, et qu'à un certain moment il était obligé de se cacher. Mais si j'avais été appelé à déposer au sujet de ses
agissements, j'aurais certainement été plus équitable envers lui qu'il ne l'a été envers moi.

Pourquoi donc ne m'a-t-il pas rendu justice pour justice ?
Pourquoi me force-t-il à protester contre des erreurs, des
réticences et des insinuations qui sont cruelles, non-seulement pour ma conduite à la Banque, mais encore pour ma
vie entière ?

Il est impossible de lire la déposition de M. de Plœuc sans que l'on éprouve pour ma personne un sentiment d'invincible prévention. A cette lecture, j'ai sans retard répondu à M. de Plœuc par une lettre d'énergique protestation, et chacun comprendra que je ne puis manquer au devoir impérieux qui me commande d'enlever toute interprétation fâcheuse à un témoignage qui fait litière de mes convictions, de mon caractère et de mon honneur!

Rétablissons tout d'abord quelques faits secondaires, que la déposition de M. de Plœuc présente d'une manière inexacte.

Le sous-gouverneur de la Banque dit, page 493 : « Dès le » 6 avril 1871, j'avais été prévenu par M. Beslay que » Raoult-Rigault avait décidé mon arrestation.» Sa mémoire le sert mal, ce n'est pas moi qui lui parlai le premier de ces risques. C'est lui-même qui s'en ouvrit à moi, en me demandant ce que j'en pensais. Nous étions en ce moment sous le passage qui conduit de la première cour de la Banque à la seconde. Je lui répondis que je ne savais rien des dispositions de Raoult-Rigault, mais qu'il ferait bien de se mettre en sûreté.

Ceci est peu important, passons.

M. de Plœuc commet également des erreurs matérielles en indiquant les chiffres qui représentaient la situation de la Banque, mais je ne les mentionne, en passant, que pour montrer de combien d'inexactitudes le sous-gouverneur a rempli son témoignage.

Il dit, page 500, que les membres de la Commune, même un seul, « se faisaient annoncer chez lui par ce seul mot :

» la *Commune!* et qu'ils étaient toujours affublés de l'é-
» charpe rouge. »

Comme le délégué le plus en rapport avec lui, on peut
croire que c'est de moi qu'il parle, tandis qu'il sait bien que
je n'ai jamais ceint mon écharpe que pour aller faire respecter par les bataillons l'autorité de la Commune.

Ce sont là des traits accessoires et j'en pourrais relever
beaucoup d'autres.

Arrivons aux questions principales.

L'impression dominante qui résulte de cette déposition,
c'est que M. de Plœuc a fait de son témoignage un plaidoyer en faveur de sa propre conduite. Le sous-gouverneur
a parlé *pro domo suâ*, et cela est si vrai, qu'après l'avoir
entendu les membres de la commission ont tour à tour
exprimé le désir de voir récompenser le sous-gouverneur,
le chef de bataillon et tout le personnel.

Que le sous-gouverneur de la Banque monte au Capitole,
je ne trouverai rien à redire. Chacun obéit au mobile qui
le fait agir, et en obéissant à une pensée plus haute — le
devoir! — je ne suis pas homme à ambitionner les récompenses recherchées par d'autres.

Ce qui me peine et me fait protester, c'est de voir l'in-
croyable injustice avec laquelle tout le rapport a été écha-
faudé. Il y a injustice, car, après avoir mis en relief son
courage et celui de tout le personnel de la Banque, M. de
Plœuc a été obligé de confesser humblement que cette énergique attitude n'eût compté pour rien sans l'intervention
du délégué de la Commune à la Banque; il y a injustice,
car, après avoir reconnu la nécessité de mon concours,

voici de quelle affligeante façon M. de Plœuc parle de moi
à la commission :

Page 490. — « Pendant le siége des Prussiens, nous avons
» eu quelques rapports mauvais, violents même ; mais en-
» fin, nous nous connaissions. »

Page 491. — « Ma situation était désespérée, la Banque
» tout au moins était aux mains de la Commune, *mais je*
» *vis au silence de mon interlocuteur que j'avais fait vibrer*
» *en lui la corde de l'honneur.* »

Page 492. — « On a donné à M. Beslay le droit de s'en
» aller ! Permettez-moi de jeter un voile sur tout cela. »

Idem. — « M. Beslay est un de ces hommes dont l'imagi-
» nation est sans contrepoids et qui se complait dans l'uto-
» pie. Il rêve de concilier tous les antagonismes qui sont
» dans la société, les patrons et les ouvriers, les maîtres et
» les serviteurs. »

Voilà l'équité avec laquelle on apprécie ma personne et
mon mandat. D'un côté, je suis l'homme indispensable ; de
l'autre, l'homme indispensable n'est plus qu'un être impossible chez lequel on a besoin *de faire vibrer la corde de
l'honneur !* Ah ! Monsieur le marquis, étais-je donc arrivé
à 76 ans sans comprendre ce que c'est que l'honneur ? et si
j'avais des sentiments si bas, comment expliquez-vous l'é-
nergie que j'ai déployée pour sauver la Banque ?

Vous comprendrez, j'espère, que je ne pouvais rester sous
le coup d'une appréciation qui équivaut à une condamnation. Pourquoi donc voulez-vous jeter un voile sur tout ce
qui me concerne ? Il n'y a pour moi que le vrai et le faux,
le bien et le mal, et de deux choses l'une : Ou j'ai mal agi,
et alors il faut dire au grand jour tout ce que vous pouvez
articuler contre moi ; ou j'ai bien agi, et alors je ne com-

prends rien au *voile* que vous vous efforcez de jeter sur mes agissements. La justice envers ses adversaires est le premier mot de la pacification sociale.

Cette pacification que je rêve, vous la regardez comme une utopie : toutes les idées nouvelles ont été envisagées comme chimériques. Quant aux miennes, vous ne les avez pas toujours trouvées irréalisables, et je dois vous rappeler que vous donniez une approbation entière au projet de fermage que je propose pour rapprocher les propriétaires des travailleurs des campagnes.

En voilà certainement assez pour démontrer qu'en sacrifiant à l'esprit de parti, vous n'êtes arrivé qu'à sacrifier ma personne ; mais la vérité sortira quand même des témoignages contradictoires des partis, et vous êtes obligé de lui rendre vous-même hommage, par les attestations suivantes, qui suffiront à mettre en lumière ma participation aux actes de la Commune. Vous dites, page 492 : « Je déclare que » sans le secours que M. Beslay nous a apporté, la Banque » de France n'existerait plus. » Page 495 : « Beslay arrive, » et je lui dois encore cette justice de dire qu'il usa très- » énergiquement de son autorité pour s'opposer à toute » perquisition et qu'il parvint à faire retirer les troupes. »

Là est la vérité, et cette vérité me tient lieu de toute récompense.

MON EXIL

Pourquoi je me retire en Suisse. — Mon procès avec le Franco-Suisse. — Je publie une déclaration. — Appréciation à l'étranger des événements de France. — M. Thiers. — Inauguration au cimetière de Neuchâtel du monument élevé à la mémoire des soldats français. — L'instruction dirigée contre moi. — Ordonnance de non-lieu. — Un article du *Rappel*. — Réponse. — Ce qu'on dit et ce qu'on pense de la Commune. — Ce que je réponds. — Un dernier mot sur la Commune. — Mon adresse au citoyen Jung.

~~~~~~~~~~

C'est en parlant de l'exil qu'un poëte a dit qu'il était dur de manger le pain de l'étranger et de monter par l'escalier des autres. Cette douleur s'aggravait pour moi par les infirmités de la vieillesse et par une longue et cruelle maladie. L'exil est toujours lourd pour un vieillard de 79 ans.

Je ne me plains pourtant pas, et quand je songe au traitement que le gouvernement a fait subir à tous ceux qui ont touché à la Commune — les fusillades, les conseils de guerre, les déportations — je m'estime heureux d'avoir pu échapper à ces poursuites sans pitié, et je reporte ma pensée et mes sympathies sur les malheureux qui ont donné leur vie, et sur ceux qui souffrent encore pour avoir défendu la République et les revendications du peuple.

Pourquoi ne l'avouerai-je pas? mon exil était même pour moi adouci par la certitude que j'avais de trouver en Suisse

un grand nombre d'amis. Il m'a été donné, ainsi que je l'ai
dit plus haut, de faire beaucoup d'opérations industrielles
en ce pays, et j'étais sûr d'y être accueilli avec cordialité.
En me rendant à Neuchâtel, j'éprouvais donc la double satisfaction de fouler un sol libre et de me retrouver au milieu de relations qui m'étaient toujours précieuses et chères. Une démocratie, par cela même qu'elle pratique la liberté et l'égalité, fait vivre et fleurir toutes les qualités
natives d'un peuple. Aussi la Suisse m'a-t-elle toujours
attiré, autant par l'excellence de ses institutions que par la
droiture et les sentiments élevés de ses populations. L'accueil que j'y ai reçu m'a également prouvé que les amitiés
sur lesquelles je comptais s'étaient conservées pour moi
chaleureuses et dévouées.

Une question d'intérêt, assez importante, avait également
influé sur ma détermination. J'ai raconté comment j'avais
obtenu en Suisse deux concessions de chemins de fer —
l'Ouest-Suisse et le Franco-Suisse — et comment j'avais à
soutenir contre la compagnie du Franco-Suisse un procès
pour l'exécution du contrat que j'avais passé avec elle. J'é-
tais résolu à profiter de mon exil pour reprendre activement cette affaire et en poursuivre la solution. Le procès
durait depuis 1856, et en restant en France, je n'avais pu
lui donner tous mes soins; mais en séjournant à Neuchâtel,
j'étais dans les meilleures conditions possibles pour faire
valoir mes droits, sur la validité desquels je n'avais jamais conçu le moindre doute. C'était, comme me l'avait dit
un excellent avocat de Paris, *un procès imperdable*. La
question se résumait en ces deux mots : J'avais cédé mes
droits de concessionnaire à une compagnie, à certaines conditions qui n'avaient pas été remplies. Comme demandeur,

j'appelais donc la compagnie pour la forcer à remplir purement et simplement les conditions du contrat qu'elle avait signé.

Depuis mon arrivée à Neuchâtel, j'ai repris les poursuites de cette affaire, et, après avoir perdu en première instance, j'ai vu consacrer en appel toutes mes demandes : la compagnie a été condamnée, en dernier ressort, à remplir vis-à-vis de moi les conditions qu'elle avait souscrites. Cette décision suprême ne m'a point étonné, et il ne m'est jamais arrivé, une seule fois, de douter de l'issue de mon procès.

————

Les premiers mois de mon arrivée en Suisse, je ne passais pas un jour sans être assailli de questions sur la Commune, sur ce qu'elle avait fait, sur ce qu'elle voulait, ma participation à cette révolution, ma délégation à la Banque de France, enfin, sur tous les actes de ce grand drame ; et naturellement les affaires auxquelles j'avais été mêlé étaient celles sur lesquelles on insistait le plus, afin de pouvoir discerner le vrai du faux par un témoignage sincère et désintéressé.

Pour mettre un terme à ces interrogations qui se représentaient toujours, je crus devoir publier une note qui fixait, d'une manière précise, la part que j'avais prise aux événements, et la règle que je prétendais suivre dans l'œuvre de propagande sociale. Suivant le mot du *Bien public,* cette déclaration prouvait que, « si j'avais conspiré, c'était » comme le paratonnerre, qui conspire contre la foudre. »
Voici cette note :

« Monsieur le rédacteur,

» En venant demander l'hospitalité à la Suisse à la suite de la formidable crise qui vient d'ébranler la France jusque dans ses fondements, je regarde comme un devoir de mettre en pleine lumière la part que je me suis vu obligé de prendre à ces événements. Ces explications, je les dois à moi-même pour déclarer bien hautement que je n'accepte, ni de près ni de loin, aucune solidarité avec les hommes qui ont brûlé Paris et fusillé les ôtages; je les dois aussi au pays où j'ai de vieux amis, parce que je tiens à lui montrer que ma présence, en quelque sorte forcée à la Commune, n'est pas sans avoir été de quelque utilité à Paris et à la France.

» Ma présence à l'Hôtel-de-Ville, je le répète, a été pour ainsi dire forcée. J'ai passé l'âge de la politique active, et depuis longtemps je m'applique exclusivement, dans ma retraite, à l'étude des épineux problèmes qui se rattachent aux questions du capital et du travail, que je considère comme les questions primordiales de la politique contemporaine.

» J'avais donc décliné publiquement toute candidature aux élections de la Commune, comme antérieurement j'avais décliné toute candidature aux élections de l'Assemblée nationale, et j'ai fait personnellement les démarches les plus actives aux sections de vote pour faire enlever mon nom de toutes les listes. Vaines déclarations, vains efforts !

» Je fus néanmoins élu. Il ne restait plus qu'à donner ma démission, et je la donnai, le premier jour, en présidant la première séance, comme doyen d'âge. Mon discours, qui a été reproduit par tous les journaux, se résume en deux points. Tout d'abord le programme de la Commune, que je traduisais ainsi : à la commune, ce qui est communal ; au département, ce qui est régional ; au gouvernement, ce qui est national.

» Quant à la politique, je la faisais tenir en deux mots : *paix et travail*, tant il est vrai que la paix et le travail m'ont toujours apparu comme les deux bouts de la boussole qui doit gouverner le monde !

» La publication de ce discours fut considérée comme un trait d'union possible entre Paris et Versailles, et je reçus de tous les partis les prières les plus pressantes de rester, dans l'intérêt public, à mon poste.

» Je cédai, dans l'espérance de rendre quelques services, et c'est alors que je demandai la délégation de la Banque, avec la ferme résolution de préserver de toute atteinte la situation de notre premier établissement de crédit, qu'il fallait à tout prix maintenir intacte, pour empêcher le billet de banque de n'être plus qu'un assignat, le jour où les bataillons fédérés auraient pris possession des bureaux.

» Mais, en restant à la Commune, ma ligne de conduite n'en a pas moins été inflexible et conforme aux principes qui ont été la loi de toute ma vie. Membre de la minorité, j'ai voté contre toutes les violences, j'ai défendu toutes les libertés, j'ai délivré des prisonniers, et j'ai renouvelé trois fois ma démission.

» Je n'ai rien, il me semble, à ajouter pour démontrer que je suis resté à la Commune ce que j'ai été toute ma vie : un défenseur du travail, mais défenseur du travail par l'ordre, par la liberté, par la discussion, par des réformes accomplies au nom de la majorité, qui fait loi.

» Je n'ai pu, et je le déplore plus que personne, je n'ai pu convertir la Commune à mes idées ; mais la Commune a du moins respecté le mandat qu'elle m'avait confié et que j'ai défendu avec toute l'énergie qu'on pouvait attendre de moi. Trois fois les bataillons de la garde nationale ont voulu franchir le seuil de la Banque; trois fois, bien que souffrant cruellement d'une maladie aiguë, je les ai fait battre en retraite. Je savais que, dans la pénurie de capitaux créée par la guerre, le billet de banque représentait, en quelque sorte, notre dernier signe monétaire, et ce signe allait s'annihiler le jour où les forces de la Commune auraient passé sur l'encaisse et les autres valeurs de la Banque.

» Je crois avoir contribué, dans la limite de mon influence, à préserver mon pays de ce désastre. M. de Plœuc, sous-gouverneur de la Banque, l'a reconnu formellement lui-même dans une lettre publiée partout. Les réactionnaires sans cœur et sans entrailles peuvent seuls encore me jeter leur venin : le souvenir que j'invoque me console à l'avance de toute leur ingratitude.

» La Suisse, qui avait droit à ces explications, voit maintenant de quelles ombres on obscurcit la vérité. La Commune est tombée au milieu d'un cataclysme dont tout le monde condamne les épouvantements ; les fusillades sans pitié ne sont excusables ni du côté de la Commune, ni du côté de Versailles.

» Mais, en traversant la Commune, j'ai la conscience d'avoir fait mon devoir, et sur ce point, on peut le voir par un article du journal le *Bien public*, le témoignage de Paris me rend justice.

» Pour moi, je laisserai tomber avec une complète indifférence les attaques qui pourraient encore arriver jusqu'à moi, et je reprends avec plus de courage que jamais l'étude de problèmes sociaux que je poursuis depuis longtemps.

Bientôt peut-être, je serai en mesure de publier un certain nombre de solutions pratiques des questions les plus ardues du socialisme; ces études confirmeront, une fois de plus, les données que je viens d'esquisser ici, et que je résume, pour terminer, en quelques mots :

» Oui, la question du capital et du travail est aujourd'hui la question-mère en Europe.

» Oui, au lieu de fuir le problème, nous devons aller audevant de lui, mais en procédant par *évolutions* et non par *révolution*, en faisant appel à la libre discussion, et en faisant du consentement de la majorité la condition indispensable de toute réforme et de tout progrès.

» Agréez, etc.   Ch. BESLAY. »

Le *Siècle* accompagnait la note qui précède des réflexions suivantes :

« Arrivé en Suisse, grâce au passeport qui lui a été octroyé, dit-on, par les soins de M. Thiers, M. Charles Beslay, l'ancien délégué de la Commune auprès de la Banque de France, regarde comme un devoir de mettre en pleine lumière la part qu'il a prise aux derniers événements.

» Sa lettre au *Journal de Genève* a un accent de franchise qui entraîne la conviction. C'est l'explication sincère et loyale d'un honnête homme opprimé par les circonstances, et qui, au milieu de difficultés terribles, n'a rien fait que sa conscience ne pût avouer et qui ne fût dirigé dans le sens du bien public. « Ma conduite, écrit-il, a été conforme aux principes » de toute ma vie. Membre de la minorité, j'ai voté contre » toutes les violences, j'ai défendu toutes les libertés. Je » déclare donc bien hautement que je n'accepte, ni de près » ni de loin, aucune solidarité avec les hommes qui ont » brûlé Paris et fusillé les ôtages. »

» Cette déclaration, dont la sincérité ne saurait être mise en doute, nous fait songer à certaines rumeurs qui ont plus ou moins cours dans le public.

» On prétend que l'acte d'accusation dressé contre les membres de la Commune, qui les premiers vont passer en conseil de guerre, doit les englober tous dans la même poursuite, les rendre responsables, pour la totalité et sans distinction, des faits et gestes de la Commune, depuis son avénement jusqu'à sa fin. Du moment, dit-on, que vous avez été membre de la Commune, quelle que soit la position que vous y ayez prise, que vous ayez été membre de la minorité ou de la majorité, vous êtes partie intégrante d'un tout qui ne se divise pas, vous êtes solidaires des collègues que vous avez acceptés ; vous devez porter la peine des actes accomplis, même de ceux auxquels vous n'avez pas participé, même de ceux qui ont amené des protestations de votre part.

» Ce bruit nous parait peu fondé, parce que le fait qu'il met en avant serait absolument contraire aux principes de la justice, telle qu'elle se pratique chez les peuples modernes.

» Qu'un homme réponde de ses actes, c'est bien; qu'il soit poursuivi pour le mal qu'il a conseillé ou exécuté lui-même, rien de mieux ; mais que, sous prétexte d'une vaine solidarité, il soit poursuivi pour des faits qu'il n'a pas connus ou qu'il a désapprouvés, cela blesse la raison. En matière de délits ou de crimes, la complicité morale ne saurait être admise; il faut la participation matérielle. Il est clair que les membres de la Commune qui ont donné leur démission à l'origine ne sont pour rien dans les attentats de la fin, et que, n'étant pour rien dans ces attentats, ils ne sauraient en porter la responsabilité. Ce point de départ indiscutable oblige à une distribution rigoureuse de la justice pour les malheureux qui, volontairement ou de force, sont restés dans leurs fonctions jusqu'au lugubre dénoûment. Les juges auront pour devoir et pour mission de rechercher le rôle de chacun d'eux, de le distinguer du rôle voisin, de faire enfin dans la culpabilité commune la part individuelle de·chaque accusé.

» Agir autrement serait, croyons-nous, froisser le sentiment du droit et aller à l'encontre de l'opinion publique. Nous savons que certains journaux font métier de surexciter la répression, de tenir à crime la clémence, et vont jusqu'à contester le droit de grâce. Ce débordement de passions malsaines nous a souvent affligés pour notre époque; mais nous aurions usurpé le titre de peuple civilisé, si nous nous laissions influencer par de telles excitations. A travers nos débats, nos querelles et même nos guerres, il est une chose qui doit rester sacrée, et que tous nous devons élever audessus des discussions et des partis, parce que tous nous en avons besoin : c'est la justice !

» CASTAGNARY. »

_____

Ce n'est pas seulement la lutte de Paris contre Versailles qui sert de thème aux commentaires de l'opinion à l'étranger. La guerre, la chute de l'empire, M. Thiers et l'Assemblée nationale sont tour à tour passés au crible, et je n'ai qu'à mentionner ici le sentiment avec lequel les populations condamnent sans retour le régime impérial et l'absolutisme parlementaire de la chambre. Les deux pouvoirs sont aussi éloignés l'un que l'autre des conditions d'une véritable démocratie, qui ne repose que sur le suffrage universel.

A propos de M. Thiers, je dois avouer que j'ai eu plus d'une discussion à soutenir au sujet des adresses que j'ai publiées pendant la Commune pour l'engager à donner sa démission. Le message du 13 novembre 1872 a rangé définitivement l'ancien premier ministre de Louis-Philippe parmi les défenseurs de la République. Pour rester dans le vrai et pour parler plus exactement, il faudrait dire que, par l'attitude qu'il a prise vis-à-vis de la droite de l'Assemblée, M. Thiers est sorti des rangs monarchistes; car sa République sans institutions républicaines n'est, en fin de compte, qu'une *monarchie sans roi*. Mais il faut savoir être juste envers tout le monde, et ce renoncement à la royauté de la part de M. Thiers est assurément l'acte qui honore le plus sa vie; il peut en être fier, car il couronne dignement sa longue carrière. Sa politique est restée la même. C'est l'homme des petites idées et des petits moyens : il a peur du mot réforme, et l'une de ses premières pensées, en arrivant au pouvoir, a été de ramener la France au système protecteur. A ce point de vue, on peut affirmer qu'il mourra dans l'impénitence finale. N'a-t-il pas stigmatisé du haut de la tribune l'impôt sur le revenu comme une chimère du socialisme, et l'impôt sur le revenu est appliqué en Angleterre et en Allemagne, deux pays monarchiques, et en Suisse qui a de plus l'impôt sur la fortune! Donc la République ne doit pas attendre de M. Thiers les lois vivantes qui implanteront en France l'impôt sur le revenu, l'income-tax; cette réserve faite, il faut savoir reconnaître qu'un homme de la valeur et de l'autorité de M. Thiers, en se ralliant à la République et en accomplissant le grand acte de la libération du territoire, ne pouvait manquer d'obtenir en France une popularité immense ; mais le pays, en montrant qu'il comptait sur lui pour la première présidence de la République, doit avoir le courage de le juger sévèrement et de lui dire la vérité. Plus de fétichisme ! Plus de condescendance aveugle en personne ! Les hommes ne sont rien ; les actes et les institutions sont tout. Or, le chef du pouvoir exécutif a eu le tort, le 24 mai, de faire de l'interpellation Changarnier une question personnelle. La droite demandait d'autres ministres ; il pouvait les prendre au centre droit ; la barque aurait eu d'autres rameurs, mais c'est toujours lui qui aurait tenu le gouvernail, et la barque ne menacerait pas aujourd'hui de chavirer.

Cette critique, qui nous montre en défaut la tactique parlementaire du vieux ministre constitutionnel qui se regarde comme infaillible au point de vue de la stratégie politique ; cette critique, à mon avis, peut également s'adresser au président de l'Assemblée, M. Grévy, qui aurait pu garder le poste éminent qui lui était confié. Avec M. Thiers au pouvoir et M. Grévy à la présidence de l'Assemblée, la Chambre de Versailles n'aurait pas eu ses coudées franches pour courir les grandes aventures, et lancer le pays dans l'inconnu des restaurations monarchiques.

Quant aux adresses virulentes que j'ai fait afficher dans Paris contre M. Thiers, elles ne pèsent en rien sur ma conscience et je n'ai aucun regret à exprimer sur ce point. La conversion de M. Thiers, le 13 novembre, ne justifie-t-elle pas la pensée qui me poussait alors à lui demander sa démission ? Les milieux changent et les idées des hommes se modifient. La situation actuelle ne ressemble en rien à celle où se débattaient Paris et Versailles, et M. Thiers, rallié à la République, ne ressemble en rien à l'ancien ministre qui n'avait laissé dans la mémoire des républicains que les plus détestables souvenirs. Entre la Commune et l'Assemblée, il était à cette époque un obstacle, de même qu'il est aujourd'hui un trait d'union entre les républicains et les conservateurs. Cet obstacle, j'ai essayé de faire accepter l'idée de le faire disparaître, je n'ai pas à m'en repentir. Je ne veux pas, en expliquant ces deux situations, renouveler un débat qui n'aurait aucun sens aujourd'hui. Mais le lecteur ira de lui-même au-devant de l'observation que j'aurais encore à présenter. Si M. Thiers devait, dix-huit mois après la chute de la Commune, reconnaître la République par son message du 13 novembre 1872, pourquoi n'a-t-il pas prononcé, au milieu de la guerre civile et du sang coulant à flots, cet acte d'adhésion, qui pouvait devenir une base de négociations acceptables pour les deux partis? La raison d'Etat parlait plus éloquemment en 1871 qu'en 1872, et, après avoir scellé l'alliance des franchises municipales et de la République, M. Thiers serait tranquillement monté à la première présidence de la République et n'en serait pas réduit à voir s'agiter autour de la République les trois fantômes de la Monarchie!

———————

Un dernier mot. Il m'est impossible, au point de vue où je suis placé, de ne pas dire ici ce que le socialisme doit attendre de M. Thiers. Or, si les défenseurs de la République sont obligés de confesser que les institutions républicaines n'ont rien à attendre du représentant de la république conservatrice, il est manifeste que les problèmes contenus dans les rapports du capital et du travail ne trouveront

jamais le moindre accueil auprès de l'ancien ministre de la
royauté de 1830. Sur ce point, nous n'avons aucune illusion
à nous faire. Le monde des réformes sociales sera toujours
pour M. Thiers un monde fermé. Il reste à jamais rivé à
cette politique doctrinaire qui s'est fait jour en 1830 et qui
a toujours considéré *le travail comme un frein.*

Le travail un frein? Ce mot dit tout, et d'ailleurs nous
avons sur ces questions la pensée de M. Thiers tout entière. A l'époque où la rue de Poitiers essayait de régenter
le pays avec de petits livres, M. Thiers crut devoir apporter aussi à cette œuvre de conservation sociale le concours
de sa plume et de son talent. Il s'attaqua à la question fon-
damentale de la société, la propriété, et, pour en justifier
les bases et la constitution, il n'apporta dans son livre aucun argument nouveau. Il s'est contenté de présenter l'image
donnée par un ancien : « La société, dit-il, est un théâtre où
chacun de nous a sa place marquée, et cette place, il doit
la garder pour ne pas détruire la scène et arrêter la représentation de la pièce.» C'est là, on en conviendra, une ar-
gumentation puérile, indigne d'un esprit élevé, et qui ne
peut trouver place dans aucun ouvrage sérieux. Que
M. Thiers applique son raisonnement à la France avant
1789, et il sera obligé de condamner toute l'œuvre issue de
la Révolution.

Elevons donc notre pensée à la hauteur des graves événements que nous traversons. M. Thiers peut rester la per-
sonnification vivante de la République *conservatrice*, et la
France pourra battre des mains en le voyant revenir au
pouvoir, car son retour équivaudra à la reconnaissance et
à la consolidation du gouvernement républicain ; mais n'at-
tendons pas de lui d'autres concessions. Le vaincu du 24 mai

restera le vainqueur de la Commune, et le socialisme sera toujours pour lui l'épouvantail de l'avenir. Mais si, personnellement, M. Thiers ne représente que la politique du passé, son gouvernement, en laissant debout la liberté de la presse, la liberté de réunion et la liberté d'association, peut du moins permettre aux démocrates et aux socialistes de jeter à pleines mains la semence des bonnes idées et des réformes salutaires, et, à ce titre, nous confessons loyalement que le triomphe de sa politique serait encore un bienfait.

Je n'ai pas besoin d'ajouter que ce bienfait n'effacerait en rien la ligne de démarcation qui sépare la politique conservatrice de la politique sociale. Celle-ci continuera, bon gré mal gré, à demander des réformes, et j'espère que ces réformes s'accompliront dans un prochain avenir, par la voie que j'ai toujours conseillée et qui reste la mienne : la voie de la libre discussion et des améliorations progressives et pacifiques.

Le gouvernement de M. Thiers a été encouragé par tous les Etats de l'Europe. Ces puissances qui, à l'heure du péril, ont toutes abandonné la France à son triste sort, ont été heureuses de revoir le pays des Révolutions entre les mains d'un pouvoir conservateur. Tous les gouvernements européens sont à ce point dirigés par la même politique et dominés par les mêmes appréhensions. La question du capital et du travail agite aujourd'hui tous les peuples civilisés, et tous les hommes d'Etat n'ont qu'un seul et même objectif : écarter à tout prix, de l'ordre du jour de leur politique, la discussion des problèmes sociaux. Le rêve me paraît aussi insensé que celui des coalitions monarchiques contre le principe de la souveraineté du peuple, proclamé par la Révolution. Même sainte-alliance, même solution finale !

Cette sympathie des gouvernements conservateurs pour la politique de M. Thiers n'est pas la seule que nous ayons eu à constater. Les malheurs de la France ont éveillé la pitié universelle. Autant nos voisins se sont montrés envers nous froids, durs, égoïstes et sans aucune commisération pendant la guerre, autant leurs entrailles se sont émues à la vue des désastres inouïs qui frappaient la France. Ils ont abandonné à eux-mêmes les combattants : le principe de non-intervention a été impitoyablement observé; mais les soldats français vaincus ont vu se tendre vers eux les mains de tous les peuples, et la Suisse, je dois le dire ici hautement, s'est conduite à l'égard de nos enfants comme elle l'aurait fait pour ses propres soldats.

Il m'a été donné de voir avec quelle attention vigilante, avec quelle sollicitude, avec quel sympathique empressement les populations allaient au-devant des besoins de nos malheureux soldats, si cruellement frappés par la fortune des armes et par les maladies de toutes sortes engendrées par la rigueur de l'hiver. Les hameaux, les bourgs, les villes, ont rivalisé de zèle, et nos régiments, en rentrant en France, n'ont pu que rendre hommage à l'hospitalité généreuse que la Suisse a montrée pour eux. Un artiste de talent a popularisé, par un tableau émouvant qui se trouve aujourd'hui partout en Suisse, les scènes touchantes que l'arrivée de nos soldats fit naître dans tous les cantons où l'on a reçu les malheureux compagnons de Bourbaki.

Mais nos pauvres soldats avaient été si maltraités par cet

hiver d'une intensité inouïe, que les soins les plus dévoués ne purent arracher à la mort ceux que la maladie condamnait, hélas! à mourir sur la terre étrangère. Beaucoup d'entre eux dorment aujourd'hui dans les cimetières de la Suisse, et la ville de Neuchàtel, que j'habite, a donné pour son compte la sépulture à cent vingt-neuf de nos infortunés compatriotes. Pour leur tombe, comme pour leur hospitalité et pour leur maladie, la ville de Neuchàtel s'est montrée digne du pieux devoir qu'elle avait à remplir. La ville a consacré dans son cimetière un terrain particulier pour perpétuer le souvenir de cette douloureuse épreuve, et sur ce terrain consacré aux défenseurs de la France, elle a fait ériger un monument commémoratif.

Lors de l'inauguration de ce monument, je fus invité, par la colonie française, à prononcer quelques paroles sur la tombe de nos soldats. Comment refuser de reconnaître le dévouement de cette armée, qui fut mal commandée, mais qui, du premier jour jusqu'au dernier, s'est montrée, comme toujours, héroïque! Voici l'allocution que je prononçai à l'occasion de cette cérémonie :

« Citoyens,

» Après les discours et les fanfares officiels que vous venez d'entendre, permettez à un vieux républicain français de rendre hommage, au nom de ses compatriotes, à la bonne pensée des habitants de Neuchàtel, qui élèvent ce monument funèbre à la mémoire des soldats français qui reposent sous cette terre.

» Le dévouement de la Suisse à l'égard de nos vaillants et malheureux soldats reçoit ainsi une dernière et touchante consécration, et je suis heureux, je l'avoue, de pouvoir dire hautement combien ces sympathies des habitans de la

Suisse, qui s'attachent au souvenir de notre armée jusque
par de là la tombe, éveillent dans nos cœurs de gratitude
et de pensées consolantes.

» Il n'y a qu'une voix dans toute la France et dans toute
son armée, comme il n'y a encore aujourd'hui qu'une voix
parmi tous les Français qui sont ici, pour reconnaître combien la Suisse s'est montrée noble, digne et compatissante
à l'égard de toutes nos infortunes. L'amitié des deux pays
a été cimentée par de nouveaux gages, et les deux Républiques, comme deux sœurs, ont senti s'unir et se fondre
en une seule leurs âmes fraternelles !

» Oui, les habitants du canton de Neuchâtel, comme les
habitants des autres cantons de la Confédération, ont montré pour nos malheurs leurs vertus républicaines, et le monument que nous venons inaugurer avec eux sera tout à
la fois une consolation pour les familles françaises, un titre
d'honneur pour notre armée et un enseignement pour les
peuples.

» Je dis un enseignement pour les peuples, je vous demande la permission d'insister sur ce mot.

» En effet, ce bloc de granit, en perpétuant le souvenir
de l'horrible guerre qui a découronné la France, dira comment s'est conduit le peuple et comment s'est conduit le
gouvernement qui le précipitait dans un gouffre.

» Le peuple a tout donné, comme il donne toujours, son
sang et son argent ; nos soldats ont combattu avec l'héroïsme qu'ils ont toujours montré ; nos vainqueurs eux-
mêmes ont rendu justice au courage de notre armée et un
général prussien disait devant moi, quelques jours après
Gravelotte : « *chacun des fantassins français a la solidité*
» *d'une citadelle.* »

» Le cœur de la France, le cœur du soldat français a donc battu, pendant cette guerre, à l'unisson de nos héros d'autrefois ; mais, autant l'armée a montré de cœur, de patriotisme et de dévouement, autant le gouvernement a montré d'ineptie et de lâcheté : chef d'Etat, ministres, maréchaux, généraux, tous ont en quelque sorte rivalisé de criminelle sottise.

» L'imprévoyance et l'impéritie de cette guerre ont été telles qu'on dirait, en lisant cette histoire, que le gouvernement avait organisé sa propre défaite. La chute de ce césarisme contient toutes les folies et toutes les hontes du césarisme ancien.

» Tirons au moins d'une catastrophe qui a coûté à la France 150,000 hommes, cinq milliards et deux provinces, tirons une leçon pour l'avenir. Vouons aux gémonies ces prétendus gouvernements conservateurs, qui, dans leur pensée égoïste, n'ont jamais songé qu'à eux seuls. Montrons aux peuples combien il leur en coûte de s'abandonner à la merci des prétendants et des faiseurs de coups d'Etat !

» La lumière, espérons-le, finira par éclater au grand jour ! La race latine, si déplorablement conduite par ses rois, commence à montrer qu'elle a conscience de ses fautes et qu'elle éprouve le besoin de se régénérer. La mort des braves soldats dont nous rappelons le souvenir n'aura donc pas été un sacrifice inutile !

» Cette immolation de 150,000 hommes par un gouvernement maudit a éveillé les peuples, et voilà la France et l'Espagne qui proclament à haute voix qu'elles n'ont plus d'espérance que dans la République.

» Courage donc et ne désespérons pas ! L'exemple de la Suisse est là, sous nos yeux, pour nous montrer tout ce

que nous devons attendre du régime républicain; la voie
une fois ouverte, nous verrons se presser les événements,
et la politique saluer l'ère que nous entrevoyons déjà et qui
donnera les Etats-Unis d'Europe.

» Neuchâtel, 23 février 1873. »

Pendant que je me faisais ainsi l'interprète de mon pays
sur la tombe de nos soldats morts pour la patrie, la France
m'accordait, de son côté, un souvenir que je ne puis laisser
passer inaperçu. Le 17ᵉ conseil de guerre commençait mon
procès comme contumace. Mais j'avoue en toute sincérité
que cette nouvelle ne m'arriva à Neuchâtel que bien tardivement, et au sujet de cette instruction, qui fut suivie d'une
ordonnance de non-lieu, je dois consigner ici des observations que je regarde comme importantes pour ma dignité et
mon honneur.

On n'a pas manqué d'insinuer que cette instruction avait
abouti à une ordonnance de non-lieu grâce à la haute influence de mon fils, qui est directeur du journal le Français
et qui possède les faveurs de la politique conservatrice. Je
n'hésite pas à déclarer que je regarde cette version comme
une atteinte portée à mon honorabilité, parce qu'elle ne ten-
drait à rien moins qu'à me faire considérer comme un personnage à double face, défendant à gauche le parti socialiste, pendant que je bénéficie à droite du pouvoir de mon
fils, qui appartient au parti conservateur. Mes amis intimes
me connaissent assez pour savoir que telle n'a jamais été
la règle de ma vie. La ligne droite a toujours été celle que
j'ai suivie. Mais je ne suis pas plus que les autres à l'abri
des accusations calomnieuses, et comme, au sujet de cette

SOUVENIRS. 29

ordonnance de non-lieu, on m'a montré un pied dans les deux camps ennemis, il importe pour moi qu'il n'y ait sur ce point aucune ambiguité, aucun doute.

Je consigne donc ici, de la façon la plus catégorique, les déclarations suivantes :

1º Personnellement, je ne me suis occupé en rien de cette instruction, et je n'ai eu, soit avec le capitaine instructeur, soit avec tout autre membre du conseil de guerre, aucun rapport, ni par écrit, ni par intermédiaire.

2º Je n'ai jamais chargé mon fils de faire pour moi aucune démarche, soit pour suivre cette instruction, soit pour éclairer la religion de mes juges. Non-seulement mon fils n'a reçu de moi sur ce point aucune recommandation, mais je dois ajouter que le dissentiment profond qui nous sépare m'a fait rompre avec lui toute relation politique. Il reste dans son camp, moi dans le mien, et cela est si vrai, que mon fils ne connait pas les *Souvenirs* que je publie, quoique nos rapports de famille soient restés intimes, et que mon fils continue à me témoigner les sentiments de la plus tendre et de la plus respectueuse affection.

Je suis donc resté absolument étranger à l'instruction qui a été ouverte contre moi, et je n'ai appris que par les journaux l'ordonnance de non-lieu que l'on a présentée comme provoquée par moi. Ma conduite et mes actes sont là d'ailleurs pour montrer la confiance que m'inspire le résultat favorable de cette instruction. Je n'ai pas cru devoir quitter le lieu de mon exil et j'ai gardé pour moi une lettre de touchante gratitude que m'a envoyée M. de Nazelle, capitaine adjudant-major au 14ᵉ chasseurs à cheval, pour faire valoir auprès du conseil de guerre le service que je lui ai rendu. Voici cette lettre :

« Mon colonel,

» J'apprends que le 17ᵉ conseil de guerre, que vous pré-
» sidez, va juger M. Beslay, membre de la Commune. Je
» crois de mon devoir de venir vous signaler les services
» qu'il m'a rendus dans les tristes moments où il était au
» pouvoir. J'ai été arrêté, le 19 mars, au chemin de fer, au
» moment où j'arrivais à Paris. J'ai été transféré à la prison
» de la Santé, avec les généraux Chanzy et de Langouriau.
» M. Beslay est venu me visiter dans ma cellule. Il a fait
» apporter à ma captivité tous les soulagements possibles,
» malgré les sentiments hostiles des fédérés qui nous gar-
« daient. Six jours après mon arrestation, il a pu obtenir
» l'ordre de ma mise en liberté, qu'il m'a apporté lui-même.
» M. Beslay n'avait d'autre raison de s'intéresser à moi que
» ma qualité d'officier. Maintenant qu'il va être appelé à
» rendre compte de ses actes devant la justice militaire, je
» crois devoir vous signaler sa conduite à l'égard d'un
» officier de l'armée.

» J'ai l'honneur d'être, avec un profond respect, mon
» colonel, votre très-obéissant serviteur,

» F. de NAZELLE,
capitaine adjudant-major au 14ᵉ chasseurs.
» Moulins, 25 août 1872. »

Cette instruction et cette ordonnance de non-lieu sont
donc pour moi des actes auxquels je n'ai pris aucune part.
Et ce n'est pas parce que cette instruction a été suivie d'une
ordonnance de non-lieu que je crois devoir élever cette protestation. Il y a tant de condamnés qui n'ont pas mérité la
peine prononcée contre eux !

J'ai tenu à rectifier les faits, tout d'abord pour ne rien dire que de juste et de vrai et pour rester fidèle à ma devise : *Avant tout la vérité!* puis, pour bien montrer que je n'ai jamais été et que je ne serai jamais un homme à pêcher dans les eaux troubles de la politique de notre temps.

J'ai eu d'ailleurs occasion de dire publiquement dans un journal ce que je consigne ici dans mes *Souvenirs*. La reprise du procès de Ranc devait naturellement appeler l'attention de la presse sur ma situation personnelle, et le *Rappel*, en plaidant la cause de mon ancien collègue à la Commune, publia un article où il mettait en parallèle mes actes et ceux de Ranc, en insistant sur l'ordonnance de non-lieu qui avait été rendue en ma faveur et sur les poursuites qu'on dirigeait contre un membre démissionnaire de la Commune. Voici l'article publié par M. A. Vacquerie dans le *Rappel* :

SIMPLE COMPARAISON.

Il y a en faveur de M. Ranc un argument encore plus concluant et plus décisif que l'acquittement de M. Ulysse Parent : c'est celui de M. Beslay.

M. Beslay, père de M. François Beslay, rédacteur en chef d'un des journaux qui demandent le plus furieusement qu'on poursuive le député du Rhône (et le fils d'un membre de la Commune qui demande qu'on livre aux conseils de guerre un membre de la Commune, c'est encore un joli échantillon de l'ordre moral) ; M. Beslay n'a pas été seulement, comme M. Ranc, membre de la Commune : il en a été président. M. Beslay n'a pas, comme M. Ranc, donné sa démission ; il est resté à la Commune jusqu'au moment où il n'y a plus eu de Commune. Pour cela, — nous copions une lettre de son fils — il y a eu « une instruction approfondie ouverte au mois de juin et terminée au mois de décembre, instruction dans laquelle de nombreux témoins ont été entendus et où ne s'est produite aucune intervention étrangère à la justice », et le résultat de cette instruction aussi impartiale qu'approfondie a été une ordonnance de non-lieu.

Personne ne conteste l'impartialité de l'instruction ni la solidité de l'ordonnance qui met M. Beslay hors de cause : alors, quelle justification de M. Ranc ! Car, si celui qui a été plus que membre de la Commune, qui l'a présidée, qui en a fait partie jusqu'à la dernière heure, est innocent, comment celui qui ne l'a pas présidée, qui n'en a été membre que quelques jours, qui a protesté par sa démission contre le décret des ôtages, serait-il coupable ?

AUGUSTE VACQUERIE.

Cet article, je le reconnais, était un habile plaidoyer, qui mettait bien en lumière l'indignité des poursuites dirigées contre Ranc ; mais il avait pour moi l'inconvénient grave de présenter ma participation aux actes de la Commune d'une manière inexacte, et, sans rien préciser, de faire intervenir encore la personnalité de mon fils comme le *Deus ex machinâ* qui avait dénoué facilement, à mon avantage, les fils de la trame judiciaire où se trouvait engagée mon intervention dans le grand drame de la Commune.

Je ne pouvais laisser passer sans rectification l'article de M. Vacquerie, et je lui adressai la lettre suivante, qui fut insérée dans le *Rappel* :

Neuchâtel (Suisse), 26 juin 1873.

Monsieur le rédacteur,

A propos de la demande adressée à l'assemblée pour autorisation de poursuites contre M. Ranc, vous avez bien voulu établir, entre sa situation et la mienne, un parallèle qui me force à vous adresser une réponse, que vous jugerez, comme moi, absolument nécessaire pour donner aux faits que vous rappelez leur exactitude précise et leur juste mesure.

Dans les jours troublés que nous traversons, la situation de chacun doit être à l'abri de toute interprétation fâcheuse, et je tiens à dégager la mienne de tout commentaire qui ne serait pas fondé.

Puisque le gouvernement de combat fait étalage de justice, il importe que cette justice soit précédée de son premier attribut, la vérité.

Cette vérité, monsieur, doit avant tout et quand même se manifester, même à travers les déchirements du cœur. La polémique du journal de mon fils, que vous rappelez, me navre plus que personne. Mais je n'ai certainement pas besoin de vous apprendre ce que tout le monde sait, aussi bien sur les bancs de la droite que dans les rangs de l'armée démocratique : nous sommes, mon fils et moi, aux deux pôles de la politique. Il croit à l'ordre moral d'un parti qui évoque des affaires que l'on croyait prescrites, et pour moi, cet ordre moral ressemble à celui que j'ai vu fleurir avec les cours prévôtales sous la Restauration, et avec la transportation sans jugement en 1848.

Ce profond dissentiment n'est pas un des moindres chagrins de ma vie, et je sais ce que je souffre chaque jour de voir mon fils rompre les traditions de ma famille; car mon père était l'un des *indépendants* des chambres de la Restauration, et moi je suis fier de pouvoir dire que j'ai été l'un des *indépendants* du grand parti socialiste.

Au sujet de ma participation aux actes de la Commune,

comme président de cette assemblée, la forme de votre article donnerait à penser que j'ai été l'un des principaux membres des conseils de l'Hôtel-de-Ville. Rien de moins exact. La vérité, monsieur, la voici :

Dans le livre des *Souvenirs* que je vais livrer à l'impression, je prouverai que j'ai tout fait pour ne pas être nommé membre de la Commune. Elu contre ma volonté, j'ai prononcé, non comme président, mais comme doyen d'âge, le discours qui a inauguré les travaux de l'assemblée, et j'ai immédiatement donné ma démission, que j'ai renouvelée trois fois, au fur et à mesure que je voyais apparaître des décrets que je désapprouvais absolument.

Malgré ces démissions, pourquoi suis-je donc resté à la Commune? Tout le monde le sait aujourd'hui. J'y suis resté pour conserver la délégation de la Banque de France, que j'ai exercée, malgré d'horribles souffrances, jusqu'au dernier jour, en vue de préserver de tout risque notre premier établissement de crédit, qui restait notre dernière ressource financière. La Banque est restée debout, et, en pareille circonstance, je le dis hautement, j'agirais encore de la même manière.

La contexture de votre dernière phrase pourrait faire croire que j'ai pu approuver le décret contre les ôtages. Ce décret, Monsieur, a été voté dans une séance de nuit à laquelle je n'assistais pas, et du premier jour jusqu'au dernier, j'ai voté avec la minorité de l'assemblée contre toutes les mesures violentes.

Quant à l'instruction suivie d'une ordonnance de non-lieu, dont vous parlez, je n'ai rien fait, ni rien autorisé à faire auprès du conseil de guerre chargé de cette instruction, et je ne connais absolument rien de ce travail judiciaire. Ce que j'ai fait, moi, le voici. Après la chute de la Commune, j'ai écrit à M. Thiers pour lui demander un sauf-conduit de trois jours pour mettre ordre à mes affaires, en m'engageant sur l'honneur à me rendre, après l'expiration de ces trois jours, à la prison qui me serait désignée pour y attendre mon jugement. La brusque arrivée d'une de mes sœurs et ses supplications affectueuses m'ont seules décidé à prendre le chemin de l'exil.

J'y suis resté, et tous mes vieux amis de la Suisse m'approuvent de ne pas avoir quitté ma retraite ; car tout ce qui se passe en France ne justifie que trop le mot si vrai de Danton : « La liberté, mon ami, c'est eux dessous et nous dessus ! »

Mais les réactions passent et la vérité reste. Et pour que la vérité soit connue sur la crise douloureuse de la Commune, je me suis décidé à écrire et à publier un livre, qui va paraître, et qui fera entendre enfin, sur bien des faits inconnus, un témoignage que ne pourront entamer ni les colères, ni les haines de la réaction.

Salut et fraternité.   Ch. BESLAY.

Cette lettre fut l'objet, de la part des journaux réactionnaires, de commentaires envenimés. Le *Pays* et *Paris-Journal* firent observer qu'ayant donné ma parole d'aller me faire juger à Versailles, et ayant ensuite préféré le séjour de l'exil, je n'étais en réalité qu'un *Regulus incomplet* et qu'il ne me restait plus qu'à garder le silence.

Un Regulus ? Les journaux de la réaction sauront qu'un homme politique qui a participé, pendant plus d'un demi-siècle, aux révolutions de son temps sans jamais mettre sa personne en avant, n'a jamais eu la prétention de jouer le rôle de Regulus. Laissons l'héroïsme de côté, ne voyons que les services rendus, et disons simplement les choses. J'avais demandé trois jours à M. Thiers et au procureur-général pour mettre ordre à mes affaires. N'ayant reçu aucune réponse, encore une fois, j'étais libre, et la reprise du procès de M. Ranc prouve surabondamment que j'ai bien fait de préférer l'exil. A l'heure où nous sommes, j'en suis à me demander si l'ordonnance de non-lieu qu'on ne cesse de me mettre sous les yeux pourrait me protéger contre les vengeances de la réaction. Qu'en pensent le *Pays* et *Paris-Journal?* Ma conviction sur ce point est si bien fondée, que si j'avais le malheur de mettre les pieds sur le sol français, je serais, j'en suis certain, immédiatement arrêté. Voilà où en est la justice de l'*ordre moral!*

Cette conduite du Gouvernement du 24 mai me force à dire un mot dans ce dernier chapitre des misérables intrigues qui font du pouvoir en France une curée immonde à la merci de tous les souteneurs du régime monarchique. Cette triste équipée ne m'inspire que deux réflexions, et je me borne à les mentionner sommairement.

Oui, sans doute, la France a prouvé malheureusement par son passé que tout est possible chez elle. Nous avons vu, après la Révolution, l'absolutisme du premier Empire ; nous avons vu revenir en 1815 le clergé et la noblesse ; nous avons vu, après les trois journées de Juillet, escamoter la République ; nous avons vu, après les folies de Strasbourg et de Boulogne, réussir le coup d'Etat du 2 Décembre ; enfin, après les désastres inouïs de ces deux dernières années, nous avons vu monter au pouvoir le plus piteux ministère qu'il soit possible de voir à la tête d'un grand

pays. Une si déplorable expérience permet donc de soutenir
que l'absurde peut jusqu'au bout continuer ses prétentions
au gouvernement de la France.

Mais, tout en soutenant cette hypothèse assez décourageante pour le peuple qui a enfanté la Révolution, il est
juste d'ajouter immédiatement que les chances de la monarchie et du gouvernement personnel n'ont fait que diminuer depuis le siècle dernier, et que les tentatives de restauration ne sont pas considérées comme durables par ceux-
là même qui se proposent d'en profiter plus largement.

Discrédit de la légitimité pure, discrédit de la monarchie
constitutionnelle, discrédit de l'Empire, tel est le dernier
mot de l'histoire de la royauté en France pendant notre
siècle, et cela est si vrai, qu'après deux ans de menées,
d'intrigues, de conciliabules, de plans, d'adresses, de manifestes, de visites, de projets toujours défaits et toujours à
refaire, nous en sommes encore à attendre le premier mot
du programme qui servirait de base à la restauration hybride qu'on fait grimacer à nos yeux.

Et si la monarchie n'est plus viable, à qui faut-il donc
s'en prendre? A qui? mais à la Révolution elle-même, qui,
en dépit de toutes nos restaurations passées, est plus puissante, plus active, plus envahissante que jamais. La Révolution est aujourd'hui l'air que nous respirons, la lumière
qui nous guide, et nous ne faisons plus rien que par elle.
Elevez votre esprit au-dessus de l'égoïsme des partis, embrassez d'un seul coup d'œil l'histoire du siècle, voyez la
marche des événements, non-seulement en France, mais en
Europe, et vous serez obligés de convenir que l'Europe tout
entière, sauf la Russie et la Turquie, est aujourd'hui conquise par la Révolution; et la preuve, c'est que la Sainte-

Alliance ne serait plus même possible de nos jours. Bâtissez donc une dernière restauration d'un jour sur ce sol mouvant miné par la Révolution, qui toujours grandit et qui ne laissera debout aucun gouvernement de l'Europe! Ce serait bâtir sur le sable, et ce rêve apparaît comme une chimère si mesquine, si méprisable, si éphémère, que la République, nous l'espérons, finira par sortir de ce chaos comme une invincible nécessité!

N'ayons donc ni enthousiasme, ni découragement, et prenons notre pays avec ses défauts et ses qualités. Si ses défauts nous ont donné les plus lamentables revirements, ses qualités nous ont donné la Révolution, qui, à l'heure de civilisation où nous sommes, reste encore l'idéal de l'humanité. Si, par les fautes accumulées de la nouvelle chambre introuvable, il nous survenait en fin de compte une dernière éclipse, consolons-nous en nous disant qu'elle ne peut être qu'éphémère, et que nous verrons bien vite surgir la véritable question de la politique contemporaine, celle qui met en présence les socialistes et les conservateurs, les travailleurs et les capitalistes.

Les fondateurs de l'Internationale avaient donc raison quand ils mettaient en dehors de leurs discussions les questions politiques. La République n'est plus à démontrer, et nous n'avons pas plus à la faire comprendre qu'on ne fait comprendre les axiomes de la géométrie. On sait aujourd'hui partout que la République est le meilleur des gouvernements, tout aussi bien que le tout est égal à la somme de ses parties, et que le plus court chemin d'un point à un autre est toujours la ligne droite. Et voilà pourquoi, dans toutes ses crises et dans toutes ses révolutions, la France y revient par une inflexible logique; elle y reviendra jusqu'au jour où la tourbe de ses prétendants l'aura laissée en paisible possession de sa souveraineté, c'est-à-dire en possession du régime républicain.

Nous croyons donc rester dans la stricte limite du juste et du vrai, en affirmant que le problème à résoudre n'est pas représenté par ces deux mots : République et Monarchie, mais bien par ces deux autres : Travail et Capital, et sur ce point, nous devons une dernière fois consigner la réponse que nous ne cessons d'adresser aux mille questions qui nous arrivent, au sujet des péripéties foudroyantes qui ont signalé à l'attention du monde entier la chute de la Commune.

Toutes les informations que je reçois, toutes les discussions vraiment sérieuses que je vois surgir dans tous les pays, toutes les mesures que je vois prendre contre l'*Internationale,* démontrent surabondamment que le véritable nœud de la question présente n'est pas dans le retour d'un fantôme de gouvernement personnel, mais bien dans l'émancipation du prolétariat, dans une plus juste organisation du travail.

C'est de ce côté que se tournent soucieusement les regards de tous les hommes sincères, et c'est ainsi que s'explique l'attention tourmentée qui attire vers le drame de la Commune la pensée des gouvernements, des hommes politiques et des populations. Ce grand procès est ouvert devant l'histoire, et il est loin d'être jugé. Voilà pourquoi il importe que tous les acteurs qui, de près ou de loin, ont été mêlés à ces journées terribles, élèvent la voix pour que l'avenir ne se trompe pas sur le caractère et sur les actes de la plus formidable explosion que le travail ait jamais fait éclater contre la société moderne.

Je tiens donc à terminer ce livre en consignant ici, comme un témoin qui parle devant l'histoire, tout ce que je sais et tout ce que je pense :

1° Sur le mouvement révolutionnaire du 18 mars ;

2° Sur le caractère des décrets qui ont été rendus par la Commune ;

3° Sur les ôtages et les incendies ;

4° En un mot, sur ce qu'il faut penser de la Commune.

Ai-je besoin d'ajouter ici qu'en résumant mes souvenirs et mes impressions sur ces grands actes, je ne suis inspiré que par une seule et unique pensée, celle de dire absolument la vérité?

La journée du 18 Mars. — Je n'ai pas à revenir sur les considérations que j'ai déjà présentées sur ce mouvement révolutionnaire. Les historiens qui voudront, un jour, mettre en lumière cette formidable explosion du peuple, devront, pour être justes, se tourner tour à tour vers la garde nationale de Paris et vers le gouvernement. Du côté de la garde nationale, on ne manquera pas de dire que la pensée d'une révolution nouvelle était grandement coupable, parce qu'elle venait ajouter la guerre civile à la guerre étrangère et parce que le triomphe de la Prusse ne pouvait lui laisser aucune chance de réussite. J'ai moi-même tenu compte de ces critiques, et c'est pour ce motif que j'ai toujours lutté, par mes votes avec la minorité de la Commune, par mes démarches personnelles, par mes adresses à M. Thiers, c'est pour cela, dis-je, que j'ai lutté, en vue d'amener une entente qui aurait assuré ces deux grandes conquêtes : le maintien de la République et des franchises municipales. On peut voir par l'instabilité des choses aujourd'hui en France, combien aurait été profitable à mon pays la politique que j'ai conseillée et pratiquée. Cette politique de conquêtes progressives était celle de Mazzini, et c'est la seule que je comprenne.

La politique suivie par la Commune. — On peut donc désapprouver et je désapprouve moi-même le programme qui a été suivi. Mais cette réserve faite et ce blâme une fois prononcé, il importe de juger sans prévention ni parti-pris l'œuvre tentée si hardiment par la Commune. Elle a voulu être un gouvernement cherchant à triompher d'un gouvernement établi, parce qu'elle voulait avant tout assurer à la France le bienfait de la République ; elle a voulu, au milieu des déchirements de la patrie, inaugurer les réformes qui doivent consacrer les justes revendications du travail.

En un mot, elle a pris en main, dans le tumulte de nos désastres, un travail de Titan, et elle a succombé sous ses efforts ; mais que l'on examine ses travaux avec attention, que l'on examine la pensée-mère de ses adresses, de ses décrets et des mesures réformatrices qu'elle a prises pour améliorer les conditions du travail, et cette revue impartiale démontrera aux esprits désintéressés que ce pouvoir si décrié, si maudit, de la Commune, n'a jamais rien demandé, rien stipulé, rien fait pour lui-même, et qu'il n'a jamais été inspiré que par une seule pensée : l'émancipation des travailleurs. A ce point de vue, l'histoire de la Commune reste comme le souvenir le plus émouvant et la tentative la plus gigantesque qu'ait jamais fait le travail pour échapper à la domination du capital.

Le lecteur ne doit pas oublier d'ailleurs que la Commune commença par demander la reconnaissance des franchises municipales, question primordiale qui roule depuis huit cents ans dans notre histoire et qui n'a jamais été résolue. Le gouvernement de Versailles, qui s'efforçait de calomnier la Commune en répandant le *Père-Duchêne* en France et à l'étranger, se gardait bien de discuter les réformes sérieuses proposées par le pouvoir de l'Hôtel-de-Ville; mais la vérité se faisait jour quand même, comme on peut le voir par un article que nous empruntons au journal la *Vérité*, du 18 avril, et qui nous montre la Russie pratiquant depuis des siècles la politique que la Commune demandait pour la France :

LA COMMUNE RUSSE.

De tous les journaux étrangers que nous lisons, il n'en est pas un qui ne s'étonne de l'entêtement du gouvernement français à reconnaître la liberté municipale. La plus nette des adhésions au principe de la Commune vient de Saint-Pétersbourg. (Correspondance particulière du *Nord*, 29 mars 1871.)

« L'affranchissement de la commune, a dit M. Beslay, est le *couronnement* de notre victoire; chacun des groupes spéciaux va retrouver sa liberté d'action. La commune s'occupera de ce qui est local. Le département s'occupera de ce qui est régional. Le gouvernement s'occupera de ce qui est national.

» Ces paroles sont la condamnation la plus manifeste de l'organisation politique et sociale de la France. Ainsi, il n'a fallu rien moins qu'une révolution pour arriver — ou plutôt pour ne pas arriver — à ce que les socialistes de Paris considèrent comme le *couronnement* de l'édifice, et qui est pour nous, sujets russes, la *base* historique de notre développement social. »

On n'a jamais pensé en Russie à l'affranchissement des communes, parce qu'elles n'ont jamais été asservies. La commune a précédé l'Etat. Ce sont les communes fédérées qui ont établi la monarchie russe (862). Jamais les communes russes, y compris Moscou et Saint-Pétersbourg, n'ont cessé d'élire leurs maires. Les attributions municipales viennent encore d'être étendues.

Les affaires régionales sont administrées par des conseils élus *(zemtvo)* avec un budget spécial. Les juges de paix sont élus par leurs justiciables.

Le correspondant du *Nord* recommande fort ce système, qu'il trouve supérieur à la liberté politique nationale. « Cette liberté, telle qu'on l'entend dans l'occident de l'Europe, n'est compatible qu'avec un degré de civilisation générale, auquel sont peut-être arrivés les Etats-Unis d'Amérique, mais non la France, ni surtout la Russie.

» Cependant, le peuple russe s'est cru de tout temps apte à régir ses affaires locales. Le plus simple bon sens dit que les premières libertés dont peut jouir un peuple sont les libertés locales : la liberté nationale ne peut être que le couronnement. »

(*La Vérité*, 16 avril 1871.)

Les incendies et les ôtages. — On a fait de ce drame la question capitale de la Commune, et, sur ce point encore, l'opinion dominante se ressent manifestement de préventions qui sont semées à pleines mains par le parti vainqueur. Comment se forme l'opinion? Principalement par la presse. Or la presse compte, en général, vingt et trente journaux qui parlent en faveur du capital, contre quelques journaux créés pour prendre la défense du travail. Faut-il s'étonner dès lors de voir incessamment lancer l'anathème contre les travailleurs et contre la Commune?

Mon droit et mon devoir à moi, comme membre de l'assemblée de l'Hôtel-de-Ville, est de dire tout ce que je sais, tout ce que j'ai entendu, et pour rendre hommage à la vérité, je n'hésite pas, à la fin de ce livre, à faire les déclarations suivantes :

J'affirme que je n'ai jamais assisté à la Commune à aucune discussion relativement aux ôtages et aux incendies; on sait, en effet, que depuis le commencement du siége la maladie me forçait souvent de rester chez moi et de garder le lit.

J'affirme que jamais, dans les entretiens que j'ai pu avoir, soit avec les membres du comité de salut public, soit avec les membres de la Commune, je n'ai entendu poser la question des ôtages et des incendies. J'affirme que, s'il en avait été ainsi, le parti de la minorité était assez puissant, d'un côté, pour discuter à haute voix la politique d'humanité dans les conseils de l'Hôtel-de-Ville, et, de l'autre, pour lui assurer, par la publicité, le concours et l'appui de la population parisienne.

Il y avait certainement un parti violent à la Commune. Mais, au point de vue du respect de la vie humaine, il importe de faire, devant les contemporains, pour obtenir justice de l'avenir, trois observations importantes qui ne manqueront pas de frapper les historiens :

1° C'est que ce parti violent, que l'on représente comme un ramassis de buveurs de sang, n'a jamais fait fusiller personne pendant les deux mois qu'a duré le gouvernement de la Commune, et que l'ordre d'exécution est encore à trouver à l'heure qu'il est, puisque le commandant qui, dit-on, a ordonné le feu, Ferré, a opposé jusqu'au bout, jusqu'au poteau de Satory, le plus énergique démenti à toutes les accusations portées contre lui, et il a été prouvé, depuis sa mort, que le fameux billet, *Flambez Finances,* n'était pas de lui ;

2° C'est que ce parti violent, que l'on nous montre comme affamé de carnage, consentait lui-même à rendre *tous* les ôtages, à la seule condition de la mise en liberté de Blanqui (les lettres de l'archevêque l'attestent). Des hommes que l'on cherche à faire passer pour des septembriseurs se seraient-ils montrés d'aussi facile composition ?

3° C'est que ce parti violent, que l'on s'obstinait à voir uniquement occupé de massacres, avait tant à faire pour continuer la lutte engagée, qu'il ne se préoccupait même pas de ce qu'il devrait ordonner pour donner suite au décret sur les ôtages. Et la preuve, c'est que l'une de ces victimes a été précisément le banquier Jecker, que la Commune avait tant d'intérêt à conserver vivant pour révéler au grand jour, par un témoignage irrécusable, toutes les turpitudes de l'expédition du Mexique. A quel parti pouvait profiter cette mort ??

Que conclure de tous ces faits incontestables ? Une seule chose : c'est que le massacre des ôtages, qui reste comme la tâche de sang de la Commune, a été l'un de ces malheurs inséparables de toute commotion révolutionnaire. Debout, la Commune a rendu le décret comme une menace, dans le but de protéger la vie de ses défenseurs ; mais, debout, elle n'a jamais songé à le mettre à exécution, et les fusillades qu'on lui reproche n'ont été, à l'heure de son agonie, que des mesures de désespoir et de représailles.

De représailles? ai-je dit. Il est impossible, en effet, à l'esprit impartial, de ne pas mettre en regard les fusillades de Paris et les fusillades de Versailles. Le parti conservateur a la malheureuse habitude de ne pas tenir compte du sang qu'il fait couler pour défendre son pouvoir. On dirait, en vérité, que la vie des travailleurs ne représente rien pour lui ! Après vingt siècles de progrès et de révolutions, en sommes-nous donc réduits à ne pas mieux valoir que ces citoyens romains, qui regardaient les esclaves comme un bétail et qui les jetaient en pâture aux poissons de leurs viviers?

Or, il faut bien que l'histoire montre en tout et pour tout la vérité. On sait le nombre des victimes de la Commune, mais nous ne savons pas encore le nombre des victimes de Versailles. Les généraux en ont discrètement caché le nombre ; le gouvernement a lui-même toujours gardé le silence. Toutefois, nous en savons assez pour attester que les fusillés de Versailles se comptent par milliers, et devant les deux chiffres des deux pouvoirs en guerre — une centaine ici et des milliers là-bas, — l'inexorable histoire, qui n'a qu'une balance, saura dire de quel côté se sont trouvées la modération et l'humanité.

Pour les incendies, on arrive à la même conclusion. De toutes les histoires inventées pour nous montrer Paris machiné comme un théâtre et tout prêt à s'écrouler dans les flammes, il ne reste aujourd'hui que le nombre des sinistres encore malheureusement trop grand qui ont jeté de si tristes lueurs sur les derniers jours de la Commune.

La première réflexion que nous suggère l'accusation que l'on dresse contre la Commune au sujet des incendies est celle-ci : Au milieu d'une bataille si opiniâtre, concentrée sur un champ si restreint, avec une artillerie si formidable de part et d'autre, et à travers des édifices tout prêts à prendre feu par l'éclat des bombes, comment ne pas se dire que les assiégeants comme les assiégés ont dû forcément par leurs projectiles allumer plus d'un incendie? Ce résultat était assurément inévitable et il a dû nécessairement se produire. Il ne serait que juste d'en tenir compte. Mais la politique modérée des conservateurs aime mieux faire de ces incendies accumulés un anathème contre le parti qu'elle veut déshonorer en l'écrasant.

En lisant les réquisitoires lancés contre les incendies qui ont épouvanté Paris, on serait tenté de croire que la Commune n'avait pris le pouvoir que pour détruire la capitale. Il suffit, en vérité, d'énoncer une telle accusation pour en faire comprendre l'absurdité. S'il en avait été ainsi, la Commune aurait fait de Paris une ruine immense; mais on aura beau entasser les réquisitoires et les accusations, on ne trouvera jamais une délibération, un acte, qui montre de la part de l'assemblée de l'Hôtel-de-Ville, la résolution de brûler la capitale de la civilisation moderne.

Je n'ai pu, il est vrai, me rendre à l'Hôtel-de-Ville à partir du 24 mai. Mais, ce jour-là même, j'ai eu avec Delescluze, dans la salle où siégeait le comité de salut public, un entretien significatif, dont j'ai rapporté plus haut la substance. Tous les ordres étaient en ce moment donnés. Delescluze, qui devait peu après quitter l'Hôtel-de-Ville pour aller mourir sur une barricade, m'a dit bien certainement la vérité sur ce point. Si l'incendie avait été la grande mesure mise à l'ordre du jour de la Commune, il n'aurait pas manqué de m'entretenir moi-même de l'incendie de la Banque de France, dont la destruction aurait dû être signalée comme l'une des plus importantes. Or, non-seulement il ne m'en ouvrit pas la bouche, mais Delescluze savait que j'avais défendu ce foyer du crédit public, et il n'avait cessé de m'approuver et de m'encourager dans mon attitude.

Non-seulement Delescluze ne me parla pas du projet de brûler Paris, mais, à la question très-nette que je lui adressai pour être édifié sur ce grave sujet, il me répondit de la manière la plus simple et la plus claire, que les ordres donnés pour la défense ne commandaient d'avoir recours aux incendies que dans le cas où le feu pourrait prolonger efficacement la résistance : c'était purement et simplement l'application des lois de la guerre.

Cet entretien avec Delescluze est pour moi significatif. Il me paraît encore plus caractéristique, si je le rapproche de la dernière visite que firent à la Banque les bataillons fédérés. Cette visite eut lieu le mardi matin, 23 mai 1871, et elle se produisit avec une énergie qui s'expliquait par la lutte qui embrassait déjà tous les quartiers à l'ouest de la capitale. Les ordres de l'Hôtel-de-Ville étaient déjà donnés en ce moment, puisque c'est précisément ce jour-là, le mardi 23 mai, que commença l'incendie du ministère des finances et du palais des Tuileries. Comment alors expliquer cette retraite des bataillons fédérés à mon commandement si, à l'Hôtel-de-Ville, on avait donné l'ordre de brûler Paris? Ce serait incompréhensible.

Voyons donc les choses comme elles sont, et ne donnons pas aux événements des proportions extravagantes. Si la Commune n'avait eu dans son sein que des Erostrates, résolus à faire de Paris la proie des flammes, elle n'aurait pas attendu son dernier jour pour exécuter ce plan monstrueux et nous aurions bien d'autres pertes à déplorer. Les incendies, comme les fusillades des ôtages, ont été l'explosion inattendue des colères et des vengeances, telles qu'on pouvait en attendre d'une bataille acharnée de sept jours, la bataille sans contredit la plus sanglante de l'histoire de Paris !

Le procès n'est pas encore vidé; mais il se plaide, et la lumière se fera. On saura pourquoi il n'y a eu d'incendiés que les monuments où pouvaient se trouver les preuves de tous les tripotages de l'Empire; on saura pourquoi le gouvernement de Versailles a facilité l'entrée dans Paris des forçats et des repris de justice; on découvrira, espérons-le, un jour, les témoignages et les preuves qui feront tomber sur les vrais coupables les responsabilités qui doivent tomber sur eux. En attendant, nous estimons que l'accusation d'incendiaire, si légèrement lancée contre le gouvernement de la Commune, ne repose absolument sur aucun document, sur aucun décret, sur aucun acte. J'ajoute, immédiatement, que je suis plus sensible au sort des populations qu'au respect des monuments : il ne faut que deux ou trois ans pour faire un monument, il faut vingt ans pour faire un homme; et, au point de vue de l'inviolabilité de la vie humaine, les conservateurs, qui crient par-dessus les toits les meurtres des ôtages, doivent commencer par mettre en ligne de compte les milliers de fédérés fusillés par l'armée. Et que d'innocentes victimes dans ces fusillades ! Il ne faut pas voir une paille dans l'œil d'autrui, quand on porte une poutre dans le sien !

Que faut-il penser de la Commune? — Après avoir tourné et retourné en tous sens cette grande question d'histoire, on

arrive à cette conclusion que la Commune doit être considérée comme l'acte de revendication le plus formidable que
le travail ait jamais fait valoir contre les gouvernements et
contre les institutions sociales. Les soulèvements des esclaves dans l'antiquité ne furent jamais que des protestations
stériles, puisqu'ils ne parvenaient jamais à changer les horribles lois qui faisaient de l'esclave un vil instrument, *un
instrument qui parle*, disait le droit romain. Les jacqueries
du moyen-âge ne furent que des vengeances locales exer-
cées par les populations souffrantes contre les seigneurs qui
les tyrannisaient au point de faire du paysan un être déshé-
rité, moitié homme, moitié animal, dont La Bruyère nous
a laissé le portrait lamentable.

Mais la Commune, précédée de la création de l'Internationale et suivie d'une recrudescence de propagande au
nom de toutes les idées d'émancipation du travail, la Commune, loin d'être aujourd'hui regardée comme une idée et
comme une cause vaincue dont il ne sera plus question dans
le monde, est si bien ressuscitée, si bien vivante, si bien
redoutée de tous les gouvernements, que dans tous les pays
nous voyons mettre *à l'index* tout ce qui, de près ou de
loin, touche à l'Internationale. Le coup de fouet que Xerxès
donnait à la mer n'est pas plus vain, pas plus insensé que
les coups de massue que les conseils de guerre de Versailles
font tomber depuis deux ans sur les vaincus de la Commune.
Les conseils de guerre n'ont pas encore terminé leur tâche,
et déjà les gouvernements conservateurs en sont à se dire
que l'idée des revendications du travail est toujours debout.
Et toute l'Europe en est là !

Pourquoi donc recourir à la compression et aux persécutions sans fin ? Pourquoi recourir à la force, quand c'est le

droit qui parle? De deux choses l'une : ou la cause du travail est injuste, et alors comment expliquer cette invincible attraction qui pousse tous les peuples à épouser la cause des travailleurs? ou la cause du travail est juste et sacrée, et alors comment justifier l'impitoyable fin de non-recevoir qu'on oppose à leurs légitimes demandes?

Il faut le reconnaître et le proclamer sans détour. La cause de la Commune, qui n'est autre que la cause du travail, est maintenant si bien admise et si bien discutée sur le tapis vert des gouvernements, que les hommes d'Etat les plus clairvoyants en sont aujourd'hui à rechercher les moyens de résoudre, sans secousses et sans révolutions, les problèmes sociaux. Voyez les avances faites par les lords d'Angleterre aux radicaux anglais. C'est l'œuvre à laquelle je consacre moi-même ma vieillesse, et pour éclairer la solution des problèmes dont on s'occupe partout, il est une question assez obscure et assez contestée, sur laquelle je crois devoir donner ici quelques informations précises. Je le dis en finissant, comme je l'ai dit en commençant ce livre : Avant, tout la vérité !

Abordons franchement et sans aucune restriction la question qui préoccupe gravement les esprits les plus sympathiques à la cause du travail. En lisant le récit et le renouvellement des grèves dans les centres industriels; en lisant certaines menaces des publications socialistes répandues par les émigrés ; en entendant parler de la destruction du vieux monde, pour en inaugurer un nouveau sur de nouvelles bases, beaucoup de citoyens m'ont souvent fait cette question : Est-il donc vrai qu'il y ait parmi les rêveurs de l'Internationale des utopistes qui veulent commencer leur révolution en faisant table rase du monde créé par la main des hommes ?

Eh bien, oui ! Je suis obligé de le confesser ouvertement. Il y a parmi les communistes exaltés des esprits foncièrement honnêtes, absolument désintéressés, mais implacablement convaincus, qui se disent en toute sincérité : « Le » monde créé par le capital n'a engendré que le mal, il faut » commencer par le détruire; et le travail, qui a tout fait, » saura bien en refaire un autre, pour remplacer le mal par » le bien, l'injuste par le juste, et les priviléges par l'égalité » absolue. »

C'est l'idée communiste poussée à l'extrême, et principalement propagée par l'école socialiste d'Allemagne et de Russie, qui demeure l'objectif de ce parti que je considère comme une petite minorité dans la grande famille des travailleurs. Parfois cette idée m'attriste et je me demande douloureusement pourquoi et comment, dans l'extrême civilisation où nous sommes, nous discutons les questions que l'on ne trouve qu'à l'origine des sociétés.

Politiquement, nous voyons le comte de Chambord marchander la France comme un troupeau, à la façon des héros d'Homère se disputant les régions qu'ils avaient conquises.

Socialement, nous voyons des réformateurs discuter et régler l'organisation sociale à la façon de ces patriarches qui faisaient de leur tribu une famille qui obéissait en tout et partout à leurs commandements.

Je n'ai rien à dire du rêve de M. de Chambord, qui se réveille, comme Epiménide, dans un monde qu'il ne connaît pas et qui lui prouverait, à lui comme à ses prédécesseurs, *qu'il n'a rien appris, ni rien oublié;* mais il m'est impossible de ne pas signaler, par une simple observation, l'utopie tout à la fois si terrible et si naïve rêvée par les communistes.

Le communisme ! Il a séduit et il séduit encore, par la magie de l'absolu, bien des imaginations ardentes. Mais il suffit d'une simple observation pour faire justice de ce rêve insaisissable par une société. Le communisme est possible quand il est organisé de manière à demander tout aux membres de la communauté, en ne leur donnant que le strict nécessaire. La communauté ainsi comprise peut vivre et grandir, parce qu'elle repose sur une idée admirable en elle-même : le sacrifice entier de l'individu et son dévouement absolu aux intérêts communs, sans rien demander pour lui-même. Ainsi s'explique l'immense développement des communautés religieuses.

Mais le système de communauté avec la famille, avec les besoins et les exigences de chacun, avec les passions humaines, n'a jamais été et ne sera jamais applicable à la société. L'expérience est faite, et je m'étonne bien souvent, en vérité, d'avoir à me heurter, dans le champ des doctrines sociales, contre un pareil obstacle.

Pour moi, qui ne crois pas que le travailleur puisse et veuille détruire la société aujourd'hui gouvernée par les conservateurs, et qui reste en même temps convaincu que les conservateurs ne pacifieront le travail qu'en l'organisant d'une façon plus équitable ; pour moi, qui crois à l'influence bienfaisante des réformes, et qui voudrais pour toujours fermer l'ère des révolutions ; pour moi, qui ai toujours cherché à rapprocher les deux camps divisés du Capital et du Travail, je n'ai pas hésité à déclarer, dans les rangs de l'Internationale, comment je comprends la transformation sociale.

A peine étais-je arrivé sur la terre d'exil, que j'envoyais à l'un des membres éminents de l'Internationale, M. Jung, délégué de la Suisse au comité central de l'Internationale à Londres, une déclaration de principes pour bien montrer la·ligne de conduite que j'ai tenue et que je suis résolu à suivre. Je ne puis mieux terminer ce livre qu'en reproduisant ici cette Adresse, qui contient les principes auxquels j'ai toujours obéi et qui resteront comme les règles fondamentales des *Réformes sociales*, que je me dispose à publier :

AU CITOYEN JUNG,

délégué de la Suisse au comité central de l'Internationale,
à Londres.

Citoyen !

Si nous avions besoin d'un argument pour démontrer que la cause du prolétariat est juste et invincible, ne le trouverions-nous pas dans ce mouvement toujours croissant des grèves qui agitent si profondément l'Europe?

La politique de la force s'imaginait que tout serait pour le mieux parce qu'elle avait détruit un Empire en France et rétabli un Empire en Allemagne. Les trônes ne sont rien aujourd'hui, et la marée montante des questions sociales envahit si bien le vieux monde, qu'il n'y a plus de notre temps, pour tous les gouvernements, qu'une seule et unique question, plus impérieuse que jamais, celle du Travail et du Capital.

Nous touchons manifestement à l'aube de cette ère nouvelle que nous montrait mon ami P.-J. Proudhon, quand il formulait dans notre société ancrée sur le capital ces deux mémorables aphorismes :

Qu'est-ce que le capital? — Tout.

Que doit-il être? — Rien.

Qu'est-ce que le travail? — Rien.

Que doit-il être? — Tout.

Oui, le capital, qui est et ne peut être qu'un instrument de travail, doit se résoudre à n'être plus qu'un des leviers de la production universelle.

Cette idée, que la propagande de l'Internationale fait pénétrer de plus en plus dans la conscience des travailleurs, serait déjà le *credo* de tous les peuples, si les calomnies du capital et les obscurités qui enveloppent les principes de l'Internationale ne laissaient encore une large place à l'incertitude et à l'indécision des masses.

Les persécutions des gouvernements et les calomnies de la bourgeoisie ne doivent pas nous arrêter un instant. Vis-à-vis de toute grande révolution, les gouvernements se sont toujours considérés comme une citadelle assiégée, et chacun sait ce que l'art militaire dit des citadelles assiégées. Tôt ou tard arrive l'heure où elles sont condamnées à se rendre.

Ce n'est donc pas de la résistance de nos ennemis que nous avons à nous préoccuper. Les royautés et les aristocraties ont plié sous la pression du monde millionnaire qui règne et gouverne aujourd'hui en Europe. Cette société bourgeoise pliera elle-même sous la pression du prolétariat prenant la parole au nom de ses revendications légitimes.

Donc le triomphe du prolétariat n'est pas douteux; mais ce qui importe au présent, comme à l'avenir, pour hâter le jour de ce triomphe, c'est de dégager au plus vite l'Internationale du monstrueux assemblage d'infamies dont ses ennemis entourent ses délibérations et ses actes.

Le vol, le pillage, l'incendie, la destruction en tout et

partout, voilà quel serait, au dire des gouvernements, le but irrévocable poursuivi par la grande armée des affiliés. Mensonge odieux, que l'Internationale doit réduire à néant en mettant au grand jour, en pleine lumière, les principes immuables sur lesquels doit reposer la législation des générations futures.

Il ne suffit pas de briser les liens de servitude, il faut encore montrer qu'après l'affranchissement viendra la terre promise. Tâchons que ce soit sans évolutions violentes.

Or, sur ce point capital, l'Internationale, comme toute vaste association, peut comprendre les opinions les plus divergentes ; mais sur les bases invariables, éternelles, qui ont présidé à la vie des nations, il ne doit y avoir dans la Société de l'Internationale qu'une seule et même impulsion représentant l'immense majorité des membres de l'association.

L'histoire ne nous montre, en réalité, à travers les siècles, que trois principes éternellement vrais, éternellement reconnus, qui sont :

L'homme libre,

La famille libre,

Le travail libre.

C'est pour arriver à la reconnaissance publique, éclatante, de ces trois principes que je vous envoie cette lettre. Vous êtes dans une situation qui vous permet de provoquer de la part de l'association une déclaration imposante, qui serait comme le *fiat lux* de la transformation à laquelle nous travaillons.

Convoquez les comités, provoquez leurs témoignages, enregistrez leurs votes, faites publier par le comité général directeur l'adhésion à ces trois principes primordiaux de toute société humaine, et l'Internationale ne tardera pas à compter dans ses rangs toute la grande famille des travailleurs.

Salut et fraternité.   Ch. BESLAY,

membre de l'Internationale et de la Commune.

Neuchâtel, 17 septembre 1871.

ANNEXES

LETTRES DE P.-J. PROUDHON

Il me faudrait un livre pour reproduire toutes les lettres que m'a écrites l'éloquent apôtre de l'émancipation du travail. Cette correspondance, je l'espère, verra le jour plus tard, Mme Proudhon m'ayant prié de lui laisser prendre copie de lettres que j'ai reçues de son mari et qu'elle va publier. En attendant, mes lecteurs me sauront gré de mettre sous leurs yeux des confidences qui m'ont été faites et qui sont, en quelque sorte, une prédiction des folies et des catastrophes qui accablent depuis trois ans la France.

Lettre de Sainte-Pélagie, 11 mai 1852.

Tenez-moi au courant de vos affaires policières (en ce temps que j'étais traqué par la police), et quand l'occasion s'en présentera, ménagez-moi, soit une entrevue nouvelle, soit une entrée en relations avec Messieurs du chemin de fer. Peut-être puis-je leur rendre quelques services en ce qui concerne l'exploitation d'une voie suisse ; et puis, je ne vous dissimule pas que, plus j'y pense, plus je me convaincs que c'est sur le terrain des *affaires* seulement qu'il est désormais possible de *procurer la liberté des nations et leur progrès.*

Le vieux monde se détraque; mais le nouveau n'est pas né, nous sommes en pleine période chaotique.

Lettre de Bruxelles, 24 juillet 1858.

Pour vous, cher ami, vous êtes incomparable, et je me prends à vous aimer de passion. Vous êtes le tuteur de ma femme et le grand-papa de mes enfants : comment pourrais-je reconnaître jamais tout ce que je vous dois? Ce sera en me montrant de plus en plus digne de votre estime, par mes sentiments pour vous et par mes œuvres. Désormais, vous le savez, *vous êtes mon confesseur*. Je vous donne le contrôle de ma conscience : avertissez-moi dès que je m'écarterai du vrai chemin?

Lettre de Bruxelles, 3 mai 1860.

La vieille Europe se précipite; l'immoralité et le scepticisme dissolvent à l'envi la société, et nous pouvons nous vanter d'assister à la décadence des nations chrétiennes.

Quelle chute, pour la France surtout, après une révolution comme celle de 1789! Nous voilà donc tout-à-fait revenus au régime du sabre, à la servitude des nations, à l'affaissement de tous les principes, à l'orgie! La campagne de Lombardie aura donné le branle. L'Italie veut être unitaire, devenir un grand empire. La conséquence pour nous est d'assurer davantage notre frontière et d'annexer deux petites provinces. La Russie, qui ne s'y oppose pas, songe à prendre un équivalent en Orient. L'Autriche fera de même sur le Danube; l'Angleterre, idem quelque part ailleurs; la Prusse se constituera en empire d'Allemagne.

Nous marchons à une formation de cinq ou six grands empires, ayant tous pour but de défendre et restaurer le droit divin et d'exploiter la vile plèbe. Les petits Etats sont sacrifiés d'avance, comme le fut autrefois la Pologne.

Alors il n'y aura plus en Europe ni droits ni libertés, ni principes ni mœurs ; alors aussi commencera la grande guerre des six empires les uns contre les autres.

Que voulait la Révolution ? Que voulait la République ? Conjurer cette ère de malheur et d'ignominie, et assurer avec le droit la' liberté, la paix, le règne fécond des idées, du travail et des mœurs.

L'Europe coupable sera châtiée par l'Europe armée ; que l'exécution vienne donc tôt et passe vite.

Je ne sais plus, cher ami, quand nous aurons le plaisir de nous revoir. Je ne sais plus si je reverrai la France : ce qui est certain, c'est que je ne serai nulle part plus triste que je ne le suis à Bruxelles, et que je l'ai été pendant sept ans, depuis le 2 Décembre, à Paris.

Il faut que le vieux monde, avec ses utopies, ses préjugés, ses pauvretés, meure, et qu'il meure ignominieusement. Nous vivrons assez l'un et l'autre pour assister à cet enterrement.

Je vous écris à tort et à travers. J'ai vécu, j'ai travaillé, je puis le dire, quarante ans dans la pensée de la liberté et de la justice ; j'ai pris la plume pour les servir et je n'aurai servi qu'à hâter la servitude générale et la confusion.

Donnez-moi la main, cher ami, et envoyez-moi un franc bonjour.

Lettre de Bruxelles, 21 mai 1861.

Vous savez que mon ambition est, après avoir été *l'esprit le plus révolutionnaire* de mon temps, d'en devenir, sans changer un iota à mes opinions, et par le succès même de ces opinions, LE PLUS CONSERVATEUR. Cette ambition que vous approuvez, je l'espère, parce que vous en comprenez le vrai sens, va recevoir un commencement de réalisation, tant par la publication de mon livre sur *la Guerre et la Paix* que par mon *Mémoire sur l'Impôt* : ce sera chose curieuse, dans quelques années, de me voir faire la guerre aux jacobins, aux bonapartistes, aux vieux orléanistes eux-mêmes, comme à des perturbateurs de l'ordre et à des destructeurs de la fortune publique. Patience! cher ami, vous n'irez pas longtemps sans être témoin de ce miracle, dans lequel mes propres amis eux-mêmes n'auront vu, comme on dit vulgairement, que *du feu*.

Puisque vous avez bien voulu me faire connaître à Mme Beslay, votre mère, présentez-lui mes très-respectueux hommages, et dites-lui que, si je suis un peu diable, je suis au fond un bon diable, tenant, quoi qu'on en dise, le milieu entre Satan et saint Michel.

FIN

TABLE DES MATIÈRES

Achevé d'imprimer en Suisse
Réimpression de l'édition de Paris, 1874